équipe dynamique

livre de l'étudiant

Danièle Bourdais
Sue Finnie

OXFORD
UNIVERSITY PRESS

OXFORD
UNIVERSITY PRESS

Great Clarendon Street, Oxford OX2 6DP

Oxford University Press is a department of the University of Oxford.
It furthers the University's objective of excellence in research,
scholarship, and education by publishing worldwide in

Oxford   New York

Auckland   Cape Town   Dar es Salaam   Hong Kong   Karachi
Kuala Lumpur   Madrid   Melbourne   Mexico City   Nairobi
New Delhi   Shanghai   Taipei   Toronto

With offices in

Argentina   Austria   Brazil   Chile   Czech Republic   France   Greece
Guatemala   Hungary   Italy   Japan   Poland   Portugal   Singapore
South Korea   Switzerland   Thailand   Turkey   Ukraine   Vietnam

Oxford is a registered trade mark of Oxford University Press
in the UK and in certain other countries

© Danièle Bourdais, Sue Finnie 2006

The moral rights of the authors have been asserted

Database right Oxford University Press (maker)

First published 2006

British Library Cataloguing in Publication Data

Data available

ISBN 978-0-19-912601-9

20 19 18 17 16 15 14 13 12

Typeset in Formata and Utopia by Q2A Solutions, India.

Printed in Malaysia by Vivar Printing Sdn. Bhd.

Acknowledgements

The authors would like to thank the following people for their help and advice:
Rachel Sauvain (course consultant), Katie Lewis (editor of the Students' Book), Sarah
Provan (teacher consultant), Marie-Thérèse Bougard (language consultant), Fatira and
Mehdi Ameur.

The publishers and authors would also like to thank Marie-Thérèse Bougard and Mark
Smith for sound production and Thierry Grepinet and students at the Lycée Français
Charles de Gaulle, London for assistance with the photo shoot. Also Tony Elston at
Urmston Grammar School, Manchester, for his comments and suggestions.

Every effort has been made to contact copyright holders of material reproduced in
this book. Any omissions will be rectified in subsequent printings if notice is given to
the publisher.

The publishers would like to thank the following for permission to reproduce
photographs:
p8 Martin Sookias/OUP; p9 Martin Sookias/OUP; p10 Gabe Palmer/zefa/Corbis; p11
Martin Sookias/OUP; p12t OUP; p12b OUP/Classet; p14 Martin Sookias/OUP; p15
Catherine Karnow/CORBIS; p17 Chris McLennan/Alamy; p18t Martin Sookias/OUP;
p18b Popperfoto; p19t Martin Sookias/OUP; p19b ABDELKADER
SAADOUN/www.saadoun.com; p25 Hubert Stadler/CORBIS; p28 Martin Sookias/OUP;
p29 Martin Sookias/OUP; p30l Martin Sookias/OUP; p30r Dick Capel-Davies; p31l
David Martyn Hughes/Alamy; p31m Philip Gould/Corbis; p31r Sebastien
Baussais/Alamy; p32t Martin Sookias/OUP; p32mt Martin Sookias/OUP; p32m
M.ouMe. Bernard Desjeux/Corbis; p32mb Martin Sookias/OUP; p32b www.trinite-
desmonts.qc.ca; p33t Martin Sookias/OUP; p33b www.hussein-dey.com; p35 Melissa
Enderle; p38 OUP; p41 Robert Doisneau/Hachette Photos; p44ml Martin

Sookias/OUP; p44br OUP; p45 Stone/Getty Images; p46t HEKIMIAN JULIEN/CORBIS
SYGMA; p46b Greenshoots Communications/Alamy; p47 Martin Sookias/OUP; p48
Martin Sookias/OUP; p49tr allOver photography/Alamy; p49ml Marion Bull/Alamy;
p49tl OUP; p50l Martin Sookias/OUP; p50tr Mango Productions/Corbis; p51tl Martin
Sookias/OUP; p51tr Wolfgang Kaehler/Corbis; p55 Adams Picture Library t/a
apl/Alamy; p57 Martin Sookias/OUP; p60tl Yann Arthus-Bertrande/Corbis; p60tm&tr
David Simson; p60bl Mark Hanauer/CORBIS; p61 jclauded1/webshots; p62 OUP-
Classet; p63r Justin Kase/Alamy; p63l Martin Sookias/OUP; p64l RubberBall/Alamy;
p64m Robert Harding Picture Library Ltd/Alamy; p64r www.luckyyouth.com; p66t
Martin Sookias/OUP; p73 Royalty-Free/Corbis; p74 George Carruthers/Alamy; p76tr
Emma Rian/zefa/Corbis; p76mr Martin Sookias/OUP; p76br Gentl & Hyers/
photolibrary; p79r Thinkstock/Alamy; p80tr Martin Sookias/OUP; p81 Profimedia.CZ
s.r.o./Alamy; p82tr Michelle Pedone/zefa/Corbis; p82mr LWA-Stephen
Welstead/CORBIS; p82bm BananaStock/Alamy; p82ml BananaStock/Alamy; p83tr
Tom & Dee Ann McCarthy/CORBIS; p89 OUP; p90 OUP; p92 Martin Sookias/OUP;
p96t Martin Sookias/OUP; p96c Martin Sookias/OUP; p96b Colorado College
Collections; p97t Martin Sookias/OUP; p97b Ted Pink/Alamy; p98 ANNEBICQUE
BERNARD/CORBIS SYGMA; p100 David Pollack/CORBIS; p107 SETBOUN/CORBIS;
p108 Martin Sookias/OUP; p109 Martin Sookias/OUP; p110t Martin Sookias/OUP;
p110c Martin Sookias/OUP; p110b AR Studio; p111 Martin Sookias/OUP; p112tr
Christine Widdall/Alamy; p112tl Martin Sookias/OUP; p113 Norbert
Schaefer/CORBIS; p113b Lodestone Publishing; p114 GOODSHOOT/Alamy; p115
Martin Sookias/OUP; p116tl Martin Sookias/OUP; p116tm Martin Sookias/OUP;
p116tr Martin Sookias/OUP; p116bl Martin Sookias/OUP; p116bm
Imageshop/Alamy; p116br Galvezo/zefa/Corbis; p123 Martin Sookias/OUP; p124m
OUP; p126 Martin Sookias/OUP; p127 Martin Sookias/OUP; p128 Martin Sookias/OUP;
p132 OUP; p132m Martin Sookias/OUP; p132b David Sims/
http://www.davidsimsphotography.com; p133t Martin Sookias/OUP; p133m Emile
Luider/Corbis; p133b Martin Sookias/OUP; p136bl OUP-Classet; p136tl Mike
Clare/www.mikeclare.com; p136br OUP; p136tm images-of-france/Alamy; p136bm
OUP; p136tr OUP-Classet; p139 Alan King/Alamy; p140tl OUP; p140tml OUP;
p140tmr OUP; p140tr OUP; p140cl PITCHAL FREDERIC/CORBIS SYGMA; p140cml
Rough Guides/Alamy; p140cmr AMET JEAN PIERRE/CORBIS SYGMA; p140cr Owen
Franken/CORBIS; p140b OUP; p142tl Martin Sookias/OUP; p142tr Kevin Galvin /
Alamy; p142mr Owen Franken/CORBIS; p142br Directphoto.org/Alamy; p144t
Martin Sookias/OUP; p145 OUP-Classet; p146 Martin Sookias/OUP; p147tl OUP; p148
Robert Holmes/Corbis; p149 OUP; p151 OUP; p152 Royalty-Free/Corbis; p156tm
OUP; p156tr OUP; p156ml OUP; p156mr Dominique Guilhamasse; p159t Martin
Sookias/OUP; p159m Martin Sookias/OUP; p159b Pixonnet.com/Alamy; p160b
Capital Pictures; p160t&m Moviestore; p163bl OUP Classet; p163br Michael A.
Keller/zefa/Corbis; p163tr Ed Bock/CORBIS; p165br Capital Pictures; p172tl OUP;
p172tr BananaStock/Alamy; p172ml Royalty-Free/Corbis; p172mr jack
sparticus/Alamy; p172bl A ROOM WITH VIEWS/Alamy; p172br Emely/zefa/Corbis;
p173 RubberBall/Imagestate; p174l Franz Marc Frei/Corbis; p174r Martin
Sookias/OUP; p175t Yves Talensac/photolibrary; p175c Hubert Stadler/Corbis; p177t
Photofusion Picture Library/Alamy; p177b Homer Sykes/Alamy; p178tl Martin
Sookias/OUP; p178tr&b Corbis; p179 Martin Sookias/OUP; p180 Bob Pardue/Alamy;
p181 Frédérik Astier/Sygma/Corbis; p184 Helen King/CORBIS; p185 Martin
Sookias/OUP; p187 images-of-france/Alamy; p188t OUP; p188bl Andrzej Gorzkowski;
p189tl Directphoto.org/Alamy; p189tml Jeremy Pardoe/Alamy; p189tmr Tibor
Bognár/CORBIS; p189tr la redoute; p189bl Gail Mooney/CORBIS; p189bml
Directphoto.org/Alamy; p191tr BananaStock/Alamy; p193 gkphotography / Alamy;
p194t Martin Sookias/OUP; p194mt PIXFOLIO/Alamy; p194m Michael
Busselle/CORBIS; p194mb Dietrich Rose/zefa/Corbis; p194b Wolfgang
Deuter/zefa/Corbis; p196 Adams Picture Library t/a apl/Alamy; p198tr Martin
Sookias/OUP; p198m&b Danielle Bourdais; p200 Stockbyte Platinum/Alamy; p205
Robert Fried/Alamy; p207 Martin Sookias/OUP; p208tl Allover Photography/Alamy;
p208tr&m Levi; p208bm PCL/Alamy; p208br David Crausby/Alamy; p210tl
AISA_BCN; p210tr SIPA PRESS; p210mt MovieStore Collection; p210mr SIPA PRESS;
p210mb SIPA PRESS; p210mr MovieStore Collection; p210bl SIPA PRESS; p210br
MovieStore Collection; p211tr Courtesy of Miramax Films/Bureau
L.A.Collections/Corbis.

COVER: Photodisc/Martin Sookias/OUP.

The illustrations are by:
Thomas Andrae: pp150, 164, 165, 166t, 168; Martin Aston: pp16, 27b, 78b, 85b,
147; Barking Dog: pp26, 38, 43, 64, 71, 114; Michel Marie Bougard: p15, 65, 77,
102, 123, 129t, p 135r, 143, 167; Matt Buckley: p58t; Phil Burrows: p180; Stefan
Chabluk: p58b, 59t, 127, 129b, 194, 206; Clive Goodyer: p119; John Hallett:
pp27t, 118, 176, 192; Andy Hammond: pp36, 166b; Ned Joliffe: p66; Tim Kahane:
pp30, 39, 42, 78t, 90, 109, 126, 149t, 157; Nishant Mudgal/Q2A Media: p20; Q2A
Media: p197; Corin Page: pp23, 28, 29, 34; Gary Parsons: pp84; Bill Piggins: p103;
Andy Robson: p134; Matthew Robson: p21, 85t; Tony Simpson: p195; Tim Slade:
p92; Bruno le Sourd: p204; Judy Stevens: p135l; Jane Strother: p205; Martin Ursell:
p91; Frederique Vayssieres: pp52, 94; Wai: p141.

Bienvenue à équipe dynamique!

Le français est parlé non seulement en France mais dans 44 pays du monde.
Sur les pages Forum-Internet, retrouvez quatre jeunes francophones de pays différents:

Léa habite à Paris, en France.

Moussa vient du Sénégal, en Afrique.

Malika est d'Alger, la capitale de l'Algérie.

Samuel habite près de Rimouski au Québec.

Symbols and headings you'll find in this book

Rappelez-vous! short activities to recap language you've met before

Expressions-clés useful expressions

Conversation-clé model conversation providing essential role-play practice

Point culture cultural information

Zoom grammaire explanation and practice of an important aspect of French grammar

💡 tip or reminder

219 ➤ refer to this page for more information

Micro-trottoir extended listening practice

EDITION INTERNATIONALE contributions from teenagers in French-speaking countries

À vous! ❂ ❂❂ ❂❂❂ independent activities at three levels of difficulty which allow you to show off what you have learned

Guide examen tips and practice activities to help you prepare for the exam

Vocabulaire vocabulary list for each unit

⏱ "beat the clock" activities

🅢 this recording is on the *Équipe Dynamique En solo* CD

🎧 recording of the cartoon

Table des matières

Ça se dit comme ça! | *French pronunciation*

A Vowels

French vowel sounds are short. The same sound can be spelt in different ways.

 1 Écoutez et répétez les mots ci-dessous.

spelling/sound	French word
a/-emm-	ananas/femme
e	je
silent e *(at the end of a longer word)*	pomme
é/-ée -er/-ez	né/née parler/nez
ai/ei/è ê/ë/et e + *two or more consonants (not* mm*)*	lait/beige/mère tête/Noël/poulet cette
i/y	ici/y
o	cloche
o/au/eau	gros/chaud/beau
eu/œu	peu/nœud
eur/œur	beurre/sœur
oi	toi
u	jus
ou	bout
oui	Louis
ui/uî	lui

 2 Écoutez les paires. Quel mot entendez-vous en premier?

Exemple: *1 – je*

1	je/j'ai	**2**	des/deux	**3**	né/naît
4	été/était	**5**	Lou/Louis	**6**	tuile/toile
7	sotte/saute	**8**	peau/port	**9**	peut/peur
10	ceux/sœur	**11**	corps/cœur	**12**	sors/sourd

Accents change the sound of vowels (but not always!).

 3 Écoutez et répétez les mots ci-dessous.

e/é	ne/né
e/è	me/mère
e/ê	te/tête
o/ô	votre/vôtre
i/ï	mais/maïs
a/â	tache/tâche

Pour épeler:
´ = accent aigu
` = accent grave
^ = accent circonflexe
¨ = tréma
ç = c cédille

là = la   où = ou   sûr = sur

When *m* or *n* comes after a vowel, the sound is nasal (made through the nose).

 4 Écoutez et répétez les mots ci-dessous.

spelling/sound	French word
an, am en, em	dans, chambre dent, décembre
in, im ain, aim ym, yn ein, eim	lapin, timbre pain, faim olympique, syndicat plein, Reims
un, um	un, parfum
on, om	bon, bombe
oin	moins

 5 Écoutez. Quel mot n'est pas dit?

Exemple: *1 – saint*

1	son/saint/sans
2	vent/vont/vingt
3	marin/marron/marrant
4	pan/pain/pont
5	bain/bon/banc
6	main/moins/mon
7	loin/long/lent
8	foin/faim/font

B Consonants

French consonants are similar to English. See p. 10 for the alphabet and the grid below for the main differences.

 6 Écoutez et répétez les mots ci-dessous.

letters	French word
c = k c = s before e and i (y) ç = s before a, o, and u ch = sh (as in ship), not tch (some exceptions:)	café, cola, culture cerise, citron français, garçon, reçu chips chaos, psychologie
g = g g = j before e, i (y) gn = "ny" (as in canyon)	gare ange, girafe Boulogne
h = always silent (as in hour)	hourra
j = j not dj	Jeannette
qu = k (as in quiche)	qui
r = rrr (quite raspy)	rouge, mer, frère
s = s s = z between two vowels	basse base
th = t (as in Thomas) tion = ss (not sh)	thé nation

Six consonants are nearly always pronounced at the end of a word.

 7 Écoutez et répétez les mots ci-dessous.

usually pronounced (remember: CaReFuL!)	exceptions
c (k/q)	avec, truc, anorak, bifteck, coq, cinq	blanc, tabac
r	venir, pour	final -er and -ier: manger, boucher, cahier
f	actif, chef	nerf
l	avril, hôtel	gentil, appareil

The other consonants are not usually pronounced at the end of a word, but there are exceptions.

 8 Écoutez et répétez les mots ci-dessous.

usually silent		exceptions (usually words of foreign origin)
b	plomb	club
d	froid	sud
g	long	blog
m	parfum	album
n	examen	abdomen
p	beaucoup	slip
s	trois	fils, tennis
t	salut	sept, huit, direct
x	prix	index
z	riz	gaz

The silent final consonants d, n, s, t, x, z are often pronounced if the next word begins with a vowel. This is called liaison.

 9 Écoutez et répétez les expressions ci-dessous.

1 un grand ami [t]	**2** un petit ami [t]	**3** mon ami [n]
4 mes amis [z]	**5** de vieux amis [z]	**6** chez elle [z]

 10 Lisez à haute voix. Écoutez pour vérifier!

– Vous avez des œufs?
– Des œufs? Désolé, je n'en ai plus!
– C'est embêtant!
  C'est bien utile quand on fait une omelette.

En classe | *Communiquer en français dans la salle de classe*

1. J'ai oublié mon livre.
2. Tu peux me prêter un stylo, s'il te plaît?
3. C'est à quelle page?
4. Vous pouvez répéter, s'il vous plaît?
5. Je ne comprends pas.
6. Je n'ai pas encore fini.
7. Les devoirs, c'est pour quand?
8. Ça s'écrit comment, s'il vous plaît?
9. Est-ce qu'il y a un accent sur le "e"?
10. Je peux aller aux toilettes?

 1 **Reliez les bulles (1–10) aux traductions à droite.**
Exemple: *1 – a*

 2a **Écoutez (1–5). Notez les questions.**

 2b **Réécoutez. Notez les réponses.**

 3 **Couvrez les bulles et regardez les traductions. Donnez les phrases en français.**

 4 **Reliez les débuts et les fins de phrase pour faire d'autres phrases utiles.**

a	J'ai perdu	1	une erreur ici.
b	Ouvrez votre livre	2	plus fort?
c	Je n'ai pas compris	3	mon cahier.
d	Vous pouvez parler	4	en français?
e	C'est quoi	5	à la page 24.
f	Vous avez fait	6	ce mot-ci.

a I've forgotten my book.
b Is there an accent on the "e"?
c I haven't finished yet.
d What page is it on?
e How do you spell it, please?
f May I go to the toilet?
g Could you lend me a pen, please?
h I don't understand.
i When's the homework for?
j Could you repeat that, please?

	To a friend	*To an adult/several people*
you	tu	vous
please	s'il te plaît	s'il vous plaît

1 Personnellement

Contexts: personal information, relationships, sports and hobbies
Grammar: emphatic pronouns, gender and agreement
Skill focus: preparing for your exam
Cultural focus: sports and hobbies in French-speaking countries

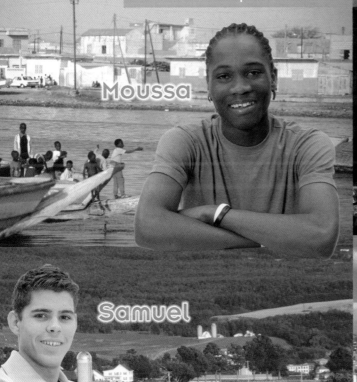

Moussa

Samuel

Léa

Malika

Rappelez-vous!

PARLER 1 À votre avis, qui est l'Algérienne, la Française, le Québécois, le Sénégalais? Discutez avec un(e) partenaire.

ÉCOUTER 2 Écoutez. C'est qui? (1–2)

ÉCRIRE 3 Avec un(e) partenaire, décrivez les deux autres physiquement et imaginez leur personnalité.
travailleur/travailleuse? égoïste? gentil/gentille? drôle? têtu(e)? sportif/sportive?

4a Écoutez le rap et répétez l'alphabet.

 4b A épelle le prénom d'une star. B devine et épelle le nom de famille.

Exemple:

A: T – H – I – E – R – R – Y.

B: H – E – N – R – I.

A: *Oui, c'est ça!* (ou épelle le bon nom si B ne devine pas)

 5 Écrivez les nombres 1–31. Écoutez et barrez. Additionnez les nombres qui restent. Votre total, c'est quoi?

1	2	~~3~~	4
5	6	7	8
9	10	11	12

L'ALPHABET EN FRANÇAIS

A B C D E F G H I J K L M
N O P Q R S T U V W X Y Z

presque comme en anglais:	F L M N O S Z
avec le **é** de *thé*:	B C D G P T V
avec le **a** de *pas*:	A H K
avec le **i** de *si*:	I J X
avec le **u** de *rue*:	Q U
avec le **e** de *je*:	E
R = *air*	
W = *double V*	
Y = *i grec*	

ATTENTION! Ne confondez pas: *g* et *j*

---

 6 A regarde le calendrier et épelle le nom d'un chien sur le calendrier. Est-ce que B peut dire le jour de sa fête avant qu'A ait fini d'épeler? Un point au plus rapide.

Exemple:

A: P – I – T – O –…   B: *C'est Pitou. Sa fête, c'est le seize janvier. Un point pour moi!*

JANVIER

			L	6	Milou
			M	7	César
M	1	Médor	M	8	Lido
J	2	Caramel	J	9	Athos
V	3	Gamin	V	10	Gipsy
S	4	Empereur	S	11	Pirate
D	5	LABRADOR	D	12	COLLEY
L	13	Pépito	L	20	Appolon
M	14	Nestor	M	21	Max
M	15	Voyou	M	22	Vidocq
J	16	Pitou	J	23	Diva
V	17	Diane	V	24	Pacha
S	18	Poupette	S	25	Jerry
D	19	CHIHUAHUA	D	26	BRIARD
L	27	Snoopy			
M	28	Gastard			
M	29	Mirza			
J	30	Eos			
V	31	Cartouche			

FÉVRIER

			L	3	Brack
			M	4	Wolf
			M	5	Aramis
			J	6	Gaston
			V	7	Éminence
S	1	Tyson	S	8	Jocker
D	2	WESTIE	D	9	BASSET
L	10	Vagard	L	17	Scarlett
M	11	Toby	M	18	Bambou
M	12	Filou	M	19	Rita
J	13	Junior	J	20	Allo
V	14	Hot-dog	V	21	Domino
S	15	Rex	S	22	Iris
D	16	BOUVIER	D	23	BOXER
L	24	Morgane			
M	25	Roméo			
M	26	Nina			
J	27	Carnaval			
V	28	Fidèle			

Nom d'un chien! C'est ma fêt

---

 7 Faites deux listes: C'est un bon animal domestique/Ce n'est pas un bon animal domestique (expliquez pourquoi). Ajoutez *un* ou *une*.

Exemple: *Ce n'est pas un bon animal domestique – une vache (parce qu'elle est trop grande et préfère vivre à l'extérieur)*

chat	chimpanzé	cochon d'Inde	rat	tortue
chien	cochon	perruche	serpent	vache

ÉCOUTER 8a Écoutez et notez les réponses de Léa en anglais.

On interviewe Léa pour un petit boulot

Interviewer:	Bonjour. Entrez. Asseyez-vous. Comment vous appelez-vous?
Léa:	Je…
Interviewer:	Vous avez quel âge?
Léa:	J'ai…
Interviewer:	C'est quand, votre anniversaire?
Léa:	C'est…
Interviewer:	Vous habitez où?
Léa:	J'…

PARLER 8b Jeu de rôle: A est l'interviewer, B est Léa.

LIRE ÉCRIRE 9a Lisez les messages. Trouvez 15 membres de la famille. Notez-les, avec leurs équivalents anglais.

Exemple: *un frère* – brother

LIRE 9b Trouvez un non-sens dans chaque message.

ÉCRIRE 9c À vous d'écrire votre message.

a Je m'appelle Élodie. J'ai seize ans (mon anniversaire est en juin) et je suis française. J'ai un frère mais je n'ai pas de sœur. Mon frère s'appelle Pierre et il a dix-neuf ans. Ma petite sœur, Marion, a huit ans. Elle adore les animaux.

b Salut! Je m'appelle Thomas. J'habite à Dinan, en France, avec mes parents. Ma mère s'appelle Nadine. J'ai un oncle et deux tantes à Dinan. J'ai une grand-mère qui a quinze ans mais je n'ai pas de grand-père.

c Je m'appelle Laura. Je suis belge. J'ai 14 ans. Je n'ai pas de frères et sœurs – je suis fille unique, mais j'ai beaucoup de cousins et cousines. J'ai aussi un neveu et une nièce et ils sont super.

d Je m'appelle Nicolas. J'ai dix-sept ans et j'habite avec ma mère et mon beau-père. Ma mère s'est remariée il y a dix ans et j'ai un demi-frère qui s'appelle Juliette. Mon père, lui aussi, s'est remarié et ma belle-mère, Anne, est très sympa.

Elle et lui | *Parler de soi et décrire quelqu'un*

Juliette cherche son Roméo…
à "Elle et lui", un jeu télévisé.

Numéro 1
Éric

Numéro 2
Samuel

Numéro 3
Freddy

 1 Écoutez Juliette. Recopiez et complétez sa description.

Salut! Je **1** Juliette Chamfort, **2** à Montréal et j'ai **3** ans. Mon anniversaire, c'est le **4**.

Dans ma famille, nous sommes **5**: il y a ma mère, mon père, ma **6** qui s'appelle Marine – et moi.

Juliette

Je suis **7** et assez **8**. Je suis **9** et j'ai les cheveux courts et **10**. J'ai les yeux **11**.

Je suis travailleuse et assez **12**. Par contre, je suis un peu **13** et très têtue.

FICHE D'INSCRIPTION

Émission: ELLE ET LUI

1 Tu t'appelles comment? ―――――
2 Tu as quel âge? ――――――――
3 Tu habites où?――――――――――
4 C'est quand, ton anniversaire? ――
5 Tu es comment? ――――――――
    (apparence/personnalité)―――――

 2a Écoutez les trois candidats. Recopiez et complétez une fiche pour chacun.

 2b Interviewez votre partenaire. Complétez une fiche pour lui/elle.
(Utilisez les Expressions-clés, page 13.)

3a Lisez les trois questions de Juliette. Écoutez et notez les réponses de chaque candidat.

je serais – *I would be*
j'aimerais – *I would like*

223 ➤

3b Écoutez la fin de l'émission et répondez.
- **a** Juliette choisit qui?
- **b** Ils vont où?

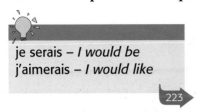

Une soirée au bowling

Une journée à la campagne

Un week-end à Paris

3c À vous d'écrire vos réponses aux questions de Juliette.

3d En groupe, jouez à "Elle et lui".

---

1 Mon type de garçon préféré, c'est un grand brun à lunettes. Quel type de fille préfères-tu?

2 Si j'étais un animal, je serais une chatte parce que je suis très indépendante. Et toi, tu serais quel animal?

3 J'ai les cheveux raides mais j'aimerais avoir les cheveux bouclés. Qu'est-ce que tu aimerais changer dans ton apparence physique?

Expressions-clés

	Je suis Tu es Il est	(très/assez)	grand. petit.
	Je suis Tu es Elle est	(très/assez)	grande. petite.
	Je suis Tu es Il est		brun. blond. roux.
	Je suis Tu es Elle est		brune. blonde. rousse.
	J'ai Tu as Il/Elle a	les yeux	bleus/verts/ gris/marron.
	J'ai Tu as Il/Elle a J'aimerais avoir	les cheveux	longs/mi-longs/ courts. raides/frisés/ bouclés.
	Je porte Tu portes Il/Elle porte	des lunettes.	

 **À vous!**

✪ **Écrivez une lettre aux organisateurs du jeu "Elle et lui". Présentez-vous et expliquez pourquoi vous voulez participer.**

✪✪ **Si vous étiez Juliette, quel candidat choisiriez-vous: Éric, Samuel ou Freddy? Pourquoi? (Relisez vos notes pour l'activité 3a.)**

On s'entend bien | *Parler des membres de sa famille*

1a **Lisez la lettre de Moussa. Répondez.**

a Moussa habite avec qui?

b Avec qui Moussa s'entend-il bien? Pourquoi?

c Avec qui Moussa ne s'entend-il pas bien? Pourquoi?

Zoom grammaire emphatic pronouns

je	**moi**	=	I/me
tu	**toi**	=	you
il	**lui**	=	he/him
elle	**elle**	=	she/her
nous (on)	**nous**	=	we/us
vous	**vous**	=	you
ils	**eux**	=	they/them
elles	**elles**	=	they/them

Use emphatic pronouns:

- for emphasis:
  Toi, tu es paresseux mais moi, je suis travailleuse.
- when the pronoun stands on its own:
  Qui a un chat? Lui.
- after a preposition:
  avec elle, chez nous
- when comparing:
  Ils sont plus âgés que moi.

219

1b **Recopiez les phrases de la lettre qui contiennent des pronoms emphatiques et donnez l'équivalent en anglais.**

Exemple: *J'ai aussi un frère qui est marié et qui n'habite plus avec nous.* – I've also got a brother who is married and who no longer lives with us.

2 **Interviewez votre partenaire. Posez les questions des Expressions-clés (page 15).**

3 **Écoutez Malika et Samuel. Prenez des notes en français ou en anglais pour savoir qui s'entend le mieux avec sa famille.**

Cher John

Aujourd'hui, je vais te parler un peu de ma famille. Dans ma famille, nous sommes sept. J'habite avec mes parents, mon grand-père, mon frère et ma sœur. J'ai aussi un frère qui est marié
5 et qui n'habite plus avec nous.

Mon grand-père est à la retraite. Je ne m'entends pas du tout avec lui parce qu'il est trop autoritaire. Je dois toujours l'aider dans le jardin et je n'ai pas le droit de mettre la musique fort quand il dort. Par
10 contre, mon père est sympa et on s'entend bien. Ma mère est infirmière. Elle est gentille et très travailleuse. Je m'entends bien avec elle aussi.

Mes deux frères sont plus âgés que moi. L'aîné, Mamadou, a 23 ans. Il est très gentil et très drôle.
15 Je m'entends très, très bien avec lui. Il est marié et il habite avec sa femme pas loin de chez nous. J'aime beaucoup aller chez eux ou sortir avec eux le week-end. L'autre frère, Albouri, a 19 ans. Il est célibataire et il est encore à la maison – je partage
20 une chambre avec lui. On s'entend assez bien, lui et moi. Il est cool.

J'ai une petite sœur, Fatou, qui a 14 ans. Elle est égoïste, têtue et pénible. Je ne m'entends pas très bien avec elle.

25 En plus, chez nous, on a des animaux. Il y a une vieille chatte et deux poules – elles, elles ne s'entendent pas bien du tout ensemble! Tu t'entends bien avec ta famille, toi?

Moussa

4a **Lisez les bulles. Comment dit-on…?**

a   in my opinion
b   someone you can confide in
c   have a laugh and have fun together
d   the same interests
e   you mustn't be selfish

a À mon avis, un ami est surtout compréhensif – c'est quelqu'un à qui on peut se confier quand on a un problème. Un vrai ami est toujours là.

b Pour moi, les amies, c'est pour rigoler et s'amuser ensemble. Elles doivent être sociables et dynamiques.

À votre avis, un(e) véritable ami(e), c'est quoi?

c Un ami, c'est quelqu'un avec qui on s'entend bien. On a les mêmes centres d'intérêt et les mêmes passe-temps. Je m'entends super-bien avec mes amis.

d À mon avis, pour être un bon ami, il faut être patient et gentil et il ne faut pas être égoïste.

Expressions-clés

Vous êtes combien dans votre famille?
Dans ma famille, nous sommes sept.

Tu habites avec qui?
J'habite avec mes parents/mon grand-père, etc.

Tu t'entends bien avec tes parents?
Oui, je m'entends bien avec mes parents.

Tu t'entends bien avec ton frère/ta sœur?
Non, je ne m'entends pas bien avec lui/elle.

Ton père/Ton frère est comment?
Il est très gentil et très drôle.

Ta mère/Ta sœur est comment?
Elle est égoïste et très têtue.

Il est célibataire/marié/séparé/divorcé.
Elle est célibataire/mariée/séparée/divorcée.

Tu as un animal chez toi?
Chez nous, on a (un chat)./Non, on n'a pas d'animal.

4b **A pose la question. B donne son opinion.**
Exemple:
A: À ton avis, un(e) véritable ami(e), c'est quoi?
B: À mon avis,…

Pour demander une opinion: *À ton avis?/À votre avis?*
Pour donner votre opinion: *À mon avis/Pour moi,…*
Je pense que…

5 **À vous!**

✪ **Écrivez une lettre sur votre famille (comme Moussa, page 14).**

✪✪ **Décrivez ce que c'est qu'un véritable ami pour vous (75–100 mots).**

Génération loisirs | *Parler de ses passe-temps*

a **b** **c**

les jeux vidéo	le cinéma
le football	l'équitation
le ski	les jeux de société
le cricket	le ping-pong
la voile	la natation
le basket	la lecture
l'escalade	le skate
le cyclisme	le dessin
la musique	la pêche
les cartes	

LIRE 1a Retrouvez le nom des activités illustrées.

ÉCRIRE 1b Écrivez une phrase pour donner votre opinion sur chacune des activités à droite. (Cherchez dans le glossaire si vous ne connaissez pas l'activité.)
J'adore… J'aime bien… Je n'aime pas… Je déteste…

ÉCOUTER 1c Écoutez et notez les activités et les opinions.

PARLER 2 Trouvez cinq activités en commun avec votre partenaire.
Exemple: *Tu joues à des jeux vidéo? Tu fais du judo?…*

PARLER 3a LIRE À votre avis, les activités suivantes sont populaires en France? Donnez votre opinion, puis lisez l'article (page 17) pour vérifier.
a   aller en discothèque
b   écouter la radio
c   jouer à des jeux de société

jouer à (ou **faire de**) + sport
jouer de + instrument de musique

225

LIRE 3b Reliez les titres a–c aux bons paragraphes 1–3 de l'article (page 17).
a   Le sport-aventure
b   On aime sortir
c   Passe-temps à la maison

LIRE 3c Choisissez la bonne fin de phrase.
a   Les jeunes Français préfèrent aller
   A   au cinéma.   B   à un concert.
b   Ils préfèrent sortir
   A   seuls.   B   avec des copains.
c   Ils préfèrent
   A   regarder la télé.   B   écouter la radio.
d   Les jeux de société
   A   sont très populaires.   B   n'ont pas de succès.
e   Le sport le plus populaire chez les jeunes, c'est
   A   le cyclisme.   B   le football.
f   Le saut à l'élastique est un sport
   A   traditionnel.   B   nouveau.

Expressions-clés

J'aime bien Je déteste	le judo. la voile.
Tu fais	du rugby? de la natation? de l'escalade?
Je fais On fait Ils font	du judo. de la voile. de l'équitation.
Je ne fais pas On ne fait pas Ils ne font pas	de sport.
Je joue On joue Ils jouent	au ping-pong. aux cartes.

Génération loisirs

Que font les adolescents français pendant leur temps libre?

1 Ils aiment beaucoup sortir. Et la sortie favorite des jeunes en France est le cinéma. Ils aiment aussi aller aux concerts rock et en discothèque. Le week-end, ils vont souvent dans un parc de loisirs ou à un match
5 sportif. Les sorties les moins populaires pour les 12–25 ans sont les spectacles de jazz, de musique classique, de danse et d'opéra. En général, les jeunes ne sortent pas seuls, ils préfèrent les sorties en groupe.

2 Et à la maison? Les ados regardent moins la
10 télévision que les adultes. Leur média préféré, c'est les radios jeunes (NRJ, Fun Radio, Skyrock). Ils n'aiment vraiment pas lire: 52% n'ont pas lu plus de deux livres l'année dernière. Par contre, ils lisent des magazines consacrés aux programmes TV, à la musique, au
15 cinéma ou à la mode féminine. Et 26% lisent un journal tous les jours.

Plus de 80% des ados ont une console de jeux vidéo. Les plus mordus sont les garçons qui apprécient spécialement les simulations de course.
20 Les jeux traditionnels ne sont pas morts en France. Neuf Français sur dix jouent à des jeux de société (cartes, Monopoly, échecs, Scrabble...).

3 En France, on aime toujours le sport! Le Tour de France est la compétition sportive annuelle qui attire le plus de spectateurs et inspire beaucoup de jeunes cyclistes. Mais le football est l'activité
25 préférée de la majorité des jeunes en France. Les Français ont été champions du monde pour la première fois en 1998 quand ils ont battu les Brésiliens.

Certains sports comme le jogging et l'aérobic ont cédé la place à des sports nouveaux ou récents. Un grand nombre de Français cherchent des sensations fortes dans le sport-aventure comme le deltaplane, le parapente et le scooter des mers. Et le numéro un au hit-parade des sports-aventure, c'est le saut à l'élastique.

Cet article est basé sur un sondage du ministère de la Culture sur les loisirs des Français de 12 à 25 ans.

À vous!

✪ **Résumez l'article en anglais (100 mots maximum).**

✪✪ **Vous avez/Vos amis ont les mêmes préférences que les jeunes Français? Expliquez.**
Exemple: *Nous aimons beaucoup sortir et notre sortie favorite est le club de jeunes*

Sports et passe-temps

Parler des sports et passe-temps: quand et depuis quand on les pratique

Forum-Internet

Fichier   Actions   Outils   ?

Léa, France: Adolescents de tous les pays, répondez-moi!

1   Quel est ton passe-temps préféré? Tu fais ça depuis quand?

2   Tu fais ça où et quand?

3   Tu as d'autres passe-temps?

4   Quels sont les sports et passe-temps populaires dans ton pays?

Forum-Internet

Fichier   Actions   Outils   ?

Moussa, Sénégal

Mon passe-temps préféré, c'est le foot. Je fais partie de l'équipe de foot de mon école. On s'entraîne[1] tous les mercredis au stade près de l'école. Je joue au foot depuis onze ou douze ans et c'est encore une passion pour moi. Au Sénégal, le football est un sport très populaire et tous les Sénégalais
5 sont supporters de notre équipe nationale: les Lions de la Téranga.

Je m'intéresse beaucoup à notre sport national, la lutte[2]. Ici, la lutte, c'est beaucoup plus qu'un sport – c'est du théâtre! Il y a de la danse et de la musique et les lutteurs[3] récitent des poèmes qui proclament leur gloire.

De temps en temps, je vais à la pêche avec mon père. La mer ici, en
10 Afrique de l'ouest, est excellente pour la pêche sportive parce qu'il y a toutes sortes de poissons: thons[4], espadons[5], barracudas.

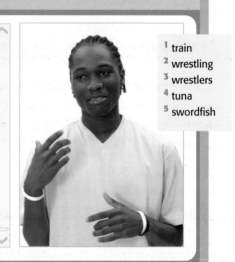

1 train
2 wrestling
3 wrestlers
4 tuna
5 swordfish

Les Lions de la Téranga

Expressions-clés

Qu'est-ce que tu as comme passe-temps?
Je fais du judo.
Je joue au handball/du piano.
Je fais partie d'une équipe de foot.
Je lis.
Je collectionne les cartes postales.
Mon passe-temps préféré, c'est le foot.
Je m'intéresse (un peu/beaucoup) au/à la/aux…

Tu fais ça quand?
le samedi après-midi
tous les jours/week-ends
une fois par semaine
de temps en temps

Depuis quand?
Depuis un an.

1 **Lisez et écoutez Moussa. Vrai ou faux?**

a   Moussa aime beaucoup le football.

b   Il s'entraîne toutes les semaines.

c   Il ne joue pas depuis longtemps.

d   Les Sénégalais détestent le football.

e   La lutte au Sénégal, c'est un vrai spectacle.

f   Son passe-temps préféré, c'est la pêche sportive.

2 **A est l'interviewer et pose les questions 1–4 de Léa.**
B est Moussa et répond.

Forum-Internet

Fichier   Actions   Outils   ?

Malika, Algérie

Je fais partie d'un club de judo et j'y vais une fois par semaine, le samedi après-midi. Je fais du judo depuis un an. Je ne suis pas très bonne mais ça m'intéresse. Les Algériens sont forts en judo – on gagne régulièrement des médailles aux Championnats d'Afrique. Au collège, je jouais au handball mais je n'y joue plus au lycée.

Je m'intéresse beaucoup à la musique. Je joue du piano depuis six ans. Je joue tous les jours à la maison. Ma musique préférée, c'est le cherqi (la musique orientale) et j'écoute aussi du raï et du rap. Ces musiques ont du succès en Algérie. Le mois dernier, je suis allée à un grand concert de musique cherqi dans la salle Ibn-Khaldoun à Alger. C'était génial!

Je collectionne les cartes postales de différents pays. J'ai commencé ma collection quand j'étais petite et je fais ça sérieusement depuis environ quatre ans. Pendant la semaine, je n'ai pas le droit de sortir, mais de temps en temps le samedi soir, je vais à la maison des jeunes ou au cybercafé avec mes copines.

3a **Lisez le reportage de Malika. Comment dit-elle…?**

a once a week
b for six years
c regularly
d last month
e now and then
f on Saturday afternoons
g every day

Abdelkader Saadoun, chanteur de raï

3b **Relisez le texte de Malika. Répondez aux questions.**

1 Malika fait quoi comme sport?
2 Qu'est-ce qu'elle faisait comme sport au collège?
3 Elle joue du piano depuis quand?
4 Qu'est-ce qu'elle a fait le mois dernier?
5 Elle a commencé sa collection de cartes postales quand?
6 Où va-t-elle le week-end?

4 **Écrivez 10 questions pour Moussa ou Malika et échangez avec votre partenaire. Utilisez:** *quel(s), quand, depuis quand, où.*

Exemple: *Quand est-ce que Moussa joue au foot?*

> **Zoom grammaire** *depuis*
>
> Use the present tense with *depuis*:
> **Je joue** depuis deux ans.
> **I've been playing** for two years.
>
>
> 223

5 À vous!

✪ **Répondez de mémoire aux questions d'Expressions-clés pour Moussa. Puis, comparez avec votre partenaire.**

✪✪ **Écrivez votre reportage. Répondez aux questions d'Expressions-clés. Écrivez +/- 100 mots.**

Zoom grammaire | *Gender and agreement*

Panel 1: *Un acteur distrait retrouve sa vieille tante au café du coin...* — *Euh... oui.* — *Bonjour! Il est petit, ce café.*

Panel 2: *Elles sont marrantes, tes chaussures! Une chaussure noire et une chaussure blanche!*

Panel 3: *Oui... et j'ai la même paire à la maison!*

Gender	**Determiners**
All French nouns have a gender: masculine or feminine. This can affect other words used in the same sentence.	*le/la/l'/les* – the *un/une/des* – a/an/some *ce/cet/cette/ces* – this/these Remember: à + le = au de + le = du à + la = à la de + la = de la à + les = aux de + les = des

1 Read the cartoon-strip. Continue the list of words affected by gender under these headings:

determiners	possessive adjectives	adjectives	pronouns
un	*sa*	*distrait*	*il*

2a Copy out these sentences writing the correct determiner in the blanks.

a   Mon anniversaire, c'est ...... 6 août.

b   Dieppe est ...... ville dans ...... nord ...... France.

c   J'ai ...... frère qui habite ...... Canada.

d   Moussa va ...... pêche et joue ...... foot.

e   Nous aimons jouer ...... cartes ...... café.

f   ...... matin, j'ai acheté ...... lait, ... confiture et ...... œufs.

2b Translate the sentences into English. What differences do you notice between the English and the French?

Possessive adjectives

Choose the adjective to match **the thing owned**, not the owner, e.g. *son* **chien** (m.) can be "her dog" or "his dog".

- *le beau-père* → **mon** *beau-père*, **ton** *beau-père*, **son** *beau-père*, etc.
- *la maison* → **ma** *maison*, **ta** *maison*, **sa** *maison*, etc.
- *les parents* → **mes** *parents*, **tes** *parents*, **ses** *parents*, etc.

213

3a Read the joke (right) and make a list of all the possessive adjectives with the nouns they describe, plus the English equivalent.
Example: *Mes cousins* – My cousins

Mes cousins sont dans un de leurs restaurants préférés. Quand leur serveur s'approche de leur table, il a ses pouces sur leur poisson. Mon cousin est furieux: "Mais... votre pouce est sur mon poisson! Ce n'est pas très hygiénique! Où est votre chef?" Le serveur enlève immédiatement son pouce: "Excusez-moi, c'est que mon chef ne voulait pas que votre poisson retombe une troisième fois!"

3b Add the possessive adjectives for these sentences. (Think: is the noun masculine or feminine, singular or plural?)

a Qu'est-ce que tu fais pendant ...... temps libre?

b Les Français consacrent beaucoup de ...... temps libre à ...... passe-temps préférés.

c Mon père passe tous ...... week-ends dans ...... jardin.

d Je fais ...... devoirs et après, je sors avec ...... copine.

e On dépense ...... argent en CD et en magazines.

Feminine adjective endings

Most adjectives add an -e in the feminine:	masculine	feminine
	un garçon intelligent	*une fille intelligente*

214

4 How many adjectives like this can you list?

Example: *blond/blonde,…*

Irregular adjectives

Some common adjectives have different endings in the feminine.

214

5a Use the examples in the descriptions of Dracula and Draculette to work out some rules for adjective endings.

What is the feminine adjective ending if a masculine adjective…

a already ends in *-e*?   b ends in *-el* or *-il*?   c ends in *-eur* or *-eux*?   d ends in *-if*?

Dracula est mince et sociable.
Il est sportif, gentil et généreux.
Il est actif et travailleur.
Il est affectueux mais un peu cruel.

Draculette est mince et sociable.
Elle est sportive, gentille et généreuse.
Elle est active et travailleuse.
Elle est affectueuse mais un peu cruelle.

5b Match the pairs and learn them by heart.

long beau* nouveau*		nouvelle folle
fou* vieux*		belle vieille longue

* *bel, nouvel, fol, vieil* before a vowel or a silent *h*

Plural adjective endings

Most adjectives add *-s* in the plural (though *-s* is not added to *-x* or *-s*). A few adjectives never change at all, whether they are masculine or feminine, singular or plural: *marron, cool, super, sympa.*

214

Position of adjectives

Most adjectives go **after** the word they describe, but these go **before** it: Remember **ATAQ**:

Apparence:	*beau, joli*
Taille:	*petit, grand, gros*
Âge:	*jeune, vieux, nouveau*
Qualité:	*bon, meilleur, mauvais, vrai, même*

214

6 Add at least five adjectives to each of these sentences.

a Mon frère habite une maison avec deux chats.

b Sa cousine a acheté une robe dans un magasin.

c Un garçon a un chat, une perruche et des poissons.

Guide examen | *Aim for A**
Speaking: general conversation

1 Start preparing now!
- Aim for the best possible grade by putting in time and effort now and by being organized and learning effectively.
- Make friends with your coursebook. Know which sections contain information you might need to refer to.

LIRE 1 Reliez.

a To look up the meaning of a word or check its gender

b For explanation and practice of grammar

c For tips and practice activities to help you prepare for the exam

d To learn important words and phrases

e For reading practice

1 *Expressions-clés/Vocabulaire*

2 *Guide examen*

3 *Glossaire*

4 *Zoom grammaire*

5 *Lecture*

> *Every now and then, look back at previous* Expressions-clés *and test yourself.*

2 Try different ways to learn vocabulary.
A File vocabulary together, by topic or alphabetically. Look through it from time to time!

B Write out the phrase several times.

C Read phrases aloud. Record yourself if possible. Say the English, pause and then say the French. (Replay the audio later to test yourself.)

D Ask a friend or relative to test you.

E Write a sentence that includes a new word, or make up wordsearches to solve later.

F Write words and phrases on small cards. Write the English on the back. Use the cards to test yourself.

G Make an illustrated poster with new phrases, and put it up where you will see it every day.

H If you find a phrase difficult, set it to a well-known tune and sing it, or draw a cartoon strip incorporating it.

I Read a list of new phrases just before bedtime – while you sleep your brain processes new memories and puts them into long-term storage.

2a Classez les conseils, du plus au moins utile pour vous.
Exemple: *B, D, F,* etc.

LIRE 2b Lisez les définitions et trouvez l'équivalent des mots en anglais. Ensuite, utilisez les conseils pour apprendre le vocabulaire.

> *Always learn a noun with its gender.*
> un livre = *a book*, une livre = *a pound*.

une capitale – ville où se trouve le gouvernement d'un pays
une métropole – très grande ville
la banlieue – villes ou villages qui entourent une ville
un quartier – partie d'une ville
un bourg – gros village
un(e) citadin(e) – personne qui habite en ville
un(e) villageois(e) – personne qui habite dans un village
un immeuble – bâtiment à plusieurs étages
un gratte-ciel – immeuble très haut, qui a beaucoup d'étages

3 Know when and how to use a dictionary.

When reading, use the dictionary selectively. Use these strategies first:
- **Recognize words that are the same, or almost the same, as in English.**
- **Use the context to help you guess at meanings.**
- **Decide whether you really need to understand the word in order to make sense of the text or to answer the questions.**

 3a Lisez la lettre à droite. Faites une liste des mots qui ressemblent à des mots anglais.

 3b Choisissez l'équivalent de ces mots dans la lettre. (Pensez au contexte.)

   a *souffre* = **1** suffer **2** sulphur
   b *polie* = **1** polished **2** polite
   c *mûre* = **1** ripe **2** mature
   d *des conseils* = **1** councils **2** advice

> **Chère Alice**
> J'ai une meilleure amie depuis plusieurs années mais depuis Noël elle est devenue l'amie d'une autre fille. Avant, on s'entendait bien, mais maintenant, tout a changé. Quand elle est avec sa nouvelle amie, elle m'oublie complètement. Je suis tolérante, polie et assez mûre, alors je souffre en silence. Mais ça m'énerve parce qu'elle devient arrogante et prétentieuse. Je ne sais pas quoi faire. As-tu des conseils?
> **Pascale**

 3c Ces mots sont essentiels ou pas essentiels pour comprendre la lettre?
   a amie   **c** on s'entendait bien
   b plusieurs   **d** arrogante

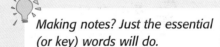 *Making notes? Just the essential (or key) words will do.*

 3d Résumez la lettre en anglais. (Cherchez un maximum de trois mots dans le dictionnaire.)

4 Make the most of your spare time!

A Record the words and phrases you use in an activity and look at them regularly.
B Listen to a French radio station now and then. You may not understand every word but you will get used to the sounds of the language.
C Buy or borrow a French magazine or browse French Internet sites.
D Rent a DVD of a good French film.
E Record yourself reading a text from *Équipe Dynamique* and listen back.
F Practise role-playing with a friend.
G Email or text your classmates in French.
H Write difficult phrases or grammar rules on Post-it notes and stick them round your bedroom.

4a Classez les suggestions A–H:
j'ai déjà fait ça; je vais essayer; ce n'est pas pour moi

4b Ajoutez vos propres suggestions à la liste.

Swap ideas with a classmate.

 Parlons-en!

À deux, répondez:
  1 Décris ta famille.
  2 À ton avis, un(e) véritable ami(e), c'est quoi?
  3 Quels sont tes passe-temps préférés?

Vocabulaire

Apparence physique
Tu es comment?
Je suis (très/assez)
  grand(e)/petit(e).
Je suis…
Tu es…
Il/Elle est…
brun(e)/blond(e)/roux(rousse)
J'ai…
Tu as…
Il/Elle a…
les yeux bleus/verts/
  gris/marron.
les cheveux longs/mi-longs/courts.
les cheveux raides.
les cheveux frisés/bouclés.
Je/Il/Elle porte des lunettes.
J'aimerais avoir les
  cheveux bouclés.

Physical appearance
What do you look like?
I am (very/quite) tall/short.

I am…
You are…
He/She is…
brunet(te)/blond(e)/red-haired.
I have…
You have…
He/She has…
blue/green/grey/brown eyes.

long/medium-length/short hair.
straight hair.
curly hair.
I wear/He/She wears glasses.
I'd like to have curly hair.

Ma famille
Vous êtes combien dans
  votre famille?
Dans ma famille, nous
  sommes sept.
Tu habites avec qui?
J'habite avec mes parents/
  mon grand-père/ma mère
  et mon beau-père.
Tu t'entends bien avec
  tes parents?
Oui, je m'entends bien
  avec mes parents.
Tu t'entends bien avec
  ton frère/ta sœur?
Non, je ne m'entends pas
  bien avec lui/elle.
Ton père/Ton frère est comment?

Ta mère/Ta sœur est comment?

Il/Elle est (très)…
gentil(le)
drôle
égoïste
têtu(e)
Il/Elle est célibataire/marié(e)/
  séparé(e)/divorcé(e).

My family
*How many people are there in
  your family?*
There are seven in my family.

Who do you live with?
*I live with my parents/
  my grandfather/my mother
  and my stepfather.*
*Do you get on with
  your parents?*
*Yes, I get on well with
  my parents.*
*Do you get on with your
  brother/sister?*
*No, I don't get on with
  him/her.*
*What is your father/your
  brother like?*
*What is your mother/your
  sister like?*
He/She is (very)…
kind
funny
selfish
stubborn
*He/She is single/married/
  separated/divorced.*

Animaux
Tu as un animal chez toi?

Chez nous, on a (un chat).
Non, on n'a pas d'animal.

Sports et passe-temps
Qu'est-ce que tu as comme
  passe-temps?
Je/Tu fais…
On fait/Ils font…
du judo
du rugby
du ski
de la natation
de la voile
de l'équitation
de l'escalade
Je ne fais pas de sport.
Je/On joue…
Ils jouent…
au football
au ping-pong
aux jeux vidéo
aux cartes
du piano
Je fais partie d'une équipe
  de (foot).
Je lis.
Je collectionne (les cartes
  postales).
Mon passe-temps préféré,
  c'est (le judo).
J'aime bien (la voile).
Je déteste (la natation).
Je m'intéresse (un peu/
  beaucoup) au/à la/aux…

Quand?
Tu fais ça quand?
le samedi après-midi
tous les jours/week-ends
une fois par semaine
de temps en temps
Tu joues du piano depuis quand?

Depuis (un an).

Pets
*Have you got any pets
  at home?*
At home, we have (a cat).
No, we don't have a pet.

Sports and hobbies
What hobbies do you have?

I/You do/go…
We/They do/go…
judo
rugby
skiing
swimming
sailing
horseriding
climbing
I don't play sport.
I/We play…
They play…
football
table tennis
video games
cards
piano
I'm in a (football) team.

I read.
I collect (postcards).

My favourite hobby is (judo).

I like (sailing).
I hate (swimming).
*I am (quite/very) interested
  in…*

When?
When do you do it?
Saturday afternoon
every day/every weekend
once a week
from time to time
*How long have you been
  playing the piano?*
For (a year).

2 À la maison

Contexts: houses and home life, towns

Contexts: houses and home life, towns
Grammar: prepositions, use of tenses
Skill focus: listening
Cultural focus: towns and homes in French-speaking countries

Rappelez-vous!

ÉCRIRE 1 Inventez une légende pour la photo (en 6, 10 ou 14 mots exactement!).

ÉCRIRE 2a Écrivez quatre questions sur la photo. Utilisez: *Qui? Combien? Où? Comment?*

PARLER 2b Répondez aux questions de votre partenaire.

3a Rangez les objets d'Expressions-clés 1 en deux listes: "essentiel" ou "un luxe" dans une chambre?
Discutez à deux/en classe.

Exemple: *Un lit, c'est essentiel. Un lecteur DVD, c'est un luxe.*

Expressions-clés (1)			
un bureau	un placard	une armoire	une table
un fauteuil	un sofa	une chaîne hi-fi	une table de chevet
un lecteur DVD	un tapis	une chaise	une télé
un lit	des coussins (m.)	une console	des étagères (f.)
un ordinateur	des posters (m.)	une lampe	

 3b Regardez le dessin. Complétez avec les bonnes prépositions.

Exemple: *a – sous*

Le lit est **a** la fenêtre et **b** la table de chevet et l'armoire.

La lampe est **c** la table de chevet, **d** le poster.

Le bureau est **e** l'armoire, et la chaise est **f** le bureau.

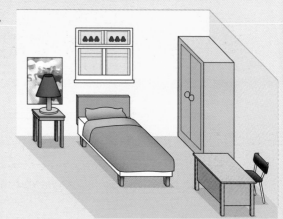

Expressions-clés (2)	
à côté de	devant
à droite de	entre
à gauche de	près de
dans	sous
derrière	sur

 3c Réorganisez la chambre. Décrivez-la à votre partenaire
qui la dessine. Comparez.

  3d Réécrivez les phrases de l'activité 3b avec le plus possible de détails.
Gagnez un point par adjectif utilisé.

5 MN

Exemple: *Le **petit** lit **bleu** est…*

 4a À votre avis, quelle est la meilleure orientation des piéces dans une maison?

Exemple: *À mon avis, il faut mettre le salon au nord/à l'éouest …*

4b Écoutez l'opinion d'un architecte. Identifiez les pièces.

Exemple: *3 – d (les chambres)*

a le salon
b la salle à manger
c la terrasse/le balcon
d les chambres
e la salle de bains/les toilettes
f la cuisine
g le bureau/la chambre d'amis
h le garage

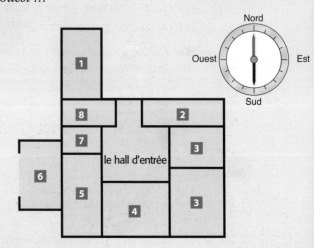

 4c Réécoutez et notez les raisons en anglais. C'est comme ça, chez vous?

Exemple: *3d – sunny in the morning, cool at night*

5a Vous préférez la ville ou la campagne? Choisissez un camp et des arguments. Inventez d'autres arguments!

Il n'y a rien à faire.

C'est bruyant.

Il y a beaucoup de choses à faire.

C'est moche.

C'est calme.

C'est animé.

C'est mort.

Il y a trop de voitures.

C'est joli.

Il n'y a pas assez de distractions.

5b Discutez avec un(e) partenaire du camp opposé. Qui a le dernier mot?

Exemple: *La ville/La campagne, c'est super/nul parce que …*

6a Recopiez la grille avec les bonnes expressions à la place des dessins.
Puis cochez votre grille pour indiquer quand vous faites ces tâches.

les courses

le ménage

la vaisselle

le repassage[2]

la cuisine

la lessive[1]

[1] washing
[2] ironing

6b Jouez à la bataille navale (*Battleships*). Posez des questions à votre partenaire et trouvez comment il/elle a coché la grille.

Exemple: *A: Tu fais souvent le ménage? B: Non.*
    A: Tu ne fais jamais le ménage? B: C'est ça!

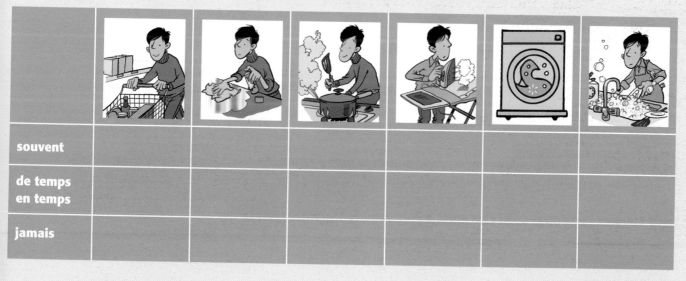

souvent						
de temps en temps						
jamais						

Une chambre de rêve! | *Décrire une chambre*

challenge-déco

Samuel voudrait changer l'aménagement et la déco de sa chambre.
Imaginez la chambre de ses rêves et devenez "meilleur jeune décorateur"!

Questionnaire

1   As-tu ta propre chambre ou partages-tu?
2   Comment est ta chambre?
3   Qu'est-ce que tu aimerais y changer?
4   Qu'est-ce qu'il y aurait dans la chambre de tes rêves?

Options-déco

Samuel

	uni(s)	avec des motifs
les rideaux		à rayures
les murs		
le papier peint		à fleurs
la moquette		

8 MN

1a Écoutez et notez les réponses de Samuel au questionnaire.

1b Dessinez et décrivez vos suggestions pour sa chambre. Utilisez la fiche Options-déco.

Exemple: La nouvelle chambre de Samuel est claire, avec des murs blancs …

1c Présentez vos suggestions oralement. Donnez le plus possible de détails (couleurs, position des meubles, etc.).

1d Donnez votre opinion sur les plans de vos camarades. Votez pour le meilleur!

Pour donner votre opinion:
Je pense que… Je trouve que…
À mon avis, c'est/ce n'est pas une bonne idée.
C'est bien parce que…, mais…

Je partage une chambre avec mes deux sœurs. La chambre est sympa. Elle est assez sombre et c'est bien en été quand il fait chaud. Par contre, elle est trop petite pour trois.

Il y a trois lits et une table avec trois chaises. À côté de la table, il y a une grande armoire et une lampe. J'aimerais bien avoir un ordinateur dans la chambre mais il n'y a pas de place. Je voudrais aussi des étagères pour ranger mes livres parce que maintenant, ils sont sous mon lit et ce n'est pas pratique! En hiver, le sol est froid, alors j'aimerais bien avoir une moquette ou un grand tapis. En plus, les murs sont roses et il y a des rideaux à fleurs. Avant, j'aimais le rose et les fleurs, mais maintenant, je déteste! Dans la chambre de mes rêves, il y aurait aussi des sofas et plein de coussins.

Malika

Malika

LIRE 2a Lisez le courriel de Malika. Quelle est sa chambre, A ou B?

PARLER 2b L'autre chambre, est-elle sa chambre idéale? Expliquez pourquoi.

ÉCRIRE 2c Décrivez-la en 50 mots exactement!

ÉCRIRE PARLER 3 À deux: jouez à *"Changing rooms"*. Répondez au questionnaire et refaites les activités 1b et 1c, page 28. Quelle note sur 10 donnez-vous aux suggestions de votre partenaire? Expliquez pourquoi.

Expressions-clés

J'ai ma propre chambre/ma chambre à moi.
Je partage la chambre avec ma sœur/mon frère.
J'aime bien/J'adore/Je n'aime pas/Je déteste…
    ma chambre parce qu'elle est (trop)/elle n'est pas (assez)…
    grande/petite, jolie/moche, claire/sombre.
    pratique/confortable, bien rangée/en désordre.
Dans ma chambre, …
    il y a/j'ai un tapis.
    il n'y a pas de/je n'ai pas de tapis.
    un lit, un placard, une table, une chaise, des étagères, des coussins, etc.
J'aimerais/Je voudrais changer le papier peint.
Dans la chambre de mes rêves, j'aimerais/je voudrais avoir/
    il y aurait…

ÉCRIRE PARLER 4 À vous!

☺☺ **Choisissez une célébrité et imaginez sa chambre. Faites une description très détaillée. Votre partenaire lit et essaie de deviner de qui il s'agit!**

☺☺ **Répondez au questionnaire et décrivez votre chambre et votre chambre idéale en 100–120 mots. Utilisez les Expressions-clés. Écrivez ou enregistrez.**

Échange de maisons | *Décrire la maison et le voisinage*

Pour des vacances pas chères, échangez votre maison!
Passez une annonce sur www.echange-de-maison.com

1 *Habitez-vous dans une maison ou un appartement?*

2 *Où est-il/elle situé(e)?*

3 *C'est un appartement/une maison de quel style?*

4 *Combien de pièces y a-t-il?*

5 *Comment est-il/elle équipé(e)?*

6 *Qu'est-ce que vous recherchez?*

Point culture

En France, on donne des codes aux maisons et aux appartements:

• **T1** (ou **F1**): cuisine + s.d.b. + WC + 1 pièce

• **T2** (**F2**): cuisine + 2 pièces (chambre ou salon ou salle à manger ou bureau...) + s.d.b. + WC.

• **T3** (**F3**): cuisine + 3 pièces + s.d.b. + WC. Etc.

Je m'appelle Léa Thomas, j'ai 16 ans, je suis fille unique et je vais au lycée. Je vis avec mes parents, Emmeline et Sylvain, et mon chat Gaspard. Mes parents sont tous les deux journalistes et travaillent à Paris. Nous habitons un appartement en ville, un
5 T5 dans le quartier de Bercy. C'est dans l'est de Paris, à environ 15 minutes du centre en métro. Le métro et le bus sont à 50 mètres. Nous sommes à 10 minutes à pied des magasins, des restaurants, d'un immense cinéma (21 salles) et du Palais omnisports de Paris-Bercy! Bercy, c'est super parce que c'est
10 moderne et très pratique.

Notre appartement est situé au deuxième étage. Il est très récent, moderne et très confortable. Il y a sept pièces: un salon, une salle à manger avec un grand balcon, trois chambres, une grande cuisine équipée, une salle de bains, et
15 bien sûr des toilettes. Il n'y a pas de cave mais il y a une place de parking. Il n'y a pas de jardin mais il y a un parc en face de l'appartement, à deux minutes à pied.

L'appartement est très bien équipé: dans la cuisine, vous trouverez un micro-ondes, un lave-vaisselle et un lave-linge.
20 Au salon, en plus de la TV, vous trouverez un lecteur DVD, une chaîne hi-fi et un ordinateur avec accès Internet. Dans la salle de bains, il y a une baignoire à bulles, une douche et un bidet.

Nous aimerions échanger notre appartement pour une maison pour trois personnes avec jardin, piscine si possible, au bord de
25 la mer, en France ou à l'étranger. Moi, mon rêve, c'est une maison créole aux Antilles! Contactez-nous au 01 45 63 98 76.

 1a **Lisez et écoutez l'annonce de Léa. Regardez la grille et notez le nom des équipements a–g.**

	a	b	c	d	e	f	g
Paris-Bercy	✓	✓	✓	✓	✓		
Bretagne	✓	✓	✓			✓	
Guadeloupe	✓		✓			✓	✓
Alpes		✓	✓	✓	✓	✓	

1b **Répondez pour Léa aux questions 1–6.**

Exemple: *1 J'habite dans un appartement.*

en Bretagne

maison ancienne à la campagne (T4); rez-de-chaussée: cuis. avec coin s. à m., salon; 1er étage: 3 ch., s.d.b. - WC; grd jardin, garage 2 voitures.

M. Le Guen *Tél: 06 17 65 45 78*

recherche: *maison ou appartement (bord de mer, en France ou à l'étranger)*

en Guadeloupe

villa (T2) au bord de la mer, 2 ch., petite cuis., terrasse, s.d.b. avec douche et WC, piscine dans jardin

Firmine Justin *Courriel: f.justin@wanadoo.fr*

recherche: *maison ou appartement (montagne ou campagne, en France ou à l'étranger)*

dans les Alpes

chalet traditionnel à la montagne (T5); rez-de-chaussée: 2 ch., s.d.b.; 1er étage: 2 ch., douche, grde cuis. équipée, salon + balcon; garage, jardin

Mme Duval *Courriel: s.duval@clubinternet.fr*

recherche: *appartement dans le centre-ville (pas dans la banlieue)*

 2a Écoutez. Qui parle? C'est quelle photo?

 2b Réécoutez et répondez pour cette personne après chaque question.

3 À deux, imaginez la conversation de M. Le Guen avec *échange-de-maison.com*. Utilisez les questions 1–6, la grille, l'annonce et les Expressions-clés.
Exemple:
A: *Bonjour. Je voudrais passer une annonce.*
B: *Oui. Habitez-vous dans une maison ou un appartement?*
A: *J'habite dans une maison.*

 4 Écrivez la lettre de Firmine Justin, en Guadeloupe, pour *échange-de-maison.com*. Adaptez le courriel de Léa (page 30).

 5 À vous!

❋❋ Choisissez une maison d'échange. Décrivez votre maison/appartement (réel(le) ou imaginaire) – et expliquez pourquoi vous voulez échanger. **La meilleure lettre gagne.**

❋❋❋ Imaginez: vous avez passé des vacances dans une de ces propriétés. Racontez! Écrivez ou enregistrez.
Exemple: *J'ai passé deux semaines avec ma famille en Guadeloupe. On a échangé notre maison avec Mme Justin.*
☺ *C'était génial! La maison était fantastique….* ou
☹ *C'était nul! La maison n'était pas confortable. Il n'y avait pas de…*

Expressions-clés

J'habite/Nous habitons (dans)…
　　une maison/un appartement…
　　ancien(ne)/récent(e)/moderne/traditionnel(le).
C'est situé(e)…
　　en ville/dans le centre-ville/dans la banlieue.
　　à la campagne/à la montagne/au bord de la mer.
　　dans un quartier calme/moderne/super
　　à/dans l'est/l'ouest de…
　　au/dans le sud/le nord de…
C'est au rez-de-chaussée/au premier étage/au deuxième étage.
C'est près/loin du centre-ville.
C'est à 10 minutes…
　　à pied/en bus/en métro/en voiture…
　　des magasins/de la mer.
Il y a X pièces: il y a deux chambres, une cuisine, etc.
L'appartement/La maison est très bien équipé(e): il y a…
　　un micro-ondes/un lave-vaisselle/un lave-linge/
　　une baignoire à bulles/une douche/un bidet/
　　une piscine.

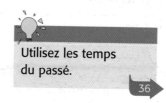
Utilisez les temps du passé.

36

Là où j'habite | *Décrire sa ville*

Forum-Internet

Fichier Actions Outils ?

Chers Internautes
Bonjour! Je voudrais faire un reportage sur l'endroit où on habite.
Contactez-moi et dites-moi où c'est, comment c'est et aussi comment vous voudriez améliorer votre ville. Merci. **Léa**

Forum-Internet

Fichier Actions Outils ?

Bonjour Léa. Tu veux savoir où j'habite? Alors, j'habite en plein centre-ville, à Saint-Louis, à 260 km au nord de Dakar, la capitale du Sénégal. Il y a environ 180 000 habitants. C'est une ville historique et touristique, au
5 bord de la mer.
  Moi, j'aime bien Saint-Louis parce que c'est très joli et très animé. Il y a beaucoup de choses à voir ici: de vieux bâtiments[1] de l'époque coloniale, des marchés, un musée, le port de pêche. En plus, Saint-Louis est située
10 dans une belle région. Pas loin, il y a des plages fantastiques, un parc national et des réserves d'animaux.
  Par contre, pour les jeunes, il n'y a pas grand-chose à faire en ville: il y a un centre culturel, des restaurants et des boîtes de nuit[2], c'est tout. Saint-Louis, c'est
15 super mais ça serait encore mieux[3] avec un centre sportif dans mon quartier et plus de cinémas, par exemple! **Moussa**

[1] buildings
[2] night clubs
[3] better

Salut Léa! Avant, j'habitais à Montréal mais maintenant j'habite la Trinité-des-Monts, un petit village à la campagne. C'est à 45 km au sud-ouest de Rimouski. Il y a environ 350 habitants! C'est un village récent,
5 moderne, situé dans une très jolie région, mais pour moi, c'est trop calme! C'est carrément mort! Il n'y a rien à voir ici, la forêt, des érablières industrielles[1] et des éleveurs[2] de chevaux, de bœufs, de moutons et de chiens, c'est tout!
10 Par contre, si on aime le sport et la nature, c'est super: les paysages sont magnifiques, surtout en automne! Il y a beaucoup de choses à faire si on est sportif: de la pêche et du kayak sur la rivière Rimouski, du ski et du surf des neiges dans le snowpark de Val-
15 Neigette, une station de sports d'hiver à quelques kilomètres au nord du village.
  La Trinité, ce n'est pas mal mais il n'y a pas assez de distractions. Ça serait mieux avec plus de magasins et un cinéma! **Samuel**

[1] maple-syrup distilleries
[2] breeders

Forum-Internet

Fichier   Actions   Outils   ?

Ici Malika! J'habite à Hussein-Fey. C'est une banlieue d'El-Djezair (en français, c'est Alger), la capitale de l'Algérie. C'est à environ 5 km à l'ouest. C'est une banlieue industrielle, assez moche, bruyante et trop polluée. Heureusement, la plage n'est pas loin. On peut y aller à pied en
5 quelques minutes et se baigner. C'est agréable!
   Pour moi, c'est un endroit[1] sans intérêt. Ce n'est pas touristique et il n'y a rien à voir, à part le marché, quelques rues pittoresques et un stade de football célèbre. Par contre, c'est un quartier très animé et les gens ici sont très sympa. On est rapidement au centre d'Alger en bus et
10 il y a beaucoup de choses à voir et à faire pour les jeunes à Alger. À mon avis, Hussein-Dey, ça serait mieux avec moins de pollution et plus d'espaces verts!

[1] place

 1 **Lisez les textes. Qui …**

a habite dans un village? en banlieue? au centre-ville?

b habite près d'une plage?

c voudrait un cinéma dans son quartier?

d aime là où il/elle habite? Pourquoi?

 2 **Écoutez Moussa. Notez les détails supplémentaires.**

 3 **Lisez les textes de Samuel et Malika. Répondez aux questions des Expressions-clés pour eux.**

 4 **Relisez la page 30 et écrivez la contribution de Léa au reportage sur le même modèle.**

Exemple: *J'habite dans le quartier de Bercy, dans l'est de Paris, à 15 minutes …*

 5a **A pose des questions à B sur son endroit préféré sur terre! Changez de rôles.**

Exemple:

A: *C'est où, ton endroit préféré?*

B: *C'est une petite ville dans le nord-ouest de la Jamaïque…*

 5b **Maintenant, posez des questions sur l'endroit que vous aimez le moins! Expliquez pourquoi.**

 6 *À vous!*

⊙ **À deux: préparez une publicité (pour la radio, la télévision ou le journal local) pour l'endroit où vous habitez (interview, présentation assistée par ordinateur, poster, article, etc.).**

⊙⊙ **Imaginez: vous avez passé votre enfance dans un de ces endroits. Choisissez et racontez!**

Exemple: *Quand j'étais petit(e), j'habitais à Saint-Louis… Il y avait environ 180 000 habitants. C'était une ville historique…*

Expressions-clés

Tu habites où?

J'habite à Saint-Louis,…
   une petite/grande ville/un village/
   une banlieue
   situé(e) à 260 km…
   au nord/au sud/à l'est/à l'ouest
   de Dakar.

Il y a X habitants.

C'est comment, là où tu habites?

C'est une ville/un endroit touristique/industriel(le).

J'aime bien/Je n'aime pas parce que c'est…
   joli/animé/calme/pittoresque/
   moche/mort/bruyant/sans intérêt.

Qu'est-ce qu'il y a à voir?/à faire?

Il y a beaucoup de choses à voir/à faire:…
   un cinéma, des restaurants, la plage,
   la forêt, des paysages magnifiques, etc.

Il n'y a pas grand-chose à voir/à faire.

À ton avis, comment améliorer ta ville?

Il y a trop de pollution.

Il n'y a pas assez de distractions pour les jeunes.

Ça serait mieux avec…
   un centre sportif/plus d'espaces verts/
   moins de pollution.

31

N'oubliez pas d'utiliser les temps du passé.

Aider à la maison
Parler de ce qu'on fait pour aider

★ STAR DU MÉNAGE

1 **Est-ce que tu aides à la maison?**

★ "Oh oui, tous les jours. C'est moi qui fais tout!"

★ "Euh… de temps en temps, c'est moi qui mets le couvert et qui fais la vaisselle."

★ "Ah non, jamais! Je suis nul(le) pour faire le ménage!"

2 **Aider à la maison, c'est normal[1] ou ce n'est pas normal?**

> [1] fair, just

★ "Non, ce n'est pas normal. Ce n'est pas mon boulot!"

★ "Oui, bien sûr, c'est normal."

★ "Oui, mais seulement si tout le monde participe!"

3 **Tu aimes bien aider à la maison?**

★ "Ça ne me dérange pas, mais ce n'est pas mon passe temps préféré!"

★ "Je déteste ça, surtout nettoyer les toilettes! Beurk!"

★ "Oui, j'aime bien faire la cuisine."

4 **Qu'est-ce que tu as fait pour aider hier?**

★ "Hier, j'ai fait les courses, comme d'habitude!"

★ "Je n'ai rien fait. C'est ma sœur qui aide, pas moi!"

★ "Hier, je n'ai pas eu le temps d'aider parce que j'avais trop de devoirs."

5 **Qu'est-ce que tu vas faire pour aider ce week-end?**

★ "Rien! Ce week-end, des copains viennent me voir à la maison!"

★ "Je vais nettoyer la salle de bains, sortir les poubelles, laver la voiture, faire la lessive, faire le repassage…"

★ "Je vais faire du baby-sitting. Avec mon petit frère, c'est sympa."

6 **Tu es payé(e) quand tu aides à la maison?**

★ "Non, on doit aider ses parents même si on n'est pas payé(e)."

★ "Oui, c'est normal si on aide beaucoup."

★ "Bien sûr! Moi, je ne travaille jamais pour rien!"

Résultats: Tu as une majorité de…

★ Tu es une vraie star… si tu dis la vérité, toute la vérité!

★ Tu es prêt(e) à aider, même si tu n'aimes pas ça. C'est sympa!

★ Hmm! Tu n'es pas une star du ménage, mais de l'égoïsme! Fais un effort!

  1a **Lisez le quiz. Notez les 12 façons d'aider à la maison.**

5 MN

Exemple: *mettre le couvert,…*

 1b **Faites le quiz à deux. Qui aide le plus?**

 2 **Micro-trottoir:** Notez les réponses de quatre jeunes Français au quiz. Quel résultat ont-ils? Discutez à deux.

>
> c'est + *pronoun* + qui + *verb*
> c'est **moi/toi** qui fais le ménage
> c'est **elle/lui** qui fait les courses

 219

Une vraie star!

Elle s'appelle Coumba. Elle a 15 ans et elle habite dans un petit village au Mali. Elle a un frère, Salif, 13 ans, et deux petites sœurs de six ans et un an. Tous les jours, elle doit aider sa mère à la maison.

Elle commence sa journée à 5h du matin. Depuis que son père est mort, c'est elle qui
5 doit s'occuper des chèvres. Elle prépare le thé pour la famille, elle fait la vaisselle et elle range la maison. Ensuite, elle s'occupe de ses petites sœurs. Plusieurs fois par semaine, elle va chez ses grands-parents qui habitent à côté. Là, c'est elle qui range et nettoie leur maison et c'est aussi elle qui prépare leurs repas.

Après ça seulement, elle peut aller à l'école qui est à 8 km. Elle y va à pied et elle arrive souvent en retard. C'est dur,
10 mais elle veut y aller! Certains jours, elle ne peut pas car elle va vendre des chèvres au marché et acheter des légumes pour la famille. Le soir, elle aide encore sa mère et elle n'a pas de temps pour les devoirs. Salif n'aide jamais à la maison. Sa mère dit que l'école, c'est plus important pour lui que pour Coumba. Elle veut qu'il trouve un bon travail.

Et pourtant, Coumba a de la chance – elle a le droit d'aller à l'école! Beaucoup de filles de son âge n'ont pas le droit d'y aller ou sont déjà mariées.

 3a **Lisez l'article. Notez les tâches de Coumba en deux catégories:**

    a   je trouve ça normal (pour une fille de 15 ans)

    b   je ne trouve pas ça normal

 3b **Discutez en classe.**

Exemple:

A: Aider sa mère à la maison, je trouve ça normal.

B: Oui, mais s'occuper des chèvres à 5h, je ne trouve pas ça normal.

 4 **Répondez aux questions en anglais.**

    a   Why does Coumba have to do so many chores?

    b   Why is it difficult for Coumba to go to school?

    c   Why are things different for her and her brother?

    d   Why does the article say Coumba is lucky?

 5a **Mettez l'article à la première personne. Attention aux verbes!**

Exemple: *Je m'appelle Coumba. J'ai 15 ans…*

 5b **Imaginez les réponses de Coumba au quiz (page 34). Donnez des détails.**

Expressions-clés

J'aide/Je dois aider à la maison.

Je fais… /C'est moi qui fais…

C'est ma mère qui fait…

    le ménage/le repassage/les courses/

    la cuisine/la vaisselle/la lessive

Je dois…

    mettre le couvert

    ranger ma chambre

    sortir les poubelles

    nettoyer les toilettes

    laver la voiture

Hier, j'ai fait le ménage:

    j'ai mis/rangé/sorti/nettoyé/lavé

Demain, je vais faire le ménage:

    je vais mettre/ranger, etc.

Je suis payé(e)/Je ne suis pas payé(e).

Je trouve ça normal/Je ne trouve pas ça normal.

Utilisez l'infinitif après:

je dois (il/elle doit) – *I (he/she) must*

je peux (il/elle peut) – *I (he/she) can*

je veux (il/elle veut) – *I (he/she) want(s) to*

 225

 **6** **À vous!**

✪ **Répondez au quiz. Comparez avec la classe. Qui sont les stars du ménage, les filles ou les garçons?**

✪✪✪ **Écrivez/Enregistrez ce que vous avez fait et ce que vous allez faire pour aider à la maison cette semaine. C'est normal ou pas? Pourquoi? (Écrivez environ 100 mots.)**

Exemple: *Lundi, c'est moi qui ai sorti les poubelles. Je trouve ça normal parce que ma mère était malade. Ce week-end, c'est moi qui vais faire la cuisine, etc.*

Zoom grammaire | *Review of tenses*

1 Avant, j'**habitais** une grande maison à la campagne. C'**était** nul!
2 J'**allais** en ville de temps en temps. J'**adorais** la ville!
3 Un jour, j'**ai déménagé**. Je **suis allé** en ville.

4 Maintenant, j'**habite** un petit appartement au centre-ville.
5 Je n'**aime** plus du tout la ville. C'**est** trop bruyant.

Un an plus tard:

Oh non!

6 Je **voudrais** retourner à la campagne.
7 L'année prochaine, je **vais vendre** l'appartement.
8 Après, je **retournerai** dans ma grande maison à la campagne. Ce **sera** super!

Past, present, future

1 Use a verb in the present tense:
- to say what happens regularly
- to say what is happening as you speak.

2 Use a verb in the imperfect tense:
- to say how things were in the past
- to say what used to happen regularly.

3 Use a verb in the perfect tense:
- to say what happened (as in a sequence of events) in the past.

4 Use *aller* + infinitive:
- to say what you're more or less sure is going to happen soon.

5 Use a verb in the future tense:
- to predict what will happen at some point and how things will be.

6 Use a verb in the conditional:
- to say what would/might happen given certain circumstances
- to express a wish – *je voudrais/j'aimerais.*

1 Match the sentences (1–8) in the cartoon to a tense description. Translate into English.

2 Rewrite the sentences in the 3rd person.
Example: *Avant, il habitait une grande maison.*

Time phrases

Time phrases indicate when the action takes place. You can use them as clues to work out which tense is used in a sentence.

 3a Copy out and complete the grid with the correct time expressions. Some will fit into more than one column.

hier	lundi dernier	cette semaine
le lundi	en général	lundi prochain
aujourd'hui	l'année prochaine	la semaine prochaine
demain	avant	maintenant
cette année	la semaine dernière	l'année dernière

past	present	future
hier	aujourd'hui	demain

 3b How many other time expressions can you add to each column?

 4 Choose the correct tense in each sentence.
a Quand j'étais petit, **j'habite/j'habitais** à Lyon.
b Tous les matins, le bruit des voitures **me réveillait/m'a réveillé**.
c En 1999, mes parents **décidaient/ont décidé** de déménager à la campagne.
d Mais maintenant, moi, je **commence/commençais** à m'ennuyer ici.
e L'année prochaine, comme **j' allais/j'irai** au lycée à Lyon, je **vais acheter/ j'achetais** une mobylette.
f Après le lycée, dans trois ans, **je suis allé/j'irai** peut-être à l'université à Paris.

Listening for tenses

Knowing when something takes place helps you make sense of what you hear. Listen for clues such as time phrases and typical verb tense endings.

 5 Listen (1–8). What tense is used in each sentence?
Example: *1* – present

 6 Listen to the 10 questions and work out which tense is used. Reply using *oui* and the correct tense.
Example: *1 Oui, j' habitais en ville quand j'avais 10 ans.*

Using tenses when writing and speaking

Always try to use a variety of tenses when answering a question.
For example: *Est-ce que tu connais Paris?*

grade C   *Oui, je connais/Non, je ne connais pas Paris.*
grade C–B   *Oui, je connais un peu Paris. J'y suis allé(e) avec l'école en 2004. C'était super!*
grade A/A*   *Non, je ne connais pas Paris, je n'y suis jamais allé(e). Par contre, j'ai visité la vallée de la Loire et c'était super! J'aimerais bien aller à Paris. J'irai peut-être quand je serai à l'université!*

 7a Answer these questions using at least three tenses.
a C'est comment, là où tu habites?
b Qu'est-ce que tu fais pour aider à la maison?

 7b Listen to the model answers. Identify the different tenses used.

Guide examen | *Listening*
Speaking: general conversation

1 Before listening

- Predict the context. Look for clues in the title, introduction and illustrations.
- Read the questions carefully:
  a Do they ask for details? Work out the key words.
  b Do they ask for an overall impression? Listen through to the end and decide.

 1a Pierre Dubroux rencontre son chef de bureau, Sylvie Aubain. Quelle conversation correspond à la photo, 1 ou 2?

Premier jour au bureau

- *What do you know about the context before listening?*
- *How do the title, introduction and picture help you?*
- *How do you expect these people to address each other?*

1b Écoutez. Où est le bureau de Pierre?

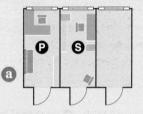 a   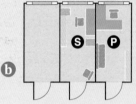 b   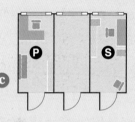 c

What are the key words you need to focus on here?

1c Écoutez et choisissez le mot qui décrit le mieux l'attitude de Pierre.
  a content b optimiste c déçu

What are the three most important words (clues) in this passage?

2 When listening

- Listen to the tone of voice and intonation.
- Listen for verbs, tenses, number and gender.
- On first listening, get the gist; on the second, get the details needed.
- Make minimal notes when listening: don't write full sentences (unless asked).
- If you don't understand, don't panic! Keep focusing on what you DO understand.

 2a Écoutez et choisissez le mot qui décrit le mieux la réaction de chaque personne.
  a pour b contre c indifférent

Find the clues that show people's feelings (what they say, how they say it, other non-verbal reactions).

2b Lisez les phrases en anglais 1–4 et écoutez les phrases en français. Quelle phrase correspond, a ou b?
  1 She isn't called Emmanuelle because her mum didn't want the name.
  2 My parents went to the market on Monday morning.
  3 They don't eat pork as it is against their religion.
  4 My girlfriend Dominique is really tall and really slim.

- *Does a verb mean the same whether or not it is reflexive?*
- *What tells you the verb tense?*
- *And singular or plural verb?*
- *What tells you the noun gender?*

3 After listening

– **Always check through your answers and never leave questions unanswered.**
– **Make sensible guesses if you don't know, using e.g.**
  • **your knowledge of France**
  • **your knowledge of grammar (e.g. agreement of adjectives, etc.).**

3a Écoutez. De quoi parlent-ils dans chaque conversation?

1 a
2 a
3 a
b
b
b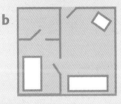

What you know about France and the French can help you understand what people are talking about (e.g. see pages 10, 28, 30).

3b Écoutez (1–4). Vous allez entendre le mot *chénécal*, un mot inventé. Dans quelle phrase est-il: un adjectif? un nom? un verbe? un adverbe? Par quels mots le remplacer?

What are the typical endings for each category of words? Which kinds of word are normally used together (e.g. determiner and noun)?

4 Practise listening!

– **Train your ear: the more you listen, the more "tuned in" you will be (French radio, films, *En Solo* CD).**
– **Train your eye: become familiar with the different styles of questions asked.**
– **Read through transcripts (before/after listening).**
– **When reading a text, try to remember all sound–spelling links (see page 6).**
– **Train your hand by making short notes.**

 4 Écoutez. Regardez les notes. Prenez des notes pour la dernière personne (4).

Looking though these notes, which do you think are the best and most efficient?

1 Elisa; 16 a; 2 sœurs; 1 chien; OK avec mère, probl. avec père; prop. chambre

2 Paul; a 16 ans; 1 frère, 1 sœur; pas d'animal; super avec parents; partage chambre avec frère

3 And. - 17 - 3 f - cht - pb avec mr. – part. chamb + 2 f.

4 ?

Ⓢ Parlons-en!

À deux, répondez aux questions:

1 Tu habites où?
2 Décris ta ville/ton village.
3 Comment est ta chambre?
4 Qu'est-ce qu'il y aurait dans la chambre de tes rêves?
5 Quels sont les avantages et les inconvénients d'habiter en ville?

Vocabulaire

Ma chambre
J'ai ma propre chambre.
Je partage une chambre avec mon frère/ma sœur.
Dans ma chambre, il y a…
un bureau
un fauteuil
un lecteur DVD
un lit
un ordinateur
un placard
un sofa
un tapis
une armoire
une chaîne hi-fi
une chaise
une console
une lampe
une table
une table de chevet
une télé(vision)
des coussins (m. pl.)
des étagères (f. pl.)
des posters (m. pl.)
Il n'y a pas de télévision.
à côté de
à droite/gauche de
près de
dans
derrière
devant
entre
sous
sur
Ma chambre est…
grande/petite
jolie/moche
claire/sombre
pratique/confortable
bien rangée/en désordre

My bedroom
I've got my own room.
I share a bedroom with my brother/my sister.
In my bedroom, there is/are…
a desk
an armchair
a DVD player
a bed
a computer
a cupboard
a sofa
a rug
a wardrobe
a stereo
a chair
a games console
a lamp
a table
a bedside table
a TV
some cushions
some shelves
some posters
There isn't a television.
beside, next to
to the right/left of
near
in
behind
in front of
between
under
on
My room is…
big/small
pretty/ugly
light/dark
practical/comfortable
tidy/untidy

Les tâches ménagères
J'aide à la maison.
Je fais/C'est moi qui fais…
le ménage
le repassage
la cuisine
la lessive
la vaisselle
les courses
Je dois/Je vais…
faire du baby-sitting.
mettre le couvert.
ranger ma chambre.
sortir les poubelles.
nettoyer les toilettes.
laver la voiture.

Household chores
I help at home.
I do…
the housework
the ironing
the cooking
the washing
the washing-up
the shopping
I have to/I'm going to…
babysit.
lay the table.
tidy my room.
take the rubbish out.
clean the toilets.
wash the car.

C'est comment chez vous?
J'habite/Nous habitons dans une maison/un appartement…
ancien(ne)/récent(e)
moderne/traditionnel(le)
C'est situé(e)…
en ville
dans le centre-ville
dans la banlieue
à la campagne
à la montagne
au bord de la mer
C'est près/loin du centre-ville/de la mer.
C'est à 10 minutes…
à pied…
en bus…
en métro…
en voiture…
…des magasins.

Les pièces
Il y a…
un bureau
une cave
une chambre
une cuisine
un garage
un jardin
une salle à manger
une salle de bains
un salon
des toilettes
au rez-de-chaussée
au premier/deuxième étage

Ma ville
J'habite à…
C'est une grande/petite ville.
un endroit
un village
une banlieue
industriel(le)
touristique
au nord de…
au sud de…
à l'est de …
à l'ouest de …
J'aime bien parce que c'est…
Je n'aime pas parce que c'est…
animé
bruyant
calme
mort
pittoresque
sans intérêt
Il y a trop de…
Il n'a pas assez de…
Ça serait mieux avec…
plus d'espaces verts
moins de pollution

What is your place like?
I live/We live in a house/a flat…

old/new
modern/traditional
It's…
in town
in the town centre
in the suburbs
in the country
in the mountains
by the sea
It's near to/far from the town centre/the sea.
It's 10 minutes…
on foot…
by bus…
by underground…
by car…
…from the shops.

The rooms
There is/are…
an office
a cellar
a bedroom
a kitchen
a garage
a garden
a dining room
a bathroom
a living room
a toilet
on the ground floor
on the first/second floor

My town
I live in…
It's a big/small town.
a place
a village
a suburb
industrial
touristy
to the north of…
to the south of…
to the east of…
to the west of…
I like it because it's…
I don't like it because it's…
lively
noisy
peaceful
dead
picturesque
boring
There is/are too much/many…
There isn't/aren't enough…
It would be better with…
more green spaces
less pollution

3 Une journée d'école

Contexts: school life, daily routine
Grammar: reflexive verbs, present tense
Skill focus: reading
Cultural focus: school life in French-speaking countries

Rappelez-vous!

 Décrivez la photo. Qui trouve le plus de choses à dire?
Exemple:

A: *Je vois trois enfants.*   B: *Ce sont des garçons.*
A: *Ils sont à l'école...*

 À votre avis, c'est en 1870? En 1957? En 1991? Pourquoi?

 Imaginez une bulle pour chaque enfant.

Léa Thomas, Seconde, Lycée Arago

	LUNDI	MARDI	MERCREDI	JEUDI	VENDREDI
8.00–9.00	physique-chimie	EPS	maths	allemand	histoire-géo
9.00–10.00	physique-chimie	EPS	français	français	anglais
10.15–11.15	sciences de la vie et de la terre	éducation civique, juridique et sociale	physique	anglais	allemand
11.15–12.15	sciences de la vie et de la terre	sciences économiques et sociales	chimie	permanence	permanence
12.15–13.45	DÉJEUNER				
13.45–14.45	français	allemand		maths	maths
14.45–15.45	histoire-géo	histoire-géo		histoire-géo	permanence
16.00–17.00	anglais	informatique		aide maths	vie de classe
17.00–18.00	aide français	informatique		permanence	permanence

a b c d e f

g h i j Bonjour k Goodbye l Bitte

4a Trouvez le nom des matières illustrées (a–l) dans l'emploi du temps. Écrivez *le/la/les*.

2 MN Exemple: *a – la chimie*

4b Trouvez le français pour:

a extra support

b economic and social studies

c form period

d free period

4c Quelles matières avez-vous en commun avec Léa?

Exemple: *J'ai anglais*, etc.

Point culture

Pendant l'*heure de vie de classe*, profs et élèves discutent du règlement intérieur, de la discipline, des sanctions mais aussi des valeurs importantes: respect, solidarité, tolérance, etc. On parle aussi du travail scolaire.

5a **Lisez les heures (a–h). C'est quelle pendule?**

Exemple: *a –12*

a cinq heures dix

b neuf heures moins le quart

c midi et demi

d dix heures et quart

e quatre heures et demie

f deux heures moins vingt

g midi moins cinq

h trois heures

5b **Dites l'heure sur les autres pendules.**

6a **Écoutez l'heure (1–8). Regardez l'emploi du temps de jeudi (page 42).**
Léa a quel cours?

Exemple: *1 – permanence*

6b **A choisit trois matières de l'emploi du temps. B dit le jour et l'heure pour trouver ces trois matières. Changez de rôles. Qui trouve le plus rapidement?**

Exemple:

A: C'est le mardi à 13h45?

B: Oui, c'est…/Non, ce n'est pas…

7 **Jouez au Loto (à droite)! Écoutez. Trois nombres ne sont pas dits. Lesquels?**

8a **Recopiez et complétez les phrases de Léa sur son lycée avec les nombres (en chiffres).**

Exemple: *1880*

1 Le lycée Arago existe depuis ……

2 Arago était un astronome né en ……

3 On va au lycée …… jours par an.

4 Les cours durent …… minutes.

5 Il y a …… élèves en tout.

6 On est environ …… par classe.

7 On vient au lycée en bus, le ……

8b **Écoutez et vérifiez.**

★ ★ ★ **Loto** ★ ★ ★

	57		71		111	679			1995
48		61	81		219			1096	
	59		91	98		852			3678

a mille huit cent quatre-vingt

b quatre-vingt-six

c soixante

d six cent quatre-vingt-dix

e cent quatre-vingts

f trente-cinq

g mille sept cent quatre-vingt-six

Forum devoirs | *Parler des matières scolaires*

Aide aux devoirs

Tu es fort(e) dans une ou plusieurs matières?

Tu peux aider des enfants à faire leurs devoirs par e-mail?

Écris à *info@momes.net*

Dis qui tu es et réponds aux questions:

a En quelle classe es-tu?

b Quelles matières fais-tu?

c Quelles matières aimes-tu? Pourquoi?

d Dans quelle(s) matière(s) es-tu particulièrement fort(e)?

Salut! C'est Léa. Je suis en seconde au lycée Arago, à Paris.
Au lycée, j'ai **a** heures de cours par semaine et je fais **b** matières différentes.
Comme matières, j'aime bien l'histoire et la géo mais surtout **c** et **d**.
Ce sont mes deux matières préférées parce que j'adore apprendre des langues, je trouve ça intéressant et très utile. En plus, les profs sont toujours très sympa! J'ai 19,5 de moyenne[1] en anglais! Je suis forte en anglais parce que je vais souvent en Grande-Bretagne avec mes parents. Par contre, je suis assez faible en **e** et en **f** et j'ai des cours d'aide dans ces deux matières.
Je peux donc aider en anglais, des élèves de collège (de la 6ème à la 3ème) à faire leurs devoirs et aussi des élèves de primaire (de 6 à 11 ans).

[1] average mark (out of 20)

LIRE 1 Lisez l'annonce de Léa au forum d'entraide scolaire. Regardez son emploi du temps (page 42) et complétez.

ÉCOUTER ÉCRIRE 2a Écoutez et notez les réponses de Noria aux questions a–d.

ÉCRIRE 2b Recopiez et complétez son annonce au forum.

Je m'appelle **1** Je suis en **2** au **3**.
J'ai **4** heures de cours et je fais **5** matières différentes.
Comme matières, j'aime bien **6**. Ma/Mes matière(s) préférée(s), c'est **7** parce que **8**. Je suis fort(e) en **9**.
Je peux donc aider des élèves de **10** en **11**.

ÉCOUTER ÉCRIRE 3 Écoutez Pascal et rédigez son annonce.

Point culture

Le système scolaire en France

- l'école maternelle   3–6 ans
- l'école primaire   6–11 ans *(CP, CE1, CE2, CM1, CM2)*
- le collège   11–15 ans *(6ème, 5ème, 4ème, 3ème)*
- le lycée   15–18 ans *(seconde, première, terminale)*

NB: Le transfert à la classe supérieure n'est pas automatique. On peut redoubler (rester dans la même classe).

4a Trois élèves appellent le forum. Écoutez. Qui peut les aider: Léa, Noria ou Pascal?

 4b Réécoutez chaque appel. Combien de négations entendez-vous? Notez-les.

Exemple: *Magali: je ne trouve plus ça intéressant.*

> **Zoom grammaire** using negatives
>
> Remember, in French you need two parts, one either side of the conjugated verb:
> *ne… pas* (or *ne… jamais/plus/rien/que*, etc.)
> *je suis bon en maths* → *je **ne** suis **pas** bon en maths*
> *je comprends* → *je **ne** comprends **rien***
> Use *de* after a negation:
> *j'ai des profs sympa* → *je **n'**ai **pas de** profs sympa*

226 ▶

 5 Transformez les Expressions-clés en phrases négatives quand c'est possible.

Exemple: *Je ne suis pas en troisième…*

 6 Posez les questions a–d (page 44) à votre partenaire. Notez ses réponses puis changez de rôles. Utilisez les Expressions-clés dans vos réponses (phrases positives ou négatives).

> **Expressions-clés**
>
> Je suis en troisième au collège X/en seconde au lycée Y.
>
> Je fais anglais, français, maths, etc.
> J'aime bien le français parce que…   Je n'aime pas les maths parce que…
>   je trouve ça intéressant.   je trouve ça ennuyeux.
>   c'est facile/utile.   c'est difficile/inutile.
>   je comprends tout.   je ne comprends rien.
>   le prof est toujours sympa.   j'ai toujours de mauvaises notes.
>
> Ma matière préférée, c'est les maths.
> Je suis (assez/très) fort(e) en anglais.
> Je ne suis pas (très) bon(ne) en français.
> Je suis (assez/très) faible en EPS.
> Je suis (carrément) nul(le) en physique.

 **7** À vous!

✪ Écrivez votre annonce au forum de *momes.net*, comme Léa. Répondez aux questions a–d et dites dans quelle(s) matière(s) vous pouvez aider.

✪✪ Avec vos notes de l'activité 6, écrivez un rapport sur le travail de votre partenaire dans toutes les matières. Il/Elle lit le rapport. Il/Elle est d'accord? Discutez.

Exemple: *Sophie est en Year 10, en troisième, à Longville High School. Elle a … heures de cours et fait … matières. Elle est très forte en … parce que … Par contre, elle est assez faible en … parce que… etc.*

Reportage: l'école dans le monde | *Décrire son école*

 1a Écoutez Léa et choisissez a, b ou c pour compléter ses réponses.

Exemple: *1 – b*

1 Mon école s'appelle
  a l'école secondaire Langevin
  b le lycée Arago
  c le lycée technique André Peytavin.

2 Elle est située
  a en banlieue
  b en plein centre-ville
  c en ville.

3 C'est
  a une grande école
  b une petite école
  c une école moyenne.

4 Les bâtiments sont
  a vieux mais agréables
  b modernes et agréables
  c modernes mais pas très agréables.

5 L'école est
  a assez mal équipée
  b assez bien équipée
  c très bien équipée.

6 L'ambiance est
  a ok
  b bonne
  c très sympa.

7 Dans ma classe, on est
  a 25
  b 30
  c 35.

8 En tout, il y a environ
  a 690 élèves
  b 800 élèves
  c 1 000 élèves.

QUESTIONNAIRE

L'école
1 Comment s'appelle-t-elle?
2 Où est-elle?
3 Comment est-elle?
  (bâtiments, équipements, ambiance)
4 Combien y a-t-il d'élèves dans ta classe?
5 Et en tout?

Les horaires
6 Quand commence et finit l'année scolaire?
7 À quelle heure commencent et finissent les cours?
8 Combien de temps dure un cours? la récré? le déjeuner?

 1b Maintenant, écoutez Samuel. Quelles sont ses réponses?
Exemple: *1 – a*

 1c Utilisez les réponses qui restent pour écrire le message de Moussa.
Exemple: *Mon école s'appelle le lycée technique André Peytavin…*

 1d Adaptez les phrases 1–8 pour parler de votre école.

2a **Écoutez Léa et reliez les débuts et fins de phrase.**

1   La rentrée, c'est…
2   Les grandes vacances commencent…
3   Les cours commencent…
4   Les cours finissent à…
5   Chaque cours dure…
6   La récré dure…
7   Le déjeuner est…
8   Le soir, on fait des devoirs…

a   à huit heures.
b   en septembre.
c   cinquante-cinq minutes.
d   quinze minutes.
e   fin juin ou début juillet.
f   pendant environ deux heures.
g   dix-huit heures.
h   de douze heures quinze à treize heures quarante-cinq.

2b **Écoutez Samuel et complétez les phrases 1–8.**

Expressions-clés

Mon école s'appelle…
Elle est située…
　　　　en ville/à la campagne/en banlieue.
C'est…
　　　　une petite/grande école.
　　　　une école moyenne.
Les bâtiments sont…
　　　　vieux mais agréables.
　　　　modernes et agréables.
Elle est bien équipée: il y a un…/des…
Elle est mal équipée: il n'y a pas de…
L'ambiance est nulle/ok/sympa.
Dans ma classe, on est 35.
En tout, il y a environ 690 élèves.

La rentrée, c'est…
Les grandes vacances sont…
Les cours commencent/finissent à…
Chaque cours dure…

2c **Cachez a–h et complétez les phrases 1–8 pour votre école.**

À vous!

✿ Écrivez un article sur votre école pour le reportage (+/-100 mots).

✿✿ À deux, écrivez ou enregistrez une publicité sur votre école pour attirer de nouveaux élèves! Choisissez un format: interview, exposé, article, clip radio ou vidéo, etc.

N'hésitez pas à utiliser:
● *plus/moins que…*
L'école est **plus** moderne/agréable **que** les autres écoles de la ville.
● *le/la/les plus/moins*
On a les profs **les plus** sympa et **les moins** sévères de la ville!

215

Reportage: une journée scolaire | *Décrire une journée typique*

Quatre jeunes racontent une journée typique dans leur vie de lycéen.

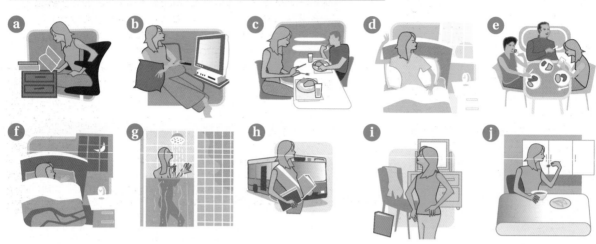

1a LIRE 3 MN **Lisez le texte de Léa et mettez les dessins dans l'ordre.**
Exemple: *1 – d, 2…*

Léa Thomas, France

Le matin, *je me lève* à sept heures quinze. D'abord, *je me douche*. Ensuite, *je m'habille* et après, *je prends le petit déjeuner*. En général, *je vais à l'école* en bus ou à pied. Je mets entre 10 et 20 minutes. *Je déjeune* à la cantine, avec mes copines. Après l'école, je rentre à la maison et *je fais mes devoirs*. Vers 20 heures, *je dîne* avec mes parents. Après, *je regarde un peu la télé*. *Je me couche* à 22 heures. Et vous, quelle est votre journée typique?

1b PARLER À deux, imaginez l'interview de Léa. Utilisez les Expressions-clés.

1c ÉCOUTER Écoutez et vérifiez.

Zoom grammaire reflexive verbs

A reflexive verb has an extra pronoun between the subject and the **verb**. You need the correct **reflexive pronoun** + the correct form of the verb.

*Je **me** lève*	*Nous **nous** levons*
*Tu **te** lèves*	*Vous **vous** levez*
*Il/Elle/On **se** lève*	*Ils/Elles **se** lèvent*

To use reflexive verbs in a negative sentence, put *ne* before the pronoun and *pas/rien/jamais* etc. after the verb.
*On ne **se** lève pas. Ils ne **se** lèvent pas!*

→ 224

224

Expressions-clés

Ta journée commence à quelle heure?
Je me réveille/Je me lève à… heure(s).

Qu'est-ce que tu fais quand tu te lèves?
Je me douche.
Je me lave.
Je me prépare.
Je m'habille.
Je prends le petit déjeuner.

Tu vas comment à l'école et tu mets combien de temps?
Je vais à l'école à vélo/en voiture/à pied.
Je prends le bus.
Je pars à … et j'arrive à…
Je mets … minutes.

Tu déjeunes/dînes où et quand?
Je mange/déjeune à la cantine.
Je dîne à 18h00.

Qu'est-ce que tu fais après l'école/le soir?
Je rentre à la maison.
Je me repose.
Je fais du sport.
Je regarde la télé.
Je fais mes devoirs.

Tu te couches à quelle heure?
Je me couche/Je m'endors à…

Li Mei, Chine

Je me lève à 6h10 tous les jours. Je me prépare, je mets mon uniforme, je mange et je pars au lycée. J'y vais à vélo et je mets environ 10 minutes. La journée d'école commence à 7h00 et se termine vers 20h30. D'abord, on fait des exercices physiques pour se mettre en forme, puis on va en cours. On a une pause à midi et une pause le soir pour le repas à la cantine. Je fais mes devoirs à l'école, c'est obligatoire. Après les cours, on fait le ménage dans les classes. Ranger et nettoyer les classes, c'est obligatoire! Je reprends le bus vers 20h30 et je rentre à la maison. Je me lave, je lis et je me couche vers 22h00.

Anika, Autriche

Je me réveille à 6h00, je me douche et je m'habille. Je ne sais jamais quoi mettre! Je fais mon lit et je déjeune. Je prends le bus à 6h55. Je mets une heure parce que j'habite loin du lycée. J'ai cours six jours par semaine mais seulement le matin de 8h00 à 13h30. Après, je rentre à la maison. Je mange et je vais dans ma chambre. Je me repose un peu avec de la musique ou la télé. Quelquefois, je m'ennuie, alors, je vais à la piscine: je m'entraîne pour une compétition de natation. Le soir, je n'aide pas à la maison parce que je fais mes devoirs. On dîne en famille, je regarde un peu la télé ou je lis et je me couche vers 22h00.

Koudougou, Burkina Faso

Ma sœur Salamata et moi, on se lève à 6h15. On ne se douche pas parce qu'il n'y a pas assez d'eau. On s'occupe de nos quatre petits frères et sœurs et on mange un peu de riz à la viande. On va chercher de l'eau et on part pour l'école à 7h30. On arrive pour le premier cours à 8h00. On s'assied par terre[1] parce qu'il n'y a pas assez de chaises: on est plus de 60 dans la classe. On a une pause d'une demi-heure à 10 heures et on achète des beignets. Les cours finissent à midi. Comme il fait très chaud, on rentre chez nous et on fait la sieste. On se réveille vers 14h30 et on repart en classe. On a cours de 15h00 à 17h30. Après, on rentre à la maison et là, on travaille: on va chercher de l'eau, on fait à manger et on s'occupe des petits. Après ça, on se lave et on fait nos devoirs. Quelquefois, le soir, on va au village pour écouter les griots[2]. On s'amuse bien! En général, on ne s'endort pas avant minuit, quand le village est calme! Alors, se lever tôt le matin, c'est dur!

[1] on the ground
[2] traditional visiting storytellers

2 Écoutez et lisez les trois témoignages. Quelle journée préférez-vous? Expliquez pourquoi en anglais.

3 Relisez les témoignages. C'est qui?

a ...se lève la première.
b ...ne peut pas prendre de douche le matin.
c ...ne mange pas à la cantine.
d ...a des activités sportives après l'école.
e ...ne fait pas ses devoirs à la maison.
f ...doit aider à la maison.

4 Regardez Zoom grammaire (page 48). Transformez le témoignage de Koudougou avec (1) *je*, puis (2) *nous.*

Exemple: *1 Je me lève à 6h15. 2 Nous nous levons à 6h15.*

5 Utilisez les questions des Expressions-clés et interviewez votre partenaire. Ensuite, changez de rôles.

6 À vous!

✪ **Racontez votre journée d'école typique et expliquez les différences avec le week-end.**

Exemple: *Tous les jours de la semaine, je… . Par contre, le week-end, je…*

✪✪ **Vous vous réveillez un matin et vous êtes devenu(e) prof dans votre école! Imaginez et racontez votre journée typique! (+/-200 mots)**

L'école idéale, ça existe? | *Comment améliorer la vie scolaire*

1a **Écoutez Léa et notez dans quel ordre vous entendez ces expressions.**

  a il y aurait plus de…

  b ça serait bien s'il y avait…

  c j'aimerais avoir…

  d j'aimerais être…

  e il faudrait…

  f il y aurait moins de…

1b **Reliez avec les traductions anglaises.**

Exemple: *a – there would be more*

- I'd like to have
- I'd like to be
- there would be more
- there would be less/fewer
- it would be good if there were
- there should be

1c **Réécoutez Léa. Recopiez et complétez le diagramme pour elle.**

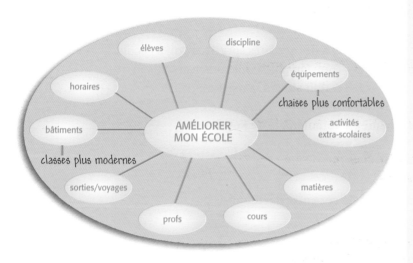

Expressions-clés

Dans mon école idéale,…

  il y aurait…

  il faudrait…

  ça serait bien s'il y avait…

  …des horaires flexibles.

  …moins d'heures de cours.

  …un emploi du temps mieux adapté.

  …plus de travail en groupes.

  …moins d'élèves par classe.

  …des bâtiments modernes, confortables et bien équipés.

  …un foyer pour se reposer et s'amuser.

  …plus de discussions avec les profs.

  …plus de clubs et d'activités extra-scolaires.

  …plus de sorties et de voyages scolaires.

  …plus d'échanges avec d'autres écoles.

  …plus d'ouverture sur la vie et le monde extérieur.

Je fais des/Je ne fais pas d'activités extra-scolaires.

Je suis membre du club/de l'atelier de…

Je fais partie de l'équipe de…

Samuel, école secondaire Langevin, à Rimouski

Mon école est super pour les sportifs! Elle est très bien équipée: il y a un beau gymnase et on peut faire
5 plein d'activités sportives: badminton, basket, soccer intérieur, tennis sur table, volley-ball. Moi, je fais partie de l'équipe de basket et de volley-ball depuis le début de l'année. Il y a aussi beaucoup
10 de clubs culturels: une troupe de théâtre, des ateliers[1] d'arts plastiques[2] et de bandes dessinées, de musique, etc. Par contre, il faudrait des horaires plus flexibles. Moi, je trouve très difficile de me lever tôt le matin alors que le soir, je suis
15 en forme! Ça serait bien si on pouvait faire les cours soit le matin, soit l'après-midi. Pour moi, dans l'école idéale, il y aurait un emploi du temps mieux adapté aux élèves.

[1] workshop
[2] sculpture and modelling

Fatou, 14 ans, lycée[1] Ameth Fall, à Saint-Louis

Salut! Je suis la sœur de Moussa. Je vais dans un lycée de filles depuis deux ans: nous sommes 986. Les profs sont très sympa et l'ambiance
5 est bonne mais il faudrait peut-être une discipline plus stricte. Le lycée est dans des bâtiments historiques. Ils sont beaux mais il sont vieux et mal équipés: les élèves ont un foyer[2]
10 pour se retrouver, une bibliothèque et un terrain de sport mais il n'y a pas de cantine. Il faudrait des bâtiments plus modernes, une cantine, plus de laboratoires et aussi plus d'ordinateurs. Ça serait bien s'il y avait plus d'activités extra-scolaires. Il y a
15 juste un club d'allemand et un club de sciences. Je suis membre du club d'allemand mais je rêve de faire du théâtre! Dans mon école idéale, il y aurait un foyer très confortable pour se reposer et s'amuser.

[1] some "lycées" are for pupils 11–18 (most = 16–18)
[2] common room

2a **Lisez les messages de Samuel et de Fatou, la sœur de Moussa. Trouvez:**

a six endroits différents dans l'école

b trois choses que Fatou aime dans son lycée

c trois choses qu'elle n'aime pas

d les activités extra-scolaires au lycée de Samuel

e le français pour: extra-curricular activities; I am a member of…; I'm on the… team

2b **Complétez le diagramme (page 50) avec les idées de Fatou et Samuel pour améliorer la vie scolaire.**

3 **Micro-trottoir: Écoutez (1–4) et notez les suggestions des jeunes Français.**

4 **À deux, faites un diagramme similaire sur votre école pour répondre au sondage (page 50). Utilisez les Expressions-clés.**

5 À vous!

✪ **Complétez les phrases et discutez avec votre partenaire.**
Exemple: *Dans ma chambre/ma maison/ma ville idéale, il y aurait… ; il faudrait… ; ça serait bien s'il y avait…*

✪✪ **Écrivez un article (environ 150 mots) sur ce qu'il y a de bien et ce qui peut être amélioré dans votre école. Utilisez les idées de votre diagramme (activité 4) et les messages de Samuel et Fatou comme modèles.**

Zoom grammaire | *Infinitives and the present tense*

When to use an infinitive

Verbs are used in the infinitive (neutral) form:
- when they are used in place of a noun: *Travailler, c'est super!*
- when they come after a verb (except *avoir* or *être*):
  Je dois/Je peux/J'aime/Je vais/Je voudrais/Il faut + faire mes devoirs.
- when they come after a preposition (e.g. *pour/à/de*):
  J'ai 15 minutes pour/Il m'aide à/J'oublie de + faire mes devoirs.

224

1 Find an example of a verb used in the infinitive in the cartoon.

How to conjugate a verb

The form of a verb changes according to who does the action **(the subject)** and when it takes place **(the tense)**.
Knowing the infinitive helps you to know the pattern of endings.
French infinitives have three typical endings:

-er: *aimer* (to like)   **-ir:** *finir* (to finish)   **-re:** *vendre* (to sell)

Regular verb endings
-er verbs: *j'aime, tu aimes, il/elle/on aime, nous aimons, vous aimez, ils/elles aiment*
-ir verbs: *je finis, tu finis, il/elle/on finit, nous finissons, vous finissez, ils/elles finissent*
-re verbs: *je vends, tu vends, il/elle/on vend, nous vendons, vous vendez, ils/elles vendent*

NB: The spelling of a few regular present tense verbs changes to keep sounds consistent.
Check in the grammar section.
E.g. *appeler – appelle; préférer – préfère; lever – lève*

221

2 In the cartoon, find an example of a verb from each of the categories
(from infinitives ending -er, -ir, -re).

Irregular verb endings

Learn the common irregular verbs by heart!

être	*devoir*	*vouloir*	*aller*	*courir*	*mettre*	*sortir*
avoir	*pouvoir*		*boire*	*faire*	*prendre*	*venir*

228 ▶

 3a Find the irregular verbs in the cartoon (page 52).

 3b Copy these jokes and fill in the verbs.

Prof: Toto, conjugue le verbe "marcher" au présent.
Toto: Je march▢... tu march▢...il march▢...
Prof: Plus vite, Toto!
Toto: Euh… nous cour▢..., vous cour▢..., ils cour▢...!

Prof: Toto, conjugue le verbe "sortir" à tous les temps¹.
Toto: Je …… quand il pleut, tu …… quand il neige, il …… quand il gèle…
Prof: Non, Toto, pas ces temps-là!
Toto: Nous …… quand il fait beau, vous …… quand il fait chaud, ils …… quand il y a du soleil!

¹ *le temps* = tense and weather!

4 Look back at pages 41–51. List as many verbs in the present tense as you can.
Note their infinitive form and say whether they are regular or irregular verbs.
Example: *je fais – faire –* irregular

Using the present tense

Use the present tense to say:
a what is happening as you speak
b what happens generally
c how long something has been going on (e.g. with *depuis*)
d what is going to happen next

220 ▶

 5 Match these sentences with a, b, c or d.
1 Je parle français depuis quatre ans.
2 Je lis mon livre de français maintenant.
3 L'année prochaine, je rentre au lycée.
4 Tu fais tes devoirs le week-end.
5 Cela fait deux ans qu'il étudie à l'université.
6 Dans trois semaines, on est en vacances!

 6a Find an example of each use of the present tense in the cartoon (page 52).

6b Fill in the verbs in these sentences and say which use each is (a–d).
1 Je **[aller]** au lycée depuis trois ans.
2 On **[faire]** latin mais moi, je n'y **[comprendre]** jamais rien!
3 En ce moment, nous **[apprendre]** à conjuguer les verbes au présent.
4 La semaine prochaine, nous n' **[avoir]** pas cours.

Listening for verbs in the present tense

Listen for clues such as subject pronouns, liaisons and typical verb endings to make sense of what you hear.

 7 Listen and decide for each sentence 1–12 if the subject is:
a one person   **b** more than one   **c** impossible to know.
Explain how you worked it out.

Guide examen | *Reading*
Speaking: general conversation

1 **Before reading**
- **Predict what kind of text it is and what it is about. Use all available clues: title, introduction, illustrations.**
- **Read the task carefully so that you know exactly what to do. Look for clues in the questions. They usually give an example of how to answer.**

COLLÈGE ARMAND-JOLIETTE

Collège
Armand–Joliette

Chaque élève doit:

1) Respecter les adultes et ses camarades
2) Faire preuve d'ouverture et de tolérance envers tous
3) Respecter les bâtiments et les équipements
4) Respecter les horaires et l'emploi du temps
5) Travailler à sa réussite personnelle et celle d'autrui
6) Apprendre les leçons et faire les devoirs
7) Donner son carnet de correspondance aux enseignants en cas de retard
8) Donner un billet d'excuse des parents en cas d'absence

LIRE 1a De quoi s'agit-il dans ce texte? Quels sont les indices?

LIRE 1b À votre avis, qu'est-ce qui est le plus important d'après ce texte?
   a le travail   **b** l'attitude   **c** le succès scolaire

LIRE 1c Pour la question 1b, il faut comprendre le texte:
   a de façon générale?   **b** dans les détails?

LIRE 1d Expliquez le texte à un ami anglais.

> *Make sure you know the meaning of question words.*
> *Can you add any more to the list?*
> Qui…? Quand…? Pourquoi…?
> Comment …? Qu'est-ce que…?
> À quelle heure…? Que veut dire…?

2 **When reading**
- **First, read the whole text, with the tasks in mind. Then concentrate on the information you need and ignore other details.**
- **Remember some useful strategies to work out unfamiliar words:**
   a Look for French words similar to English ones (*gymnase* = gymnasium). Beware of false friends (*la journée* = day, not journey)!
   b Look for other similar French words you know (e.g. *collégiens/collège*).
   c Look for language patterns (e.g. prefixes, suffixes, spelling rules).
   d Use grammar to work out unfamiliar words, for instance: is it a noun and if so is it masculine, feminine, singular, plural? If it's a verb, is it in the past, present or future?

2a Regardez le règlement d'Armand-Joliette (page 54). Quels mots sont similaires en français et en anglais?

2b Trouvez les mots de la même famille dans le texte: *tard, ouvert, autre, heure, prouver.*

Prefixes and suffixes can help you understand words:

re- = *again or back:* redoubler = *to repeat a class*
in/im- = *un- or -less:* inutile = *useless*
-ment = *-ly:* généralement = *generally*
-té = *-ty:* université = *university*
-ie = *-y:* technologie = *technology*
-ant = *-ing:* intéressant = *interesting*
-eux = *-ous:* sérieux = *serious*
-ique = *-ic/-ical:* dynamique = *dynamic*

---

3 Practise reading!
 – **Read as much French as possible (magazines, readers, short books, websites).**
 – **Build up your own list of vocabulary on topics. The more you read, the more words you'll learn.**
 – **Reading gives you a broader knowledge of France and French-speaking countries, which in turn helps you make sense of texts.**

3a Rappelez-vous ce que vous savez de la vie scolaire en France et complétez chaque phrase avec le bon mot de la boîte.

 a Je n'ai pas cours en première heure et je vais en ...
 b Nous avons presque deux heures pour ...
 c On a 15 minutes de ... le matin et l'après-midi.
 d En dernière heure, j'ai ...

récréation
permanence
déjeuner
cours

If you know about the French school system, you are more likely to understand what a text is about. Don't forget to read the Point culture *in* Équipe Dynamique!

42, 44

3b Reliez les phrases à leur traduction.
 1 Il ne passe pas en troisième parce qu'il préfère redoubler sa quatrième.
 2 Il ne passe pas en troisième parce qu'il préfère doubler en quatrième.

 a *He doesn't change into third gear as he prefers overtaking in fourth.*
 b *He's not going into Year 10 as he prefers to repeat Year 9.*

Parlons-en!

À deux, répondez aux questions.

 1 Comment est l'école?
 2 Comment sont les profs?
 3 Quels sont les horaires?
 4 Es-tu membre d'un club? Lequel? Quand? C'est comment?
 5 Quelles différences y a-t-il entre ton collège et le collège français?

Vocabulaire

Les matières
l'anglais
la biologie
la chimie
l'éducation civique (f.)
l'EPS (f.)
l'espagnol (m.)
le français
la géographie
l'histoire (f.)
l'informatique (f.)
les maths (f. pl.)
la physique
les sciences (f. pl.)
Je fais français, etc.

School subjects
English
biology
chemistry
citizenship
PE
Spanish
French
geography
history
ICT
maths
physics
science
I'm doing French, etc.

Les opinions
J'aime bien le français…
Je n'aime pas les maths…
…parce que…
…je trouve ça intéressant/
  ennuyeux.
…c'est facile/difficile/utile/inutile.
…je comprends tout.
…je ne comprends rien.
…le prof est toujours sympa.
…j'ai toujours de mauvaises
  notes.
Ma matière préférée, c'est l'EPS.
Je suis (assez/très) fort(e)
  en anglais.
Je suis (assez/très) faible
  en sciences.
Je ne suis pas très bon(ne) en…
Je suis (carrément) nul(le) en…

Opinions
I like French…
I don't like maths…
…because…
I find it interesting/boring.

it's easy/hard/useful/pointless.
I understand it all.
I don't understand any of it.
the teacher's always nice.
I always get bad marks.

My favourite subject is PE.
I'm (quite/very) good at English.

I'm (quite/very) bad at science.

I'm not very good at…
I'm (completely) useless at…

Mon école
Je suis en troisième au collège X.
Je suis en seconde au lycée Y.
Mon école s'appelle…
C'est une grande/petite école.
Elle est bien/mal équipée.
Il y a un/une/des…
Il n'y a pas de…

L'ambiance est nulle/ok/sympa.

Les bâtiments sont…
…vieux/modernes.
…agréables.
Dans ma classe, on est 25.
Il y a environ 1 000 élèves.
Les cours commencent/
  finissent à…
Chaque cours dure …
  minutes/heure(s).
La rentrée, c'est…
Les grandes vacances sont…
Je suis membre du club de judo.
Je fais partie de l'équipe de foot.

My school
I'm in Year 10 at … School.
I'm in Year 11 at … College.
My school is called…
It's a big/small school.
It's well/badly equipped.
There is/are (a)…
*There isn't a…/There aren't
  a/any…*
*The atmosphere is
  awful/ok/nice.*
The buildings are…
…old/modern.
…pleasant.
In my class there are 25 of us.
There are about 1000 pupils.
Lessons start/finish at…

*Each lesson lasts …
  minutes/hour(s).*
We go back on…
The summer holidays are…
I'm a member of the judo club.
I'm in the football team.

Une journée typique
Ta journée commence à
  quelle heure?
Je me réveille/Je me lève à …
  heures.
Qu'est-ce que tu fais quand
  tu te lèves?
Je me douche.
Je me lave.
Je me prépare.
Je m'habille.
Je prends le petit déjeuner.
Tu vas comment à l'école?
Je vais à l'école…
à pied/à vélo.
en voiture/en bus.
Tu mets combien de temps?
Je pars à et j'arrive à…
Je mets … minutes.
Tu déjeunes où?
Je déjeune à la cantine/
  à la maison.
Qu'est-ce que tu fais après
  l'école?
Je rentre à la maison.
Je me repose.
Je fais du sport.
Je regarde la télé.
Je fais mes devoirs.
Je dîne avec mes parents
  à … heures.
Tu te couches à quelle heure?
Je me couche/Je m'endors à
  … heures.

A typical day
*What time does your day
  begin?*
*I wake up/I get up at …
  o'clock.*
*What do you do when you
  get up?*
I shower.
I get washed.
I get ready.
I get dressed.
I eat breakfast.
How do you get to school?
I go to school…
on foot/by bike.
by car/by bus.
How long does it take you?
I leave at… and I get there at…
It takes me … minutes.
Where do you have lunch?
*I have lunch in the canteen/
  at home.*
What do you do after school?

I go home.
I have a rest.
I do sport.
I watch TV.
I do my homework.
*I have dinner with my parents
  at … o'clock.*
What time do you go to bed?
*I go to bed/I go to sleep at …
  o'clock.*

L' école idéale
Dans mon école idéale…
il y aurait…
il faudrait…
ça serait bien s'il y avait…
des horaires flexibles
moins d'heures de cours
un emploi du temps
  mieux adapté
plus de travail en groupes
moins d'élèves par classe
des bâtiments modernes,
  confortables et bien équipés
un foyer pour se reposer
plus de discussions avec les profs

plus d'activités extra-scolaires
plus de sorties et de voyages
  scolaires
plus d'échanges avec d'autres
  écoles
plus d'ouverture sur la vie
  et le monde extérieur

The ideal school
In my ideal school…
there would be …
there would have to be…
it would be good to have…
flexible hours
shorter school days
a better timetable

more groupwork
fewer pupils in each class
*comfortable, modern,
  well-equipped buildings*
a common room to rest in
*more discussion with the
  teachers*
more extracurricular activities
more school outings and trips

*more exchanges with other
  schools*
*more exposure to the world
  outside*

4 Le temps des vacances

Contexts: holidays and travel

Grammar: *en* + present participle, the perfect tense

Skill focus: speaking: giving a presentation

Cultural focus: climate of France, holidays in French-speaking countries, responsible tourism

Rappelez-vous!

PARLER 1a À deux, imaginez le portrait-robot du/de la propriétaire de l'équipement.
Exemple: *A: C'est un garçon. B: Il a 18 ans …*

PARLER 1b Comparez avec la classe.

ÉCRIRE 2 Cette personne vous invite à partir en vacances avec lui/elle. Vous y allez?
Pourquoi? Écrivez-lui un courriel.
Exemple: *Salut! Désolé, je ne peux pas partir avec toi parce que je n'aime pas du tout camper…*

3a Reliez et mémorisez les symboles (1–10) et les Expressions-clés.

3b Livre fermé, décrivez les symboles dans l'ordre en utilisant les Expressions-clés. Votre partenaire vérifie (1 point par expression dans le bon ordre).

Exemple: *A: Numéro 1 Il fait chaud. B: 1 point.*

Expressions-clés

a	il fait chaud	**f**	il y a du soleil
b	il fait froid	**g**	il fait gris
c	il pleut	**h**	il y a du vent
d	il gèle	**i**	il y a du brouillard
e	il neige	**j**	il y a de l'orage

   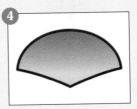 

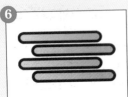    

 4a Lisez la météo typique des régions de France. Trouvez les expressions plus ou moins équivalentes aux expressions a–j.

Exemple: *il fait assez doux – a; le temps est couvert – g, etc.*

 4b Écoutez le bulletin météo. À votre avis, c'est pour quelle ville?

 Dans le bulletin météo, les verbes sont souvent au futur:
il fait → il fera…
il y a → il y aura…
il pleut → il pleuvra

223

Quel temps fait-il en France?

le climat océanique
Ici, en hiver, il fait assez doux. Il neige mais il gèle rarement. Au printemps et en automne, le temps est couvert et humide. En été, c'est assez ensoleillé mais, assez souvent, le ciel se couvre et il y a des averses.

le climat continental
Ici, en automne, c'est souvent très brumeux. En hiver, il fait froid et sec. Il neige et il gèle régulièrement. En été, il fait lourd et orageux. Au printemps et en automne, il fait assez beau.

le climat méditerranéen
Ici, l'hiver est assez court et ensoleillé: il fait doux et sec et il n'y a presque jamais de neige ou de gelée. L'été, les températures sont très élevées. Deux vents secs, le Mistral et la Tramontane, soufflent parfois avec violence. L'automne et le printemps sont doux et parfois pluvieux.

le climat de montagne
Ici, l'hiver est long: les températures peuvent être très basses. Il neige beaucoup, il gèle, c'est brumeux dans les vallées mais, en hauteur, c'est souvent très ensoleillé. L'été est court, chaud et assez pluvieux.

Rennes • Strasbourg • Grenoble • Marseille

5 Quiz-Europe! Écrivez une phrase pour chacun de ces monuments célèbres d'Europe.

Exemple: *Le Cristo Rei se trouve à Lisbonne, au Portugal.*

l'Allemagne

la Belgique

le Danemark

l'Espagne

la France

l'Italie

les Pays-Bas

le Portugal

le Colisée, Rome

la Petite Sirène, Copenhague

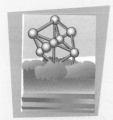

l'Atomium, Bruxelles

la Maison d'Anne Frank, Amsterdam

à	+	ville
en	+	pays (fém.)
au	+	pays (masc.)
aux	+	pays (pl.)

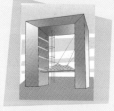

l'Arche de la Défense, Paris

la Porte de Brandebourg, Berlin

le Palais royal d'Aranjuez, Madrid

le Cristo Rei, Lisbonne

6a Votre professeur dit une lettre (par exemple, E): trouvez un pays qui commence par cette lettre. Vous avez une minute pour compléter la grille. Vous pouvez utiliser un dictionnaire, mais faites vite!

Un pays	Sa capitale	Ses habitants	Sa langue	Sa nationalité (masculin)	Sa nationalité (féminin)
l'Écosse	*Édimbourg*	*les Écossais*	*l'anglais, le gaélique*	*écossais*	*écossaise*

6b Lancez un dé et faites une phrase: gagnez un point pour une phrase correcte et un point de bonus pour un temps du passé ou du futur.

Exemple:

 Je ne suis jamais allé en Écosse. (2 points)

 Je vais à Édimbourg. etc. (1 point)

Les adjectifs de nationalité:
- n'ont pas de majuscule: *français*
- finissent souvent par:

masc.	fém.
-ais	-aise
-ois	-oise
-ain	-aine
-ien	-ienne
-and	-ande
-ol	-ole
-e	-e

La recette des vacances | *Décrire ses vacances idéales*

 1a Écoutez deux personnes et reliez-les aux bonnes photos.

 1b Lisez les questions des Expressions-clés (page 61). Réécoutez et notez les réponses. Comparez avec un(e) partenaire.

Exemple:

A: *Question 1 – Où vas-tu?*

B: *Au bord de la mer.*

 1c Jouez le rôle d'une des personnes sur les photos. Votre partenaire vous pose les huit questions. Ensuite, changez de rôles.

 2 Continuez les listes (1–8) avec vos suggestions personnelles. Écrivez une lettre sur deux, votre partenaire devine.

Exemple:

A: *la destination idéale: l_ v_l_e*

B: *la ville?*

A: *Oui, c'est ça.*

Ingrédients
Pour des vacances idéales, il faut:

1 une destination:
l'étranger * la campagne
* la montagne * un club de
vacances * chez moi * la mer

2 une saison:
l'été * l'hiver
* le printemps
* l'automne

3 une durée: quelques
jours * deux semaines *
un mois * le plus
longtemps possible

4 de la compagnie:
ma famille * des copains

5 un moyen de transport:
* le train * la voiture * l'avion
* le vélo

6 un hébergement:
un hôtel * un camping
* une chambre d'hôte
* une auberge de jeunesse

7 des activités:
des activités sportives *
des excursions * la télé
* un bon livre *
bronzer sur la plage

8 le temps qui convient:
* le soleil * la chaleur
* la neige * le vent

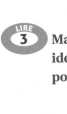

3 Malika donne la recette de ses vacances idéales. Lisez et complétez le diagramme pour elle (listes 1–8).

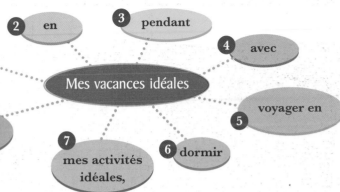

Mes vacances idéales

1 aller
2 en
3 pendant
4 avec
5 voyager en
6 dormir
7 mes activités idéales,
8 Le temps idéal, c'est quand il

Mes vacances idéales? C'est aller dans le village de ma grand-mère Aïcha, à la montagne, en Kabylie[1]. J'y vais avec mes deux sœurs pendant un mois en été. En hiver, il neige beaucoup, et il fait trop froid! On y va en voiture parce que c'est plus rapide que le car. On dort chez ma grand-mère et c'est super parce que, souvent, on dort dans le jardin.

Ce que j'aime faire là-bas, c'est écouter les histoires de ma grand-mère! Elle est super! J'aime aussi préparer la cuisine kabyle traditionnelle avec elle, me promener au village, discuter avec les gens. C'est tellement différent de la vie en ville! Et puis, je me repose ou je fais des randonnées avec mes sœurs. C'est si beau la Kabylie, surtout quand il y a du soleil et qu'il ne fait pas trop chaud. Voilà mes vacances idéales!

Malika

[1] région montagneuse d'Algérie

Expressions-clés

Pour tes vacances idéales,

1 *où vas-tu?*
Je vais…/Je passe les vacances…
Mes vacances idéales, c'est aller…

2 *quand pars-tu?*
Je pars/J'y vais en été/au printemps.

3 *pendant combien de temps pars-tu?*
Je pars pendant/Je reste un mois.

4 *avec qui pars-tu?*
J'y vais/Je pars avec ma famille/des amis.

5 *comment voyages-tu?*
Je pars en train./J'y vais en voiture./
Je prends l'avion.

6 *où dors-tu?*
Je vais à l'hôtel./Je préfère le camping./J'aime
bien dormir dans les chambres d'hôte.

7 *que fais-tu?*
Mes activités idéales, c'est ne rien faire, me
reposer, retrouver des amis,[1] rencontrer des
gens[2].

8 *quel temps fait-il?*
Le temps idéal, c'est quand il y a du soleil/
il neige.

[1] meeting up with friends
[2] meeting new people

4 Répondez aux questions des Expressions-clés. Préparez un diagramme comme dans l'activité 3.

 À vous!

☺ **Écrivez une recette de vacances idéales.**
Exemple: *Mes vacances idéales, c'est aller dans un endroit de rêves comme une
île des Caraïbes. Je pars en été parce qu'il fait beau. J'y reste un mois,…*

☺☺ **Répondez: "Qu'est-ce que vous faites, en général, pendant les vacances?
Donnez des exemples. Et l'année prochaine?"**
Exemple: *En général, je reste à la maison, mais l'année dernière, je suis allée
une semaine chez ma grand-mère. L'année prochaine, j'aimerais bien aller
en France. J'irai peut-être à Paris.*

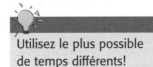
Utilisez le plus possible
de temps différents!

Les voyages forment la jeunesse! | *Décrire un voyage qu'on a fait*

Daniel

Idriss

Daniel et Idriss racontent leur dernier voyage. Ils sont allés à Londres.
Daniel a beaucoup aimé, Idriss pas du tout!

a C'était en juillet mais il ne faisait pas beau! Il pleuvait souvent et il faisait assez froid, c'était pénible!

b Il y avait beaucoup de choses à voir et à faire à Londres. On a visité des endroits intéressants comme Greenwich et les Docklands. Ce qui m'a plu le plus, c'était le London Eye!

c Moi, j'ai bien aimé la nourriture à Londres parce que c'était très international et très varié.

d Je n'ai pas vraiment aimé Londres, c'était trop grand et trop pollué. Ce qui m'a déplu le plus, c'était le métro.

e Le voyage était long et inconfortable. La mer était agitée et j'ai eu le mal de mer dans le bateau.

f L'AJ était très bien située, dans un superbe parc, au centre-ville. C'était l'idéal. Le petit déjeuner était inclus et c'était très bon!

g Tout était trop cher à Londres: les boîtes, les boissons, les repas, les transports…!

h En général, les gens étaient très sympa. On a rencontré des jeunes Londoniens super intéressants et on est souvent sortis avec eux.

i C'était mon premier voyage en bateau et j'ai bien aimé.

j L'auberge de jeunesse n'était pas très propre, la douche ne marchait pas et la télé était en panne. Il y avait trop de monde et c'était bruyant la nuit.

LIRE 1a Lisez ces extraits d'une conversation de Daniel et Idriss avec une copine. Qui dit quoi à votre avis?

ÉCOUTER 1b Écoutez et vérifiez.

1c Réécoutez. Ajoutez le plus possible de détails au récit ci-dessous, (a) pour Idriss et (b) pour Daniel. Utilisez les phrases a–j.

Exemple:

(a): […] *pendant deux semaines en juillet. C'était en juillet et pourtant, il ne faisait pas beau, etc.*

(b) […] *On a voyagé en car et en ferry. Comme c'était mon premier voyage en bateau, j'ai bien aimé, etc.*

Ajoutez des mots de liaison: *pourtant, par contre, même si, mais, comme, parce que,* etc.

171

> Pendant les vacances, on est allés ensemble à Londres, en Angleterre, pendant deux semaines en juillet. On a voyagé en car et en ferry. On est allés dans une auberge de jeunesse. On a visité beaucoup d'endroits. On a rencontré des jeunes et on est sortis en boîte. Ces vacances à Londres, c'était...

Expressions-clés

a	*Tu as passé de bonnes vacances?*	J'ai/Je n'ai pas passé de bonnes vacances.
b	*Tu es allé(e) dans quel pays?*	Je suis allé(e) en/au/aux….
c	*Tu es parti(e) avec qui?*	Je suis parti(e) seul(e)/avec mes parents/des copains.
d	*Tu as voyagé comment?*	J'ai voyagé/J'y suis allé en train/à vélo./J'ai pris l'avion.
e	*Tu es resté(e) combien de temps?*	Je suis resté(e) un mois.
f	*Tu as dormi où?*	J'ai dormi dans un hôtel./Je suis allé(e) à l'hôtel/chez des amis.
g	*Qu'est-ce que tu as fait?*	J'ai visité/fait des excursions/rencontré des gens.
h	*C'était comment?*	C'était génial./J'ai bien aimé… Ce n'était pas bien./Je n'ai pas aimé…
i	*Qu'est-ce qui t'a plu le plus?*	Ce qui m'a plu (le plus) c'était… /Ce qui m'a déplu, c'était…

 2a Écoutez Léa au téléphone. À votre avis, à quelles questions répond-t-elle? Notez les lettres des Expressions-clés dans l'ordre.

 2b Écoutez pour vérifier.

 3 À deux, imaginez l'interview de Daniel, puis d'Idriss. Utilisez les Expressions-clés et des mots de liaison (un point par mot de liaison!).

 4 Micro-trottoir: "Quel est votre meilleur ou votre pire souvenir de voyage?" Écoutez (1–4) et notez.

 À vous!

⊕ **Regardez la liste, page 60. Choisissez huit "ingrédients", puis racontez un voyage en répondant aux questions a–i des Expressions-clés ci-dessus.**

⊕⊕ **Écrivez le récit de voyage du/de la propriétaire des affaires, page 57. Choisissez:**

(a) **C'était un voyage fantastique, sans aucun problème.**

(b) **Tout s'est mal passé et il/elle a eu beaucoup de problèmes.**

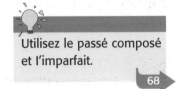
Utilisez le passé composé et l'imparfait.

68

Un toit pour la nuit | *Réserver un hébergement; dire ce qui ne va pas*

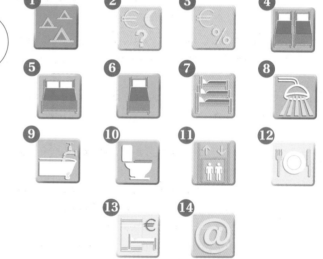

1a Reliez les symboles aux Expressions-clés (a–n).

5 MN

1b Écrivez les Expressions-clés dans un diagramme de Venn: à l'hôtel, à l'auberge de jeunesse, au camping.

H   AJ

C

1c Écoutez (1–3). Vous entendez les Expressions-clés. Comparez avec votre diagramme.

2a À quelle conversation de l'activité 1c correspond cette lettre de confirmation?

Monsieur, Madame

Je voudrais confirmer ma réservation pour une chambre pour trois nuits, du 20 au 22 mars. Je voudrais une chambre double à 90 euros la nuit, avec des lits jumeaux, douche, WC et petit déjeuner compris. Je joins 27 euros d'arrhes comme convenu.

Je vous prie d'agréer, Monsieur, Madame, l'expression de mes meilleurs sentiments.

2b Réécoutez 1c et écrivez les deux autres lettres ou courriels de confirmation.

3 À deux, inventez un dialogue dans un hôtel/un camping/une AJ. Marquez un point par Expression-clé utilisée. Comparez avec d'autres paires.

Expressions-clés

Je voudrais faire une réservation (au nom de…)
Vous avez une chambre de libre?

a   Je voudrais une chambre pour une personne.
b   Je voudrais une chambre double avec un grand lit.
c   Je préfère des lits jumeaux.
d   Vous avez un emplacement pour une tente?
e   Est-ce qu'il y a un lit de libre dans un dortoir hommes/femmes?
f   une chambre avec salle de bains
g   une chambre avec douche
h   les WC dans la chambre
i   Il y a un ascenseur?
j   C'est combien la nuit?
k   On peut louer des draps et des serviettes?
l   Vous voulez des arrhes?
m   Il y a un restaurant?
n   On peut avoir accès à Internet?

Quand rien ne va à l'hôtel…

4 Écoutez Monsieur Ronchon à l'hôtel Bellevue (dessins 1–8). Notez l'Expression-clé pour chaque situation.

5 Vous allez à l'hôtel en France avec un ami anglais. Écoutez et suivez ses instructions.

6 Vous êtes allés dans des hôtels horribles. Racontez!
Exemple:

A: *Dans mon hôtel, la chambre n'avait pas de vue.*

B: *Dans mon hôtel, la chambre n'avait pas de vue et la télévision était en panne.*

C: *Dans mon hôtel, la chambre n'avait pas de vue, la télévision était en panne et la douche ne marchait pas…*

7 À vous!

☆ **Réécoutez Monsieur Ronchon (activité 4). Il veut écrire au directeur de l'hôtel pour se plaindre[1].**
Écrivez sa lettre.   [1] to complain

☆☆ **Inventez un dialogue dans un hôtel où tout va bien. Votre partenaire lit votre dialogue et le change: maintenant, tout va mal! Changez de rôles. Lisez/Jouez vos dialogues à la classe.**
Exemple:

Client Bonjour. J'ai réservé une chambre au nom de Smith.
Réceptionniste ~~Oui, voilà monsieur. C'est la chambre 210.~~
      Ah désolé, monsieur. Je n'ai pas de réservation à ce nom…

Expressions-clés

a   La chambre est sale/Les draps sont sales.
b   L'hôtel ne fait pas la pension complète[1], seulement la demi-pension[2].
c   Il n'y a pas de serviettes.
d   La douche ne marche pas.
e   L'ascenseur est en panne[3].
f   La chambre n'a pas de vue.
g   C'est trop bruyant[4].
h   C'est complet[5].

[1] full-board
[2] half-board
[3] broken down
[4] noisy
[5] full up

Monsieur, Madame

Je voudrais me plaindre du mauvais service dans votre hôtel. Tout d'abord, l'ascenseur ne marchait pas…

Séjour au Sénégal | *Parler du tourisme solidaire*

Forum-Internet

Fichier   Actions   Outils   ?

Pour des vacances au Sénégal, je connais un endroit fantastique: c'est le campement[1] de la Palangrotte, au village de N'Dangane, à 160 km au sud de Dakar. C'est tout près de la mer.

5　Ce n'est pas un endroit touristique comme les autres. Ici, on fait du tourisme solidaire[2]: on passe de super vacances en aidant les gens du village. Un pourcentage de l'argent des visiteurs étrangers va directement aux associations du village et donc le visiteur participe au développement local, par exemple, en aidant les écoles du village.

L'hébergement est simple mais très sympa! Il y a l'eau et l'électricité.
10　Il y a une case[3] commune pour prendre les repas et pour les activités culturelles. Autour, il y a six cases traditionnelles avec des lits pour trois personnes, sans luxe mais équipées de moustiquaires[4]. Il y a un bloc sanitaire avec deux WC, deux douches et deux lavabos. Il y a aussi une cuisine. À la réception, on a accès à Internet.
15

On peut venir en pension complète, en demi-pension, prendre le petit déjeuner ou juste payer la chambre. Il y a un choix d'activités organisées et on découvre la vie sénégalaise en faisant par exemple des visites, des rencontres avec des gens du village, des cours de djembé[5], de wolof[6], de sculpture ou cuisine.
20

Le meilleur moment pour venir, c'est de novembre à juin: il ne pleut jamais! D'avril à juin, il fait chaud pendant la journée, un peu frais le soir, et il y a souvent du vent. De juillet à septembre, il fait chaud et humide, il pleut et c'est souvent orageux.

Moussa

[1] camp
[2] responsible
[3] hut
[4] mosquito ne
[5] Senegalese
[6] a local lang

1 Écoutez et lisez le texte de Moussa. Choisissez le meilleur résumé (a–d). Expliquez votre choix en anglais.

   a　La Palangrotte est un hôtel de luxe pour les touristes qui veulent faire des activités culturelles au Sénégal.

   b　À la Palangrotte, les visiteurs étrangers partagent les cases des villageois et travaillent avec eux au village.

   c　À la Palangrotte, les touristes sont hébergés simplement dans des cases traditionnelles et découvrent la vie des villageois en participant aux projets de développement local.

   d　La Palangrotte est un campement où les touristes sénégalais viennent faire des activités culturelles et artistiques.

2 Choisissez les six informations du texte qui explique le mieux ce qu'est la Palangrotte. Discutez avec un(e) partenaire.

Exemple: *À la Palangrotte, on fait du tourisme solidaire.*

Êtes-vous un(e) touriste solidaire?
Pour être un touriste solidaire:

1 il faut être poli et respectueux avec les gens
  a en parlant un peu leur langue.
  b en leur parlant le moins possible.
2 il faut être ouvert et tolérant
  a en faisant semblant[1] de ne pas voir les différences.
  b en vous intéressant aux traditions locales.

3 il faut éviter[2] d'offenser les gens
  a en ne donnant pas de cadeaux inutiles.
  b en ne refusant pas la nourriture qu'ils offrent.
4 il faut aider les populations les plus pauvres
  a en achetant les produits locaux.
  b en donnant de l'argent aux enfants.

5 il faut protéger l'environnement
  a en évitant de vous promener dans la nature.
  b en ne polluant pas avec vos déchets[3].
6 il ne faut pas gaspiller[4] les ressources locales
  a en utilisant le moins possible d'eau ou d'électricité.
  b en apportant le plus possible de choses de votre pays.

[1] pretending
[2] to avoid
[3] rubbish
[4] to waste

3a À deux: faites ce test. Si vous êtes le premier/la première à choisir a ou b, votre partenaire ne peut pas choisir la même réponse!

3b Écoutez les commentaires d'une organisatrice de voyages solidaires. Qui a le plus de points?

3c Réécoutez et expliquez ses commentaires en anglais.

4a Trouvez des exemples de participe présent (present participle) dans le questionnaire.

4b Transformez les phrases en utilisant un participe présent.
Exemple: *On peut offenser les gens si on prend leur photo.*
On peut offenser les gens en prenant leur photo.
  a On découvre vraiment un pays si on partage la vie des gens.
  b On peut prendre des photos si on demande la permission.
  c On n'aide pas les plus pauvres quand on donne des cadeaux aux enfants.
  d On découvre les traditions locales quand on va aux fêtes.

Zoom grammaire *en* + present participle

To say **while doing something** or **by doing something**, use *en* + present participle.
On passe de bonnes vacances **en aidant** *les gens du village.*
You can have a great holiday **while helping** the local people.

To form a present participle, take the *nous* form of the verb, remove *-ons* and add *-ant*.
nous aid~~ons~~ → aid- + ant = **aidant**
Except: *être* → *étant*; *avoir* → *ayant*; *savoir* → *sachant*

Remember: using *en* + present participle can help you get a top grade!

224

5 À vous!

⭐ **Imaginez: vous êtes allé(e) à la Palangrotte une semaine en juin: racontez! (Utilisez les infos du texte de Moussa. Attention aux temps des verbes!)**
Exemple: *J'ai passé de super vacances au Sénégal. J'ai fait du tourisme solidaire en allant au campement de la Palangrotte…*

⭐⭐ **À deux: A veut passer une semaine à la mer dans un hôtel confortable (piscine, etc.) et B veut passer une semaine à la Palangrotte. Discutez. Qui a le plus d'arguments?**
Exemple:
A: *Je voudrais aller dans un hôtel au bord de la mer parce que c'est agréable.*
B: *Moi, je préfère aller à la Palangrotte parce que c'est intéressant…*

Zoom grammaire | *The perfect tense* (le passé composé)

Le mois dernier, je suis allé dans un camp à la montagne. Je me suis levé tôt tous les matins. J'ai pris des douches mais il n'y avait pas d'eau chaude. C'était l'horreur!

On a fait de l'escalade. C'était dangereux! On a marché des heures même quand il ne faisait pas beau. C'était fatigant!

Ce matin, je suis retourné à l'école. C'est génial: je me repose!

To talk about something in the past

Use a verb in a past tense and sometimes add an appropriate time expression, such as *ce matin, hier, avant-hier, la semaine dernière*.

Which past tense should I use?

- Use the perfect tense to describe what you did/what happened:
  j'ai visité... je suis sorti(e)...

- Use the imperfect to describe what it was like and give your opinion:
  c'était...; il faisait...; il y avait...

222 ▶

To form the perfect tense (passé composé)

- Use an auxiliary (part of *être* or *avoir*) and the past participle of the verb:
  e.g. perfect tense of *marcher* = correct form of *avoir* + past participle of *marcher*

  j'ai   marché

- To form the past participle, take off the infinitive ending and add a new ending:
  - **-er** verbs: *chante* → *chant-* + *é* = *chanté*
  - **-ir** verbs: *finir* → *fin-* + *i* = *fini*
  - **-re** verbs: *vendre* → *vend-* + *u* = *vendu*

Some common verbs have irregular past participles, e.g.

avoir	→	*eu*	*être* → *été*	*faire* → *fait*	*mettre* → *mis*
prendre	→	*pris*	*venir* → *venu*	*voir* → *vu*	*écrire* → *écrit*
dire	→	*dit*	*lire* → *lu*		

221 ▶

1 Find all the tenses and time expressions in the cartoon.

Avoir or être?

- Use *avoir* with most verbs: *j'ai chanté/fait/fini*, etc.
- Use *être* with all reflexive verbs: *je me suis amusé(e)*.
- Use *être* with certain verbs, most of which indicate movement between places: *je suis allé(e)/venu(e)/sorti(e)*, etc. Learn them by heart: *naître/mourir; arriver/partir; aller/venir; entrer/sortir; monter/descendre; rentrer/retourner; tomber/rester.*

222

avoir	être
j'ai	je suis
tu as	tu es
il/elle/on a	il/elle/on est
nous avons	nous sommes
vous avez	vous êtes
ils/elles ont	ils/elles sont

2 **Copy and complete this account in the perfect tense.**

Example: *a – La semaine dernière, **j'ai décidé** d'aller en week-end à Paris.*

a   La semaine dernière, je [**décider**] d'aller en week-end à Paris.
b   Je [**partir**] en train avec ma femme.
c   Nous [**trouver**] une place près de la fenêtre.
d   Je [**lire**] un livre et [**faire**] des mots croisés.
e   Ma femme [**s'endormir**] pendant un moment. Moi aussi!
f   Quand on [**se réveiller**], on [**descendre**] du train... on était à Londres!!

3 **Write eight sentences the boy from the cartoon (page 68) could say about his holiday camp: four sentences using *être* + past participle and four using *avoir* + past participle. Swap with a partner and check each other's sentences.**

When does the past participle agree with the subject of the verb?

- The past participle doesn't agree with the subject when it follows part of *avoir*:
  Il a acheté une carte. Elle a acheté une carte.

- The past participle does agree with the subject (like an adjective) when it follows part of *être*:
  Il est allé en France. Elle est allée en France.

Check all your agreements are correct to make sure you get a top grade. See also page 150 and page 179.

4 **Copy and complete these sentences in the perfect tense.**

Example: *a Mes copines **sont restées** une semaine chez moi...*

a   Mes copines [**rester**] une semaine chez moi. Elles [**dormir**] dans ma chambre.
b   Mes parents [**partir**] en vacances. Ils [**visiter**] le Maroc.
c   Mon frère [**s'amuser**] avec ses copains. Ils [**faire**] du vélo.
d   Ma mère [**aller**] une semaine à la campagne et elle [**se reposer**].

5a **Reply to the questions you hear giving as many details as you can, matching the tense and using *oui* or *non*, as indicated below.**

1 oui   2 non   3 non   4 oui   5 non

5b **Listen to the answers and write them down correctly. Watch out for agreements!**

ne/n' + *auxiliary* +
pas/jamais/plus/rien +
past participle
je **n'**ai **pas** vu

Guide examen

1 Prepare for your presentation

- Choose a topic you know well. Make sure the information is interesting; it needn't be true!
- Use words and phrases you are comfortable with.
- Prepare clear notes: aim for quality of language rather than quantity of information.
- Make prompt cards (words, pictures, etc.) if appropriate.
- Learn the main points and keep practising. Record yourself and play the recording back often.
- Prepare for the questions the examiner might ask after your presentation.

 1a Écoutez la mini-présentation "Protéger l'environnement" et complétez les notes.

- Pourquoi l'environnement est fragile: **1**
- Comment changer la situation:
  - aller à l'école **2**
  - mettre **3** et ne pas **4** le chauffage
  - prendre **5** et pas **6**
  - recycler **7**, **8**, **9**
  - acheter **10**

What are the best prompt cards for you?
- *a selection of full sentences*
- *some keywords (in a diagram)*
- *a series of drawings*
- *a mind map*

 1b Après la présentation, on va poser quelles questions? À deux, faites une liste et répondez.

2 Practise and improve

- Practise your presentation often. Don't read it: use your prompts.
- Practise saying it to a friend who then asks you questions about it.
- Keep improving the content: add different tenses and use connectives and a wide range of vocabulary.
- Improve your pronunciation and intonation until you're speaking as accurately and fluently as you can.

 2a À deux: lisez la mini-présentation. Regardez les notes. Complétez la présentation en faisant des phrases (avec les verbes aux temps qui conviennent).

Mes vacances en France

Tous les ans, je vais en France pendant une semaine avec un copain et ses parents. Nous partons en août. On prend le ferry à Portsmouth pour aller à Saint-Malo. On va sur une île en Bretagne, l'île de Bréhat. On va à l'hôtel Bellevue. On loue des vélos et on visite l'île. C'est génial!

L'année dernière, pas très beau, du vent,
à la plage mais l'eau très froide.
Alors, ping-pong à l'hôtel.
L'année prochaine, pas à Bréhat, magasin
de mes parents, gagner de l'argent
acheter une moto!

Introduce contrast in order to use various tenses:
- *what you've done before (perfect)*
- *how things were (imperfect)*
- *your plans for later (future)*
- *what you would like to happen (conditional).*

 2b Écoutez un modèle et comparez.

2c Améliorez cette mini-présentation en utilisant des mots de liaison.

Un Noël pas comme les autres

Nous fêtons Noël de façon très traditionnelle. Mes parents organisent une grande fête de famille à la maison. Le matin, nous échangeons les cadeaux. À midi, nous mangeons le repas de Noël traditionnel. Nous chantons, nous dansons et nous faisons des jeux. Cette année, nous sommes partis en Laponie pour voir le Père Noël avec ma petite sœur Émilie! Émilie a cinq ans. Nous avons pris l'avion à Paris pour Rovaniemi en Laponie. Là, nous avons pris un bus. De là, nous sommes allés au village de Santa Claus! C'était super pour les enfants: il y avait beaucoup de neige. Il faisait trop froid pour moi.

Some useful connectives:
en général/d'habitude
tous les ans/chaque année
d'abord/puis/ensuite
mais/par contre/pourtant
puisque/parce que/car/
   comme/alors
qui/que/où
pour
en effet

2d Écoutez un modèle et comparez.

3 When speaking

- Speak slowly and clearly. Take your time and use your prompt cards.
- Sound interesting: vary your tone and expression, sound enthusiastic!
- Sound fluent: if you need to hesitate or ask the examiner to repeat or explain, do it in French!
- Listen carefully to the questions (e.g. for tense) before answering them.
- Keep answers simple unless you feel confident you can expand.
- Always try to give reasons for your point of view.

3a Écoutez (1–3). À votre avis, quelle est la meilleure "performance"? Pourquoi? Discutez en anglais.

3b Complétez ce texte avec vos propres détails. Lisez-le avec le plus d'expression possible!

Mes vacances préférées, c'est quand je vais…
J'aime beaucoup… parce que c'est…
Ce que j'aime le plus, c'est…
L'année dernière,… C'était…
L'année prochaine, je vais… Ce sera…
Si je pouvais, je…

Use French expressions
- *to give yourself time to think:*
  alors, euh…, eh bien…, comment dire…
- *to ask for explanation:*
  Pardon?/Excusez-moi, je n'ai pas compris.
  Vous pouvez répéter, s'il vous plaît?
  Un peu plus lentement, s'il vous plaît.
  Qu'est-ce que ça veut dire?
  Ça se dit comment "XXX" en français?

S Parlons-en

À deux, répondez aux questions en essayant d'inclure une opinion personnelle.

à mon avis, je trouve ça, je pense que, je crois que
ce que j'aime le plus, c'est…
ce qui m'intéresse le plus, c'est…

1 Quelles ont été tes meilleures vacances?
2 Quelles ont été tes pires vacances?
3 Aimes-tu être en vacances?
4 Voyager, c'est important pour toi?

Vocabulaire

Le temps

Il fait chaud/froid/gris.

Il y a du soleil.

Il y a du vent.

Il y a du brouillard.

Il y a de l'orage.

Il pleut/neige/gèle.

The weather

It is hot/cold/cloudy.

It is sunny.

It is windy.

It is foggy.

It is stormy.

It is rainy/snowing/frosty.

Mes vacances idéales

Où vas-tu?

Je vais à la montagne.

Je passe les vacances à
la campagne.

Mes vacances idéales,
c'est aller à l'étranger.

Quand pars-tu?

Je pars/J'y vais au
printemps/en été.

Pendant combien de
temps pars-tu?

Je pars pendant
une semaine.

Je reste un mois.

Avec qui pars-tu?

J'y vais avec ma famille.

Je pars avec des amis.

Comment voyages-tu?

Je pars/J'y vais en train.

Je prends l'avion/le car.

Où dors-tu?

Je vais à l'hôtel.

Je préfère le camping.

J'aime bien dormir dans
les chambres d'hôte.

Que fais-tu?

Mes activités idéales, c'est…

ne rien faire

me reposer

retrouver des amis

rencontrer des gens

Quel temps fait-il?

Le temps idéal, c'est quand
il y a du soleil/il neige.

My ideal holiday

Where do you go?

I go to the mountains.

*I spend the holidays in
the country.*

*My ideal holiday is to
go abroad.*

When do you go?

I go in spring/in summer.

How long do you go for?

I go for a week.

I stay for a month.

Who do you go with?

I go with my family.

I go with friends.

How do you travel?

I go by train.

I take the plane/the coach.

Where do you sleep?

I go to a hotel.

I like camping.

*I like to stay in private bed
and breakfasts.*

What do you do?

My ideal activities are…

doing nothing

resting

meeting up with friends

meeting (new) people

What is the weather like?

*The ideal weather is
sunny/snowy.*

Mes dernières vacances

Tu as passé de bonnes
vacances?

J'ai/Je n'ai pas passé de
bonnes vacances.

Tu es allé(e) dans quel pays?

Je suis allé(e) en
Guadeloupe/au Portugal.

Tu es parti(e) avec qui?

Je suis parti(e) seul(e).

My last holiday

Did you have a good holiday?

*I had/didn't have a
good holiday.*

Which country did you go to?

*I went to Guadeloupe/
Portugal.*

Who did you go with?

I went on my own.

Je suis parti(e) avec mes
parents/un copain.

Tu as voyagé comment?

J'ai voyagé en train/à vélo.

J'ai pris l'avion.

Tu es resté(e) combien
de temps?

Je suis resté(e) trois
semaines en juillet.

Tu as dormi où?

Je suis allé dans une
auberge de jeunesse.

Qu'est-ce que ce que tu
as fait?

J'ai visité les musées.

J'ai fait des excursions.

J'ai rencontré des gens.

C'était comment?

C'était génial./J'ai bien aimé…

C'était nul./Je n'ai pas aimé…

Qu'est-ce qui t'a plu le plus?

Ce qui m'a plu (le plus)
c'était…

Ce qui m'a déplu, c'était…

*I went with my parents/
a friend.*

How did you travel?

I travelled by train/bike.

I took the plane.

How long did you stay?

*I stayed for three weeks
in July.*

Where did you sleep?

I went to a youth hostel.

What did you do?

I visited the museums.

I went on trips.

I met some people.

What was it like?

It was great./I really liked…

It was rubbish./I didn't like…

What did you like best?

What I liked (best) was…

What I didn't like was…

À l'hôtel

une chambre pour
une personne

une chambre double (avec
un grand lit)

des lits jumeaux

une chambre avec douche

une salle de bains

les WC dans la chambre

Je voudrais faire une
réservation (au nom de…)

Vous avez une chambre
de libre?

Vous avez un emplacement
pour une tente?

Il y a un ascenseur?

C'est combien la nuit?

On peut louer des draps
et des serviettes?

Vous voulez des arrhes?

On peut avoir accès à Internet?

La chambre est sale.

Il n'y a pas de serviettes.

La douche ne marche pas.

L'ascenseur est en panne.

La chambre n'a pas de vue.

C'est trop bruyant.

C'est complet.

At the hotel

a single room

*a double room (with
double bed)*

twin beds

a room with shower

a bathroom

en-suite toilet

*I would like to reserve a
room (in the name of …)*

*Have you got a room
available?*

*Have you got a pitch for
a tent?*

Is there a lift?

How much is it per night?

*Do you hire out sheets
and towels?*

Do you want a deposit?

Is there Internet access?

The room is dirty.

There aren't any towels.

The shower doesn't work.

The lift is broken.

*The room doesn't have
a view.*

It's too noisy.

The hotel is full.

5 La superforme

Contexts: meals, health and fitness, illness, addictions
Grammar: expressions with *avoir*, the imperfect tense, imperfect v. perfect
Skill focus: writing coursework
Cultural focus: meals, health and fitness

dix-neuf muscles dans la main

les muscles des yeux sont nos muscles les plus rapides

la langue aussi est un muscle

quatre muscles dans le bras

six muscles dans l'épaule

vingt muscles dans l'avant-bras

le muscle le plus gros de notre corps est le quadriceps, situé dans la cuisse

quatorze muscles dans la jambe

vingt muscles dans le pied

Rappelez-vous!

 1a Regardez et lisez. Répondez aux questions.

   a Il y a combien de muscles dans votre épaule?

   b Et dans votre jambe?

   c Vous avez plus de muscles dans votre main ou dans votre pied?

   d Où trouve-t-on les muscles les plus rapides?

 1b Faites une liste des parties du corps. Qui a la liste la plus longue?

   Exemple: *le doigt, la main, …*

2a Avant d'écouter "Les fruits préférés des Français", imaginez le vocabulaire que vous allez entendre. Écrivez une liste des mots possibles.

Exemple: *les pommes, les cerises…*

2b Écoutez. Vous aviez raison?

3a Recopiez et continuez le diagramme. Ajoutez les mots de la boîte:

le dessert	le bœuf	un chou-fleur	le lait	le poisson
les pommes de terre	le pain	les œufs	le sucre	les pâtes

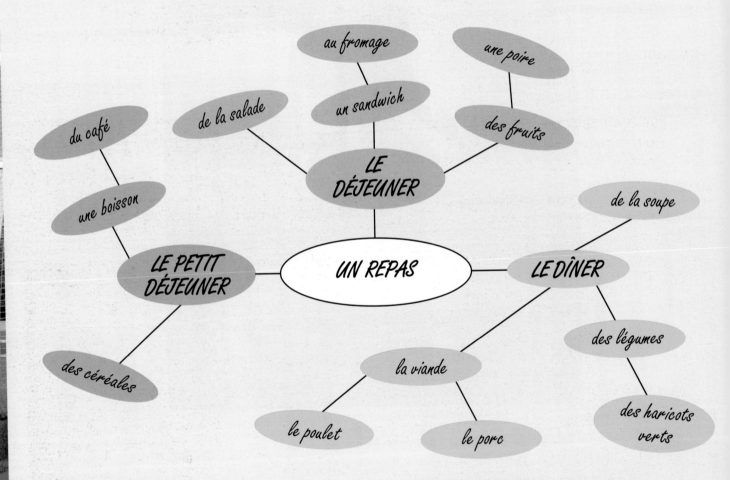

3b Ajoutez d'autres mots. Comparez avec votre partenaire.

4 Vous partez un mois sur une île déserte. Qu'est-ce que vous emmenez à manger et à boire? (Six produits seulement!)

Exemple: *J'emmène du lait, des céréales, de la glace, des tomates…*

de + le → **du** (du lait – *some milk*)
de + la → **de la** (de la glace – *some ice-cream*)
de + l' → **de l'** (de l'eau – *some water*)
de + les → **des** (des tomates – *some tomatoes*)

5 Lisez et discutez en groupe. Chaque affirmation est très probable, peu probable ou pas probable du tout?

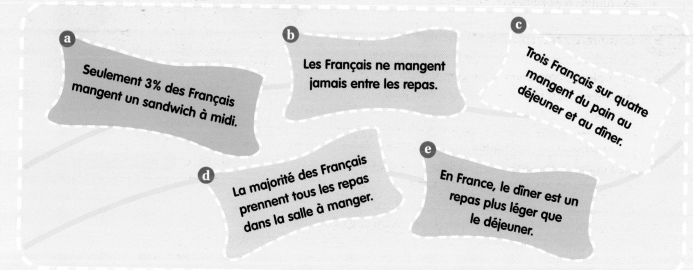

a Seulement 3% des Français mangent un sandwich à midi.

b Les Français ne mangent jamais entre les repas.

c Trois Français sur quatre mangent du pain au déjeuner et au dîner.

d La majorité des Français prennent tous les repas dans la salle à manger.

e En France, le dîner est un repas plus léger que le déjeuner.

6 Faites des mots. Quelle partie du corps vous donne le maximum de points?

Exemple: *bras = 3 + 1 + 1 + 1 = 6 points*

$$B_3 \quad G_5 \quad M_3 \quad O_3 \quad T_5 \quad Y_{10}$$

Toutes les autres lettres de l'alphabet = 1
* un mot féminin = 1 point bonus*

7a Écoutez et mettez les expressions ci-dessous dans le bon ordre.

a J'ai mal à la tête.

b J'ai mal au dos.

c Je fais du sport tous les jours.

d Appelez une ambulance!

e Je ne me sens pas bien.

f Je suis en forme.

g Ça va bien!

h J'ai envie de vomir.

7b Faites deux listes avec les expressions.

EN FORME   MALADE
Ça va bien!

Bon appétit! | *Parler des repas*

1a Léa téléphone à Alex. Écoutez et notez l'heure de chaque repas.

1b Vous prenez les repas à quelle heure?
Comparez avec votre partenaire et avec Alex.
Exemple: *En général, je prends mon petit déjeuner à huit heures moins dix – c'est plus tard qu'Alex. Et toi?*

Alex, un copain de Léa, est pensionnaire – il reste au lycée du lundi matin au vendredi soir.

2 Lisez le message. Répondez aux questions.
  a Que prend Malika pour son petit déjeuner?
  b Où et quand prend-elle son déjeuner?
  c Quels sont les ingrédients du riz algérois?
  d Qu'est-ce qu'ils boivent après le repas du soir? Pourquoi?

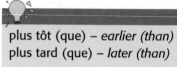
plus tôt (que) – *earlier (than)*
plus tard (que) – *later (than)*

165

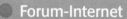
Forum-Internet
Fichier Actions Outils ?

Le matin, je suis toujours pressée. Normalement, je ne mange rien, mais je bois un bol de café au lait sans sucre.

À midi, je mange avec des copines dans une cafétéria près du lycée. C'est un repas self-service et je prends normalement
5 une salade mechouia (à base de poivrons) ou de la rechta (un plat à base de pâtes, de viande et de légumes) et je bois de la limonade ou du soda à l'orange.

Le soir, à la maison, je mange avec ma famille vers huit heures et demie. Ma mère prépare un couscous ou du poulet
10 aux amandes avec du riz algérois. Le riz algérois est très bon – c'est du riz avec des oignons, des carottes, des petits pois, des tomates et du cumin. Pendant le repas, on boit du soda à l'orange ou au citron et après, on boit du thé à la menthe parce que c'est bon pour la digestion.

Malika

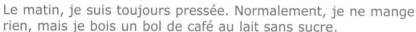
Expressions-clés

Le petit déjeuner		
Le déjeuner	est	à sept heures moins dix.
Le dîner		

Je prends mon petit déjeuner	à huit heures.

En général,	au petit déjeuner,	je bois du café au lait.
	à midi,	je prends une salade.
	le soir,	je mange du poulet avec du riz.
		je ne mange pas/rien.

Chez les Pagaille

Mme P: Tu veux du thé, Fabrice?
Fabrice: Oui, je veux bien!
Mme P: Et toi, Camille? Encore du thé?
Camille: Oui, s'il te plaît, maman.
Fabrice: Tu aimes le jus d'ananas, Justine?
Justine: Non, je n'aime pas ça.
Fabrice: Mais tu aimes le jus d'orange, non?
Justine: Oui, j'aime assez.
Mme P: Alors, prends un jus d'orange, Justine.
Camille: Je n'aime pas le jus d'orange, moi…
Je veux des céréales.
Fabrice: Tu peux me passer un couteau, maman,
s'il te plaît?
Mme P: Voilà!… Encore du pain, Justine?
Justine: Non, merci, j'ai assez mangé.
Camille: Maman… je veux des céréales…
Mme P: Et toi, Fabrice?
Fabrice: Non, merci, ça va comme ça…
Camille: MAMAN! Je veux des céréales! Fabrice…
passe-moi le paquet…
Mme P: Camille! Qu'est-ce que tu fais?
Camille: Aïe!
Justine: Tu as des céréales maintenant, Camille!
Camille: Ah non! J'en ai trop!

 3a **Lisez et écoutez. Répondez aux questions.**

   a C'est quel repas?
   b Qui propose une boisson chaude?
      Qu'est-ce que c'est?
   c Justine n'aime pas quelle boisson?
   d Camille n'est pas contente parce qu'elle n'aime pas
      les céréales ou parce qu'elle n'a pas de céréales?

 3b **Trouvez dans la scène des expressions pour:**

   a offrir à manger ou à boire (3)
   b accepter quelque chose (2)
   c refuser quelque chose (3)

 4 **A offre six des aliments ci-dessous, B en accepte trois
et en refuse trois. Ensuite, changez de rôles.**

Exemple:

A: Tu veux de la pizza?
B: Oui, s'il te plaît, je veux bien.
   ou Non, merci, ça va comme ça.

la pizza   le poisson   les épinards   la confiture

le pain   le coca   les frites   le sel

la crème caramel   le jus de pomme

Expressions-clés

Tu aimes le jus d'orange?
Oui, j'aime assez.
Non, je n'aime pas ça.

Tu veux du thé? / Encore du pain?
Oui, s'il te plaît, je veux bien.
Non, merci, ça va comme ça.
Non, merci, j'ai assez mangé/bu.

Tu peux me passer un couteau, s'il te plaît?
Voilà.

 5 **À vous!**

✪ **Décrivez vos repas (comme Malika, page 76). Écrivez 100–120 mots.**

✪✪✪ **Demandez à vos parents/grands-parents si, à votre âge, ils mangeaient
comme vous. Posez des questions et écrivez un résumé.**

Exemple: *Mon grand-père prenait son petit déjeuner à six heures. En général,
il mangeait un œuf et des saucisses. Il buvait une tasse de thé. …*

Utilisez l'imparfait.

84

En forme?

Expliquer ce qu'on fait et ce qu'il faut faire pour être en forme

 **a** 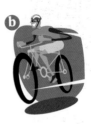 **b**  **c**  **d**  **e**  **f**  **g**

LIRE 1 Reliez chaque symbole à une Expression-clé.
Exemple: *1 – d*

ÉCOUTER ÉCRIRE 2 Micro-trottoir: Écoutez (1–3) et prenez des notes. Qui a la vie la plus saine/active?

ÉCOUTER LIRE 3a Anthony est en forme? Écoutez et lisez son dossier (page 79) pour savoir.

LIRE PARLER 3b Répondez aux questions pour Anthony.
Exemple:
A: *Qu'est-ce que tu manges au petit déjeuner?*
B: *Je mange des céréales sans sucre.*

Expressions-clés

Pour être en forme…
1 je vais à l'école à pied.
2 je fais du sport/du vélo/du jogging/ de la natation.
3 je mange beaucoup de légumes et de fruits.
4 je ne mange pas de frites/de gâteaux/ de chocolat.
5 je ne fume pas.
6 je ne bois pas d'alcool.
7 je me couche de bonne heure.

Il faut bien manger/faire de la marche à pied, etc.
Il ne faut pas manger entre les repas/rester devant la télé, etc.

a Qu'est-ce que tu manges au petit déjeuner? Qu'est-ce que tu bois?
b Qu'est-ce que tu manges à midi?
c Tu aimes les fruits et les légumes?
d Tu as un régime équilibré?
e Comment vas-tu à l'école?
f Tu fais du sport à l'école?
g Tu as fait du sport récemment?
h Est-ce que tu fumes? Pourquoi?
i Est-ce que tu bois de l'alcool?
j Est-ce que la santé est importante pour toi?
k Est-ce que tu es en forme?

pour + infinitive = *in order to*
il faut + infinitive = *you have to*

Pour garder un corps sain, il faut boire huit verres d'eau par jour.

Est-ce que je suis en forme?

par Anthony Mitry

Pour moi, la santé est très importante. Pour être en forme, le matin, il faut bien manger. Moi, au petit déjeuner, je mange des céréales sans sucre et je bois du thé. À midi, je mange à la cantine. Je mange beaucoup de légumes, pourtant je n'aime pas beaucoup le chou-fleur et je déteste les épinards. Je pense que j'ai un régime équilibré.

Je vais à l'école à pied tous les jours parce que la marche à pied, c'est bon pour la santé. Comme il faut faire du sport au lycée, on joue au basket et au handball. Samedi dernier, j'ai participé à un mini-marathon. C'était amusant même si j'ai eu mal aux pieds!

Je ne fume pas et je ne bois pas d'alcool. Je ne vais pas commencer à fumer car le tabac donne le cancer. J'ai une mauvaise habitude: je mange toujours trop de chocolat. Je voudrais arrêter parce qu'il y a trop de calories.

J'essaie d'avoir une vie active et saine. Je pense que je suis en forme.

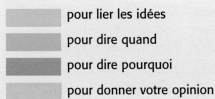

- pour lier les idées
- pour dire quand
- pour dire pourquoi
- pour donner votre opinion

4 Trouvez d'autres mots et expressions pour les quatre catégories.
Exemple: *puisque*

5 À vous!

✪ Que fait votre partenaire pour être en forme? Posez les questions, page 78, et prenez des notes. Ensuite, répondez à ses questions. Qui a la vie la plus saine/active?

✪✪ Écrivez un dossier (100–150 mots environ) sur le thème "Est-ce que je suis en forme?" Pour vous aider, lisez d'abord Guide examen, pages 86 et 87.

Qu'est-ce que tu as? | *Expliquer ses symptômes chez le médecin*

 1a Écoutez et lisez. Où est-ce que Léo a mal?

 1b Écoutez. Jouez le rôle de Léo. Ensuite, jouez le rôle de sa mère.

 1c Adaptez le dialogue. Remplacez les mots soulignés par d'autres parties du corps.

Exemple: *J'ai mal à la tête.* → *J'ai mal aux oreilles.*

 2a Écoutez (1–5). Notez les symptômes. Qui n'est peut-être pas vraiment malade?

Exemple: *1 – mal au ventre*

 2b Réécoutez. Notez le conseil (voir Expressions-clés a–f) pour chaque personne.

Exemple: *1 – b*

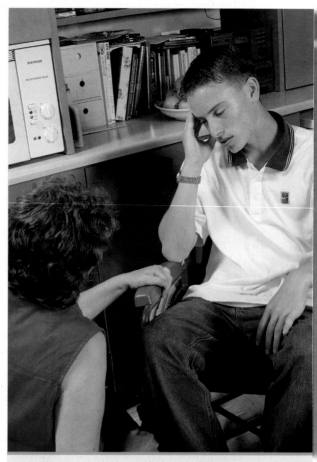

Mère:	Ça va, Léo ?
Léo:	Non, ça ne va pas très bien.
Mère:	Qu'est-ce que tu as?
Léo:	J'ai mal <u>à la tête</u>.
Mère:	Tu as mal <u>au ventre</u> aussi?
Léo:	Non, <u>le ventre</u>, ça va.
Mère:	Alors, prends de l'aspirine.
Léo:	D'accord.

Expressions-clés

Ça va! ☺   Ça ne va pas! ☹

Qu'est-ce que tu as?
J'ai mal à la/à l'/au/aux + *[partie du corps].*
Je ne me sens pas bien.
J'ai vomi.

J'ai	de la fièvre.
	chaud/froid.
	sommeil.
	envie de vomir.
	un rhume/la grippe.

Je me suis brûlé la main.
Je me suis cassé la jambe.
Je me suis coupé au doigt.

Où est-ce que tu as mal?

J'ai mal	à la tête. (f.)
	au bras. (m.)
	aux dents. (pl.)

a	Va voir le médecin.
b	Va te reposer un peu.
c	Va à la pharmacie/à l'hôpital.
d	Prends de l'aspirine.
e	Prends des Kleenex.
f	Prends cette ordonnance.

Zoom grammaire expressions with *avoir*

Use *avoir* – not *être* – to say you are hungry, thirsty, hot, cold, sleepy, etc.

*j'**ai** faim   tu **as** froid?   il **a** sommeil*

3a Écoutez et lisez la Conversation-clé. Répondez aux questions en anglais.

 a What are the patient's symptoms?

 b How long has she had them?

 c What remedy does the doctor suggest?

 3b Lisez la Conversation-clé avec un(e) partenaire. Ensuite, adaptez-la:

Symptômes: envie de vomir/mal à la tête, depuis hier

Remède: choisissez dans la boîte.

> Allez au lit.
>
> Buvez beaucoup d'eau.
>
> Utilisez cette crème antiseptique.
>
> Prenez ces comprimés.
>
> Ne mangez pas.
>
> Prenez cette ordonnance.
>
> Achetez ces médicaments.

Conversation-clé

Médecin:	Entrez… Asseyez-vous. Qu'est-ce qui ne va pas?
Patiente:	J'ai de la fièvre et j'ai mal à la gorge.
Médecin:	Depuis quand avez-vous de la fièvre?
Patiente:	Depuis deux jours.
Médecin:	Vous avez d'autres symptômes?
Patiente:	Depuis ce matin, j'ai mal à la tête.
Médecin:	Hmm… vous avez la grippe. Ce n'est pas grave. Allez au lit et reposez-vous. Surveillez votre température. Je vais vous faire une ordonnance pour des pastilles pour la gorge. Prenez une pastille toutes les quatre heures.
Patiente:	Très bien, docteur. Merci.

 4 Écoutez (1–4). Recopiez et complétez la grille.

Symptômes	Depuis quand	Remède
1		
2		

 **À vous!**

⚙ **Avec un(e) partenaire, faites les jeux de rôle.**

 a

A	Ask what's wrong.
B	Say you have a headache and a fever.
A	Ask if the patient feels sick.
B	Yes, for two days.
A	Tell patient to take pills and medicine twice a day.
B	Thanks, bye.

 b

B	Ask what's wrong.
A	Say your eyes and ears hurt.
B	Ask if the patient feels hot.
A	Yes, since this morning.
B	Tell patient to take prescription and go to the chemist and buy some pills.
A	Thanks, bye.

⚙⚙ **Vous êtes malade. Écrivez un mot d'absence pour votre école expliquant tous vos symptômes. Écrivez +/- 75 mots.**

Exemple: *Je ne peux pas venir à l'école aujourd'hui parce que je ne me sens pas bien. J'ai vomi trois fois pendant la nuit. J'ai chaud et j'ai de la fièvre. En plus, j'ai mal au…*

Alcool, tabac, drogue | *Parler de l'alcool, du tabac et de la drogue*

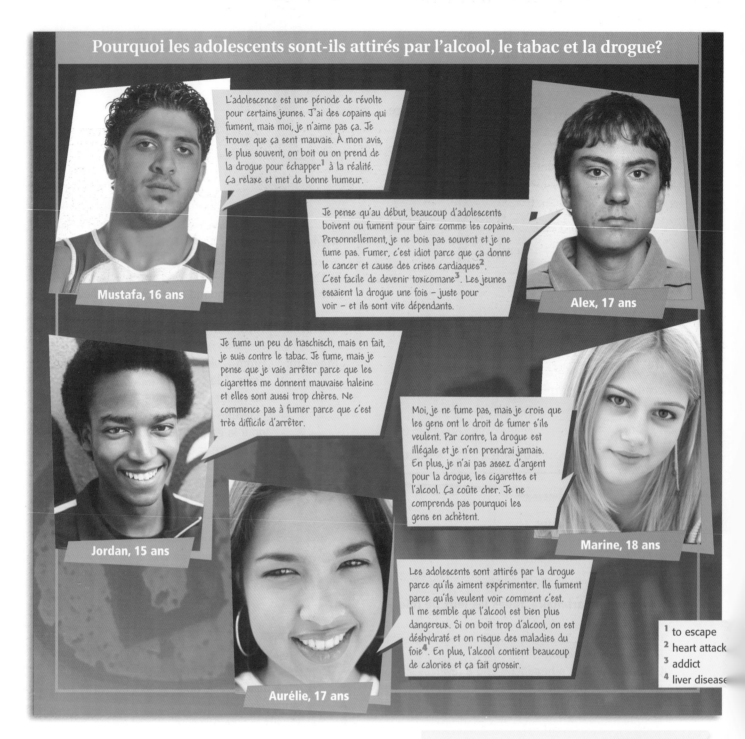

Pourquoi les adolescents sont-ils attirés par l'alcool, le tabac et la drogue?

L'adolescence est une période de révolte pour certains jeunes. J'ai des copains qui fument, mais moi, je n'aime pas ça. Je trouve que ça sent mauvais. À mon avis, le plus souvent, on boit ou on prend de la drogue pour échapper[1] à la réalité. Ça relaxe et met de bonne humeur.

Mustafa, 16 ans

Je pense qu'au début, beaucoup d'adolescents boivent ou fument pour faire comme les copains. Personnellement, je ne bois pas souvent et je ne fume pas. Fumer, c'est idiot parce que ça donne le cancer et cause des crises cardiaques[2]. C'est facile de devenir toxicomane[3]. Les jeunes essaient la drogue une fois – juste pour voir – et ils sont vite dépendants.

Alex, 17 ans

Je fume un peu de haschisch, mais en fait, je suis contre le tabac. Je fume, mais je pense que je vais arrêter parce que les cigarettes me donnent mauvaise haleine et elles sont aussi trop chères. Ne commence pas à fumer parce que c'est très difficile d'arrêter.

Jordan, 15 ans

Moi, je ne fume pas, mais je crois que les gens ont le droit de fumer s'ils veulent. Par contre, la drogue est illégale et je n'en prendrai jamais. En plus, je n'ai pas assez d'argent pour la drogue, les cigarettes et l'alcool. Ça coûte cher. Je ne comprends pas pourquoi les gens en achètent.

Marine, 18 ans

Les adolescents sont attirés par la drogue parce qu'ils aiment expérimenter. Ils fument parce qu'ils veulent voir comment c'est. Il me semble que l'alcool est bien plus dangereux. Si on boit trop d'alcool, on est déshydraté et on risque des maladies du foie[4]. En plus, l'alcool contient beaucoup de calories et ça fait grossir.

Aurélie, 17 ans

[1] to escape
[2] heart attack
[3] addict
[4] liver disease

1a Lisez. Quelles raisons sont données pour expliquer l'attrait de l'alcool, du tabac et de la drogue?
Exemple: *l'alcool/la drogue: pour échapper à la réalité*

1b Lisez et continuez les listes à droite.

1c Écoutez et répondez aux questions enregistrées.

Points forts du tabac: *relaxant*
Points faibles du tabac: *coûte cher*
Points forts de l'alcool: …
Points faibles de l'alcool: …
Points forts de la drogue: …
Points faibles de la drogue: …

2a Écoutez et lisez l'article ci-dessous et choisissez le meilleur titre.

a   Les dangers de l'alcool

b   Les jeunes, la cigarette et autres substances

c   Les campagnes anti-tabac ont du succès

2b Notez les mots de l'article qui ressemblent à des mots anglais.

Exemple: *cigarette, information,…*

En France, plus d'un tiers des jeunes de 12 à 18 ans fument régulièrement du tabac: 10% des moins de 13 ans sont déjà accros à la cigarette. Malgré toutes les campagnes d'information, le taux d'adolescents fumeurs n'a pratiquement pas baissé depuis 1992.

Le cannabis n'est pas en vente libre, mais sa consommation progresse de façon hallucinante. Selon une enquête réalisée par l'OFDT, près de la moitié des jeunes de 17 ans ont déjà expérimenté l'herbe ou le haschisch. 16% des garçons tirent quotidiennement sur le joint. La moitié de ces usagers intensifs fument seuls ou dès le matin. La quasi-totalité (98%) des adolescents qui ont expérimenté le cannabis fument également du tabac ou boivent de l'alcool.

2c Pensez au contexte de l'article pour trouver l'équivalent anglais des expressions suivantes.

a   les *campagnes* d'information

b   le *taux* d'adolescents fumeurs

c   98% des adolescents qui ont *expérimenté* le cannabis

d   *tirent…* sur le joint

e   *dès* le matin

2d Lisez les questions, puis relisez l'article. Cherchez un maximum de quatre mots dans le dictionnaire avant de répondre aux questions en anglais.

a   How many French 12–18-year-olds regularly smoke tobacco?

b   Has the number of teenage smokers gone up or down since 1992?

c   Is cannabis freely available in France at the time the article is written?

d   Is the use of cannabis increasing or decreasing?

e   What are the two other habits most cannabis smokers have?

Expressions-clés	
On boit	de l'alcool.
Les jeunes boivent	
On fume	des cigarettes.
Les jeunes fument	du haschisch.
On prend	de la drogue.
Les jeunes prennent	
Je pense que	fumer, c'est idiot.
Je crois que	
Je trouve que	
À mon avis,	
Personnellement…	
Par contre…	
En plus…	

À vous!

✪ **Fumer: pour ou contre? Écrivez votre bulle (70 mots environ).**

✪✪✪ **Écrivez des conseils pour une campagne contre le tabac, l'alcool ou la drogue.**

Exemple: *Vous pensez que les cigarettes sont cool? Attention! Si vous fumez, vous risquez d'avoir…*

Zoom grammaire | *The imperfect tense*

Jojo voulait absolument être en forme. Il faisait du sport tous les jours… malgré les problèmes!

Il nageait dans la mer quand il a vu un requin.

Il faisait du jogging quand un chien l'a mordu.

Il jouait au golf quand une balle est tombée sur sa tête.

When to use the imperfect tense

The imperfect is the past tense you use:

- to describe what something was like in the past:
  Il faisait froid.   It was cold.

- to give an opinion in the past:
  C'était nul!   It was rubbish!

- to describe a regular action in the past:
  Il faisait du sport tous les jours.
  He used to play sport every day.

How to form the imperfect tense

1 Take the *nous* part of the present tense*:
   faire → (nous) *faisons*

2 Take off the *-ons*: *faisons*

3 Add imperfect endings:

je	fais**ais**	nous	fais**ions**
tu	fais**ais**	vous	fais**iez**
il/elle/on	fais**ait**	ils/elle	fais**aient**

* The only exception to this rule is *être*, which has the stem *ét-*.

222

1 Translate into French.
   a   The dinner was great.
   b   We used to go to the dentist twice a year.
   c   I was hungry.
   d   You used to smoke 10 cigarettes a day.
   e   They used to play basketball at school.

2 How many different statements can you make about the picture on the right using imperfect tense verbs to say what was happening?
Example: *Un avion volait dans le ciel.*

1 MN

Perfect and imperfect in the same sentence

If an ongoing situation in the past was changed by a sudden action, usually indicated by the word *quand* (when), you need to use the perfect and the imperfect in the same sentence.

L'explorateur traversait la jungle quand un serpent l'a mordu.
     imperfect   perfect

 222

 3 LIRE ÉCRIRE Read the cartoon on page 84 again. List all the verbs that are in the imperfect tense because they describe this sort of interrupted situation in the past.

4 LIRE ÉCRIRE Read the email below. Choose the right tense each time there is a choice, then list the expressions with their English equivalents.
Example: *je faisais souvent du skateboard.* – I often used to go skateboarding.

> Remember, when you speak, endings for all parts of the imperfect **sound** the same, except for nous and vous forms. Try saying these: j'avais, tu avais, on avait, elle avait, ils avaient, elles avaient.

Avant, **je faisais** souvent/**j'ai** souvent **fait** du skateboard, mais maintenant je n'en fais plus parce que **j'ai eu/j'avais** un accident. **C'était/Ça a été** il y a trois mois. Il **a fait/faisait** beau et mes copains et moi, on **faisait/a fait** du skateboard dans le parc. Soudain, **j'ai perdu/je perdais** le contrôle et **j'heurtais/j'ai heurté** un cycliste. Je **suis tombé/tombais**. Je **m'allongeais/me suis allongé** parce que **je saignais/j'ai saigné**[1] beaucoup et **j'avais/j'ai eu** mal à la tête. Le cycliste **n'a pas été/n'était pas** blessé. Comme il **était/a été** sympa, il **allait/est allé** chercher de l'aide. Une ambulance **arrivait/est arrivée**. J'ai eu peur mais finalement, ce **n'était pas/n'a pas été** trop grave.

[1] to bleed

---

 5 ÉCRIRE Write sentences describing Marc's accidents (pictures a–d).
Example: *a Il sortait de la maison quand un chien l'a mordu.*

1 Planning

– For each assignment decide what source material might be useful. For example, for "My dream holiday" you could study holiday brochures or look at a website of holiday destinations.
– Write a plan – a list of headings/questions in English with notes in French.

1a Où trouver des infos pour écrire sur les sujets suivants? **Discutez en anglais.**

Exemple: *a – in an atlas, in holiday brochures, etc.*

a planning a holiday to France or a French-speaking country
b a profile of a famous person
c advertising my local area

> 💡 Use a French search engine such as www.google.fr or www.wanadoo.fr.

1b Ajoutez des questions ou titres de paragraphe au diagramme.

> 💡 You will probably be able to write 20–30 words on each point you've noted, so for a piece of writing 150 words long, you will need five or six headings.

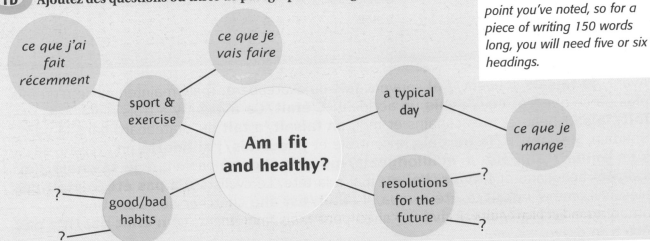

2 Writing a first draft

– Write a brief introduction and conclusion (about 20 words each).
– Develop your headings – one per paragraph.
– Make sure you use past, present and future tenses and personal opinions.

2 Lisez l'instruction ci-dessous et les réponses (à droite et page 87). Qui aura la meilleure note? Pourquoi? Discutez en anglais.

> Write a brief article for a French school magazine on what you do to keep fit and healthy.
> **Mentionnez:**
> • **sports**
> • **régime**
> • **bonnes/mauvaises habitudes.**

> Ryan
> Oui, je suis en forme. Au lycée, je joue au basket et au handball. Je fais du jogging tous les soirs. J'aime beaucoup le sport.

Melanie

Personnellement, je pense que je suis en forme. Je vais à l'école à pied tous les jours parce que la marche à pied, c'est bon pour la santé. J'ai un régime équilibré: je mange beaucoup de fruits et de légumes. Le soir, je me couche toujours de bonne heure.

Kevin

Pour être en forme, il faut bien manger et faire du sport. Il ne faut pas fumer et il ne faut pas aller au lit trop tard. À mon avis, j'ai un régime équilibré et je suis très sportif. On fait du sport au lycée mais, pendant mon temps libre, je fais du jogging ou du vélo. Je fais du judo depuis l'année dernière. Samedi dernier, j'ai participé à un mini-marathon. C'était amusant mais j'avais mal aux pieds. Je ne vais pas commencer à fumer parce que le tabac donne le cancer. J'essaie d'avoir une vie active et saine.

3 Writing the final coursework piece

- **Your teacher will read your first draft and provide comments on how to improve, e.g.**
  - **include more personal opinions**
  - **use some longer sentences**
  - **check the genders of nouns, etc.**
- **Redraft your work using any source material, your notes, first draft and teacher's comments.**
  (For some assignments, you may have to redraft with reference to a bilingual dictionary only.)

 3a **Lisez "*Advertising my school*". Trouvez les trois erreurs et écrivez des suggestions pour l'améliorer.**

 If possible, say how things used to be (imperfect tense) and describe an event in the past (perfect tense) as well as what's going to happen in the future (future tense or aller + infinitive).

Assignment: Advertising my school

Mon collège s'appelle London High. Il existe depuis 10 ans. Le bâtiment est moderne. Les salles d'informatique sont grand et bien équipé. L'année prochaine, on va construire un nouveau gymnase.

Il y a 850 élèves en tout. On est environ 25 par classe. Il y a une bon ambiance et les profs sont sympa.

Les cours commencent à neuf heures moins dix. On étudie les maths, l'anglais, les sciences, l'histoire, etc. Les cours finissent à quatre heures moins vingt. Chaque cours dure quarante minutes. On a une récré de vingt minutes le matin.

 3b **Utilisez vos notes (activité 1b) pour écrire votre rapport:**
"*Am I fit and healthy?*"

 Parlons-en

À deux, répondez aux questions.
(Inventez si nécessaire.)

1 Tu prends tes repas quand? Où? Qu'est-ce que tu manges/bois?
2 Qu'est-ce qu'il faut faire pour être en forme?
3 Décris la dernière fois que tu étais malade.

Vocabulaire

Les repas

Le petit déjeuner est à sept heures moins dix.
Le déjeuner est à midi.
Le dîner est à sept heures.
Je prends mon petit déjeuner à huit heures.
Au petit déjeuner/À midi/ Le soir, …
je mange/prends du pain.
je ne mange pas/rien.
je bois du café.
Tu aimes le jus d'orange?
Oui, j'aime assez.
Non, je n'aime pas ça.
Tu veux du thé?
Encore du pain?

Oui, s'il te plaît, je veux bien.
Non, merci, ça va comme ça.
Non, merci, j'ai assez mangé/bu.
Tu peux me passer un couteau, s'il te plaît?
Voilà.

Meals

Breakfast is at 6.50 p.m.

Lunch is at midday.
Dinner is at 7 pm.
I have my breakfast at 8 am.

For breakfast/At midday/ In the evening…
I eat/have bread.
I don't eat/eat anything.
I drink coffee.
Do you like orange juice?
Yes, I quite like it.
No, I don't like it.
Do you want some tea?
Do you want some more bread?
Yes, please, I would like some.
No, thanks, I have enough.

No, thanks, I've eaten/ drunk enough.
Can you pass me a knife, please?
There you are.

Qu'est-ce que tu as?

Ça va!
Ça ne va pas!
Je ne me sens pas bien.
J'ai chaud.
J'ai froid.
J'ai vomi.
J'ai de la fièvre.
J'ai sommeil.
J'ai envie de vomir.
J'ai un rhume/la grippe.
Je me suis brûlé la main.
Je me suis coupé au doigt.
Je me suis cassé la jambe.
Où est-ce que tu as mal?
J'ai mal à la tête.
J'ai mal au bras.
J'ai mal aux dents.
Va voir le médecin.
Va te reposer un peu.
Va à la pharmacie.
Va à l'hôpital.
Prends de l'aspirine.
Prends des Kleenex.
Prends cette ordonnance.

What's wrong with you?

I'm fine!
I'm not all right!
I don't feel well.
I'm hot
I'm cold.
I've been sick.
I've got a temperature.
I'm sleepy.
I feel sick.
I have a cold/flu.
I've burnt my hand.
I've cut my finger.
I've broken my leg.
Where does it hurt?
I've got a headache.
My arm hurts.
My teeth hurt.
Go to the doctor's.
Go and rest a bit.
Go to the chemist's.
Go to the hospital.
Have some aspirin.
Have some tissues.
Take this prescription.

Les aliments

les céréales
le pain
le sandwich (au fromage)
la salade
les œufs
les fruits
la soupe
les pâtes
le riz
la viande
le poulet
le porc
le bœuf
le poisson
les légumes
le chou-fleur
les haricots verts
les pommes de terre
le dessert
le sucre
la boisson
le café au lait
le lait

Food

cereal(s)
bread
(cheese) sandwich
salad
eggs
fruit
soup
pasta
rice
meat
chicken
pork
beef
fish
vegetables
cauliflower
green beans
potatoes
dessert
sugar
drink
white coffee
milk

Pour être en forme

Je vais à l'école à pied.
Je fais du sport (du vélo/ du jogging/de la natation).
Je mange beaucoup de fruits et de légumes.
Je ne mange pas de frites/ de gâteaux/de chocolat.
Je ne fume pas.
Je ne bois pas d'alcool.
Je me couche de bonne heure.
Il faut bien manger.
Il faut faire de la marche à pied.
Il ne faut pas manger entre les repas.
Il ne faut pas rester devant la télé.

To be healthy

I walk to school.
I play sport (cycling, jogging, swimming).
I eat lots of fruit and vegetables.
I don't eat chips/cakes/ chocolate.
I don't smoke.
I don't drink alcohol.
I go to bed early.

You have to eat well.
You have to walk.

You mustn't eat between meals.
You mustn't stay in front of the TV.

Alcool, tabac, drogue

On boit/Les jeunes boivent de l'alcool.
On fume des cigarettes.
Les jeunes fument du haschisch.
On prend/Les jeunes prennent de la drogue.
Je trouve que fumer, c'est idiot.
Je pense que/Je crois que…
à mon avis
personnellement
par contre
en plus

Alcohol, tobacco, drugs

People/Young people drink alcohol.
People smoke cigarettes.
Young people smoke pot.

People take/Young people take drugs.
I think smoking is stupid.

I think that…
in my opinion
personally
on the other hand
in addition

6 Infos pratiques

Contexts: home town/local environment, public services, transport
Grammar: the pronoun *y*, asking questions, the imperative
Skill focus: speaking: role-play
Cultural focus: travel and transport in French-speaking countries

timbrebilletcolischèquedevoyagenuméroboîte
auxlettrespièced'identitécartepostalepièceinter
netpostercaisseenvoyeroccupéurgentsignercy
ber-cafépesertauxdechangecourriel

Ce cyber-café vous propose, dans un cadre sympathique, calme et climatisé, d'utiliser un ordinateur pour vos recherches sur Internet, vérifier vos courriels, taper votre CV, ou bien par exemple imprimer vos photos numériques.

Rappelez-vous!

LIRE ÉCOUTER 1a Repérez les mots. Ensuite, écoutez et répétez.
Exemple: *timbre, billet, …*

ÉCRIRE 1b Faites trois listes avec les mots:
  a à la poste   b à la banque/au bureau de change   c au téléphone ou au cyber-café

PARLER ÉCRIRE 1c À deux, discutez et ajoutez d'autres mots utiles aux listes.

2a Votre mémoire est auditive ou visuelle? Écoutez la liste d'endroits dans une ville. Ensuite, notez les endroits – si possible, dans l'ordre mentionné.

 2b Regardez les symboles (1–10) pendant 60 secondes. Ensuite, fermez votre livre et notez les endroits dans l'ordre.

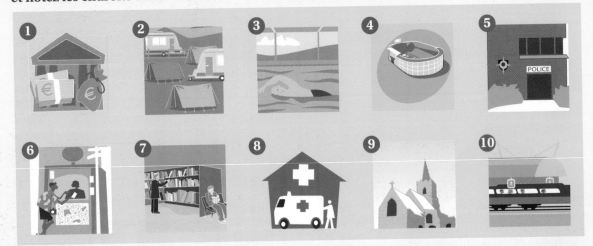

 2c Lisez les résultats et les conseils.

Résultats

Vous avez plus de mots sur la liste 2a = votre mémoire est auditive.

Conseil: Vous retenez mieux ce que vous entendez. Lisez et récitez les Expressions-clés à haute voix. Enregistrez le vocabulaire à apprendre.

Vous avez plus de mots sur la liste 2b = votre mémoire est visuelle.

Conseil: Vous retenez mieux ce que vous voyez. Recopiez les Expressions-clés sur des fiches.

Ici, l'hôtel de ville est le bâtiment le plus beau de la ville, mais le parking à côté est très laid. En face de l'hôtel de ville, il y a un joli jardin public avec un terrain de jeux pour les enfants, un terrain de boules et un café sympa. Il n'y a pas beaucoup de magasins en ville, mais il y a un hypermarché au nord de la ville.

 3a Lisez la bulle à droite et notez les endroits mentionnés.

2 MN

 3b Avec un(e) partenaire, ajoutez d'autres endroits aux listes des Expressions-clés. Comparez avec le reste de la classe. Qui a la liste la plus longue?

 4 Écoutez les conversations (1–5) et identifiez les endroits.

Expressions-clés

le…	la…	l'…
le camping	la banque	l'église (f.)
le cinéma	la bibliothèque	l'hôpital (m.)
le commissariat de police	la gare	l'office de
le musée	la pharmacie	tourisme (m.)
le stade	la piscine	
le supermarché	la poste	

Expressions-clés

l'aéroglisseur	la mobylette
l'avion	la moto
le bateau	le pied
le bus	le taxi
le camion	le téléphérique
le car	le TGV
le cheval	le train
l'Eurostar	le tramway
l'hélicoptère	le vélo
le métro	la voiture

ÉCRIRE 5 Reliez les dessins aux Expressions-clés.

ÉCOUTER 6a Concours d'orthographe: écoutez et notez.
Les orthographes sont bonnes ou pas?

PARLER ÉCRIRE 6b En groupes de trois ou quatre, organisez un concours
d'orthographe en classe.

PARLER 7 A choisit un moyen de transport différent pour aller:
(a) à l'école; (b) en France; (c) au supermarché. B devine.
Exemple: *B: Tu vas à l'école en taxi?*

en + moyen de transport
Exceptions: **à** + pied/vélo/moto/cheval

Bienvenue à Arles | *Faire visiter une ville et demander/indiquer le chemin*

En juillet, c'est les Suds – le festival des musiques du monde – à Arles, dans le sud de la France. Léa passe un long week-end avec son cousin Nicolas qui habite à Arles. Avant le festival, ils visitent la ville.

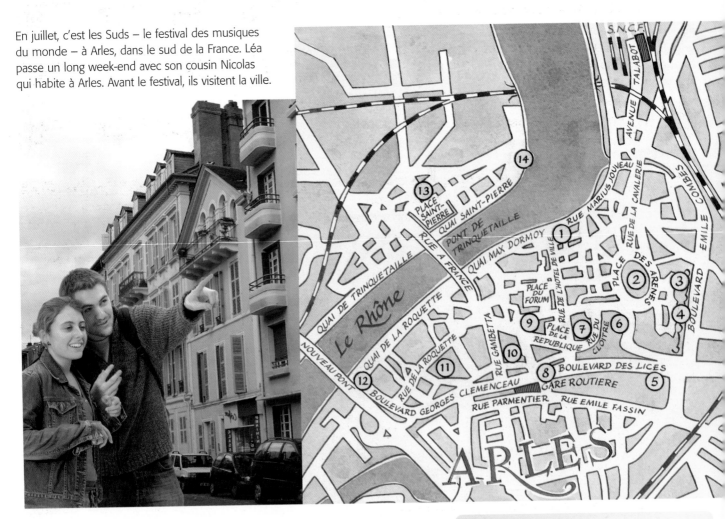

 1a Regardez le plan et lisez la légende. Quels endroits sont les plus proches:

    a de la gare routière?

    b de la gare SNCF?

 1b Écoutez et notez l'itinéraire.

Exemple: *4,…*

 1c Recopiez les Expressions-clés. Réécoutez. Cochez les mots que vous entendez.

Expressions-clés

voici/voilà *(here is/are)*	c'est… /ce sont…
ici *(here)*	il y a…
là *(there)*	on peut voir…
là-bas *(over there)*	

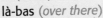 **1d** A présente un endroit, B donne le nom de la rue.

Exemple:

A: Là-bas, c'est la gendarmerie.

B: On est boulevard des Lices.

Plan d'Arles – Légende

1 = Musée Réattu	8 = Office de tourisme
2 = Arènes (amphithéâtre romain)	9 = Musée Arlaten
	10 = Espace Van Gogh – médiathèque
3 = Église Notre-Dame-la-Major	11 = Église Sainte-Césaire
4 = Les remparts	12 = Tour de l'Écorchoir
5 = Gendarmerie	13 = Église Saint-Pierre
6 = Théâtre antique	14 = Halte fluviale
7 = Église et cloître Saint-Trophime	

Point culture

En France, les rues portent souvent le nom de personnages célèbres. Il faut attendre cinq ans après la mort d'une personne pour pouvoir donner son nom à une rue ou à une place.

RUE
Henri SEILLON
1904 - 1944
ASSASSINÉ PAR LES NAZIS A BUCHENWALD

2 Trouvez une Expression-clé pour chaque symbole.
Exemple: *a – C'est à cinq minutes à pied.*

3 Écoutez (1–4) et regardez le plan. On va où?
Exemple: *1 – Musée Réattu*

4 Vous êtes à l'office de tourisme (8 sur le plan, page 92). A pose des questions, B répond. Ensuite, changez de rôles.
Exemple:

A: *Pour aller au Musée Réattu, s'il vous plaît?*
B: *Tournez à droite dans le boulevard des Lices, continuez tout droit et prenez la première rue à gauche. Traversez la place et allez jusqu'à la rue de l'Hôtel de Ville. C'est au bout de cette rue, sur votre droite.*

5 Lisez cet extrait d'un guide sur Arles.
Trouvez les endroits A, B et C.

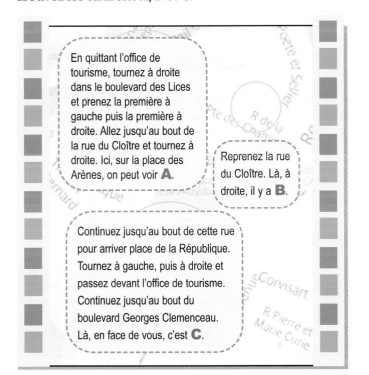

En quittant l'office de tourisme, tournez à droite dans le boulevard des Lices et prenez la première à gauche puis la première à droite. Allez jusqu'au bout de la rue du Cloître et tournez à droite. Ici, sur la place des Arènes, on peut voir **A**.

Reprenez la rue du Cloître. Là, à droite, il y a **B**.

Continuez jusqu'au bout de cette rue pour arriver place de la République. Tournez à gauche, puis à droite et passez devant l'office de tourisme. Continuez jusqu'au bout du boulevard Georges Clemenceau. Là, en face de vous, c'est **C**.

6 À vous!

✪ Dessinez le plan de votre ville/quartier. Écrivez l'itinéraire d'une visite. Utilisez les Expressions-clés.
Exemple: *Ici, c'est la gare. Tournez à droite et traversez la place et il y a la piscine en face de vous. À droite de la piscine, on peut voir le stade…*

✪✪ Écrivez ou enregistrez le texte d'une visite guidée de votre collège.

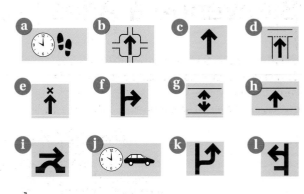

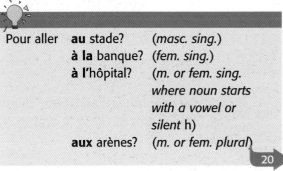

Pour aller	au stade?	(*masc. sing.*)
	à la banque?	(*fem. sing.*)
	à l'hôpital?	(*m. or fem. sing. where noun starts with a vowel or silent h*)
	aux arènes?	(*m. or fem. plural*)

20 →

Zoom grammaire imperatives

You use the imperative to give directions or commands.

To someone you don't know	To a friend
Allez	*Va*
Tournez	*Tourne*
Prenez	*Prends*
Traversez	*Traverse*

103 →

Expressions-clés

Demander le chemin
Où est la poste, s'il vous plaît?
Où sont les toilettes, s'il vous plaît?
Pour aller à la banque/au théâtre, s'il vous plaît?
C'est par où?
C'est loin?

Indiquer le chemin
Allez tout droit.
Tournez à droite (et ensuite à gauche).
Prenez… la première (rue) à droite.
        la deuxième à gauche.
Traversez… le pont.
          la place.
          la rue.
Allez jusqu'(à l'église/au parc).
C'est au bout de la rue.
C'est en face de vous.
C'est à cinq minutes… à pied.
                    en voiture.

S'il vous plaît... | *Se débrouiller à la poste, à la banque et à l'office de tourisme*

Je suis une célébrité... sortez-moi de là!!

CÉSAR
FOOTBALLEUR
BRÉSILIEN

ELENA
TOP-MODEL
BRITANNIQUE

DAN
CHANTEUR
AMÉRICAIN

Ils sont en France. Sont-ils capables de réussir leurs tâches afin de gagner?

TÂCHE 1 pour César: Écoutez. C'est à la poste (P) ou à la banque (B)?

 Écoutez (1–5). Notez P ou B pour chaque conversation. Comparez avec les réponses de César (à droite). Il a réussi la tâche?
Exemple: *1 – P,...*

1P, 2B, 3P, 4P, 5P

TÂCHE 2 pour Elena: Écoutez. C'est quel dessin?

1b, 2a, 3c, 4d

 Écoutez (1–4). Elena a raison?

TÂCHE 3 pour Dan: Imaginez une conversation pour le dessin A.

3a Lisez la conversation à droite. Dan a réussi la tâche?

3b À deux, imaginez des conversations pour les dessins B–D.

Expressions-clés

C'est combien pour envoyer une lettre/une carte postale en Grande-Bretagne?
C'est 0,55 euro.
Je voudrais un timbre/trois timbres à 0,55 euro, s'il vous plaît.
Ça fait X euros.
Je voudrais envoyer ce colis en Irlande. C'est urgent.

Dan:	Bonjour. C'est combien pour envoyer une carte postale en France?
Employée:	C'est 0,53 euro pour une lettre ou une carte postale.
Dan:	Alors, je voudrais un timbre à 0,53 euro, s'il vous plaît.

4a À deux, lisez et jouez la Conversation-clé à droite.

TÂCHE 4   **pour Elena: Changez des livres sterling et des chèques de voyage en euros.**

 4b Écoutez. Quel est le problème? Elena a réussi sa tâche?

 5a Reliez les réponses a–e aux questions des Expressions-clés. Recopiez la conversation dans l'ordre.

a   C'est quatre euros.

b   Oui, bien sûr. Voilà.

c   De 10 heures à 18 heures.

d   Alors, il y a le musée. Ça vaut la peine.[1]

e   C'est rue d'Alembert.

           [1] it's worth it

Expressions-clés

1   Bonjour, je pourrais avoir <u>un plan de la ville</u>, s'il vous plaît?
   une carte de la région
   une liste des hôtels/restaurants/campings
   une brochure sur les attractions touristiques
   des dépliants sur les visites/spectacles/activités

2   Vous pouvez me recommander une visite?

3   C'est où?

4   C'est ouvert à quelle heure?

5   C'est combien?

TÂCHE 5   **pour César: Obtenez les documents à droite à l'office de tourisme:**

 5b Écoutez. César a réussi sa tâche?

TÂCHE 6   **pour Dan: Renseignez-vous sur un endroit touristique.**

 6 Écoutez. Notez: l'endroit, où c'est, heures/jours d'ouverture, tarif. Dan a réussi sa tâche?

 7 Qui ne s'est pas bien débrouillé? Votez pour éliminer César, Elena ou Dan.

 À vous!

✪ Écrivez une conversation à la poste ou à la banque où il y a un problème. Par exemple, vous n'avez pas assez d'argent ou vous n'avez pas de pièce d'identité, etc.

✪✪ À deux, jouez une scène dans un office de tourisme avec un(e) touriste difficile.

A: Je voudrais

↙   ↘

changer <u>50</u> livres en   changer un chèque
euros, s'il vous plaît.   de voyage de <u>20</u> livres, s'il vous plaît.

↘   ↙

B: Oui, d'accord.

A: La livre est à combien?

B: Aujourd'hui, elle est à <u>1,39</u> euro.

A: Vous prenez une commission?

↙   ↘

B: Non, il n'y a pas   Oui, 5 euros.
de commission.

↘   ↙

A: Vous voulez mon passeport?

↙   ↘

B: Non, ce n'est pas   Oui, s'il vous plaît.
nécessaire.

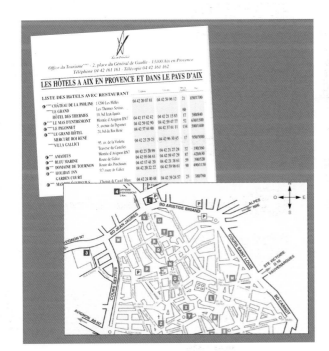

Transports en commun | *Décrire les transports en commun là où on habite*

Forum-Internet

Fichier   Actions   Outils   ?

Samuel, Québec

Moi, je vais à l'école en voiture parce que les transports en commun ne sont pas terribles¹ là où j'habite. Et vous? Répondez à mes questions, svp² :-)

1 **Comment est-ce que tu vas à l'école?**
2 **Qu'est-ce qu'il y a comme transports chez toi?**
3 **Tu préfères quel moyen de transport? Pourquoi?**

¹ aren't great
² s'il vous plaît

Moussa, Sénégal

L'école? J'y vais à vélo. Quand je sors en ville, je vais à pied, à vélo ou en "car rapide". Ces cars sont très colorés. On paie un prix fixe de 75 FCFA¹. J'aime bien
5 prendre le car rapide. C'est mon moyen de transport préféré parce que c'est pratique, ce n'est pas cher et il y a toujours une bonne ambiance.

Ici à Saint-Louis, ce sont les taxis de ville qui assurent la plupart du transport urbain. Les tarifs sont fixés à 300 FCFA la course à l'intérieur de la ville. Ces taxis
10 sont jaunes (ou orange) et noirs. Il est courant à Saint-Louis de partager un taxi avec d'autres clients si les destinations sont proches.

Il y a aussi le bus ou le Taxi 7 Places (ce sont des Peugeot 504 ou 505 reconverties pour le transport en
15 commun). Il y a de la place pour sept passagers. Ces voitures sont le moyen de transport en commun le plus rapide car elles ne s'arrêtent pas avant leur destination finale.

¹ franc africain – la monnaie au Sénégal

1a   Lisez et écoutez Moussa. Vrai ou faux?
  a   Moussa prend le bus pour aller au collège.
  b   Quelquefois, il va en ville à pied.
  c   Moussa préfère le car rapide parce que c'est le moyen de transport le plus écologique.
  d   Les taxis de ville sont populaires à Saint-Louis.
  e   Le bus est plus rapide que le Taxi 7 Places.
  f   On ne partage jamais un taxi.

1b   Corrigez les phrases fausses.

Zoom grammaire *y*

You know *il y a…* = there is/are…
The pronoun *y* means "there" and avoids repeating the name of a place.
*Je vais **à l'école** à pied. J'y vais à pied.*

218

Forum-Internet

Fichier   Actions   Outils   ?

Malika, Alger

Moi, je vais au lycée à pied, parce que ce n'est pas loin de chez moi. C'est pratique.

Alger est une grande ville et il y a le bus et les taxis collectifs. On peut aussi prendre le car à la gare routière du Caroubier. Alger est
5 un port et on peut prendre un bateau qui va jusqu'à Marseille en France ou à Alicante en Espagne. Je ne l'ai jamais pris, mais j'aimerais bien un jour.

Le moyen de transport que je préfère, c'est la voiture parce que c'est confortable et pratique, mais je pense que les transports
10 collectifs sont plus écologiques que les transports individuels. À Alger, il y a beaucoup trop de voitures. Heureusement¹, depuis 2003, la ville d'Alger se transforme: on construit des autoroutes, des ponts et des tunnels pour éviter les embouteillages² monstres.

¹ fortunately
² traffic jams

 2a **Lisez le reportage de Malika. Comment dit-elle…?**

   a I walk to school

   b you can get a boat

   c public transport is more environmentally friendly

   d there are far too many cars

   e to avoid massive traffic jams

 2b **Relisez. Répondez aux questions enregistrées (1–8).**

 3 **A est l'interviewer et pose les questions de Samuel (voir page 96). B est Malika ou Moussa et répond.**

 4a **Lisez les notes de Léa (à droite). Écrivez 10 questions. Utilisez:** *quand, qu'est-ce que, est-ce que, comment, où, pourquoi.*
Exemple: *Quand est-ce que Léa prend un taxi?*

 4b **Lisez vos questions à votre partenaire qui répond.**

 5 *À vous!*

   ✪ **Écrivez un reportage (+/-100 mots) sur les transports en commun chez vous. Répondez aux questions de Samuel.**

   ✪✪ **Imaginez les transports en commun il y a 100 ans, ou dans 50 ans. Utilisez les mots de la boîte.**
Exemple: *Il y a 100 ans, il n'y avait pas beaucoup de voitures. On allait à…*
Dans 50 ans, *les bus seront propres, économiques…*

Expressions-clés

Comment est-ce que tu vas à l'école/en ville/ chez tes copains?
J'y vais à pied/à vélo/en bus.
Je préfère aller à l'école en voiture.
Qu'est-ce qu'il y a comme transports en commun chez toi?
Il y a le bus/le métro/le tramway.
On peut aussi prendre le car.
J'aime bien prendre le train.
Si je rentre tard le soir, je prends un taxi.
Je trouve/pense que le métro est pratique/rapide.

Léa
école – bus (fréquent/rapide/pas cher)
dans mon quartier – à pied (plus écolo + économique!)
aimerais mobylette (dangereux???)
À Paris: bus (lent), métro,
RER (le plus rapide),
taxi (quand je rentre tard le soir! = cher mais confortable)
préfère le train/TGV – confortable/rapide
2 aéroports/6 gares à Paris

individuel/collectif, facile/difficile, lent/rapide, cher/économique, écologique/polluant

On y va? | *Prendre le bus ou le train*

1 ARRET

2 ← sortie

3 DÉFENSE DE FUMER

4 ↓ Billets

5 ↓ Accès aux quais

6 Arrivées

7 ← Consigne Automatique

8 TIREZ

9 ← **i** Renseignements

LIRE 1 **C'est quel panneau?**
Exemple: *a – 7*

a Je dois acheter un billet.

b Je veux prendre le bus.

c Je veux sortir.

d Comment est-ce que j'ouvre la porte?

e Je voudrais laisser mes bagages ici.

f Je vais au quai numéro 2.

g On peut fumer ici?

h Je dois vérifier l'heure d'arrivée du train.

i Qui peut me donner des renseignements?

ÉCOUTER 2a Écoutez. Toutes les conversations 1–3 sont à la gare?

ÉCOUTER PARLER 2b Réécoutez. Prenez des notes en français. Ensuite, répondez aux questions de votre professeur.

3a Écoutez et complétez la conversation.
Exemple: *1 – un aller-retour*

3b À deux, adaptez la conversation pour ces billets.
Jouez et écrivez-la.

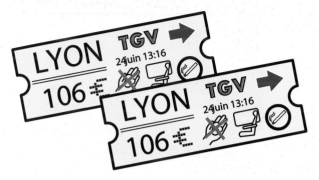

Voyageur: Je voudrais **1** en TGV pour Bruxelles. Il faut réserver?

Employé: Oui, il faut réserver. Quels trains voulez-vous prendre?

Voyageur: À l'aller, le train de **2** le 23 janvier et au retour, le train de **3** le 27 janvier.

Employé: Une place fumeurs ou non-fumeurs?

Voyageur: **4**, s'il vous plaît.

Employé: Une place côté fenêtre ou couloir?

Voyageur: **5** Il y a une réduction pour les jeunes?

Employé: Oui, il y a un tarif jeunes. Alors, ça fait **6** euros, avec la réservation. Voilà votre billet.

4 Est-ce que vous comprenez quand il y a un problème? Écoutez (a–d) et choisissez.

a The bus
　1 is full.
　2 has broken down.

b The train
　1 is late.
　2 has just left.

c You've missed the bus and
　1 have to get a number 3 and then change.
　2 have to walk.

d The Paris train
　1 is leaving from a different platform.
　2 will not stop at Dijon.

Expressions-clés

Où est l'arrêt de bus le plus proche?
Où est la gare SNCF/la station de métro
　la plus proche?
Où sont les guichets/les toilettes/les téléphones?
Vous avez des horaires pour les trains
　Paris – Nantes?
Le (prochain) train pour Paris part à quelle heure/
　de quel quai?
C'est direct?
Je voudrais…
　un aller simple pour Paris, s'il vous plaît.
　un aller-retour
en seconde/première classe
côté fenêtre/côté couloir
fumeurs/non-fumeurs
C'est combien?
Il y a un tarif réduit pour les jeunes/étudiants?

 **5**

⭐ **A veut les choses de la boîte A, et les demande à B. Faites deux conversations.**
Puis, changez de rôles: B demande à A les choses de la boîte B.

A

1 bus pour plage? loin? quel arrêt?
　achète billet dans bus?
2 un aller simple, Lille, 2ème, avec tarif jeunes.
　Prochain train: heure/quai?

B

1 bus pour centre-ville? où? quand? loin?
2 2 allers-retours Vannes, 2e, non-fumeurs, prix?
　tarif jeunes? direct?

⭐⭐ **Imaginez une conversation à la gare en utilisant toutes les Expressions-clés.**
Écrivez-la ou jouez-la avec un(e) partenaire.

Des problèmes en route | *Signaler une panne ou un accident de la route*

 Reliez les symboles aux Expressions-clés.

Exemple: *a – 2*

 Écoutez. Mettez les Expressions-clés dans le bon ordre.

 Les automobilistes ont des problèmes sur l'autoroute. Écoutez (1–6). Notez:

a le problème
b la marque de la voiture
c l'endroit

Exemple: *1 – plus d'essence, Renault Laguna verte, autoroute A6, direction Lyon, à 150 km de Paris*

 À deux, lisez la Conversation-clé.

 Adaptez la Conversation-clé en utilisant les détails des boîtes ci-dessous. Changez les éléments soulignés.

Expressions-clés

On est en panne.
a On a un pneu crevé.
b On n'a plus d'essence.
c Le moteur ne marche plus.
d J'ai un problème avec les freins.

On vient d'avoir un accident.
e Il faut appeler une ambulance/la police.
f Il y a des blessés.
g Il n'y a pas de blessés.

Conversation-clé

– SOS Secours, j'écoute!
– On est en panne. On a un pneu crevé.
– Vous êtes où?
– Sur l'autoroute A6, direction Lyon, à 150 km de Paris.
– Qu'est–ce que vous avez comme voiture?
– Une Renault Clio bleue.
– D'accord, on arrive.

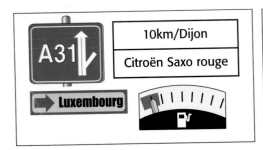

10km/Dijon

Citroën Saxo rouge

A31 — Luxembourg

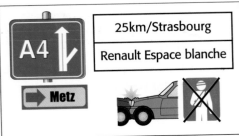

25km/Strasbourg

Renault Espace blanche

A4 — Metz

LIRE 4a Lisez la description d'un accident.
Trouvez comment on dit…

a   it braked
b   it didn't stop at the stop sign
c   nobody was injured
d   it crashed into the green lorry
e   was travelling very fast
f   it knocked over a motorbike

> *Il pleuvait et je descendais la rue quand j'ai vu l'accident. Quand la voiture rouge est sortie de la rue Jean-Jaurès, elle ne s'est pas arrêtée au stop. Elle a heurté le camion vert qui allait de la Place Dunin dans la rue Simon. Le camion roulait très vite. Il a freiné et il a renversé une moto qui arrivait en face. Il n'y a pas eu de blessés.*

LIRE 4b Quel dessin représente le mieux la description?

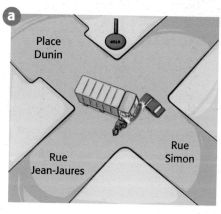
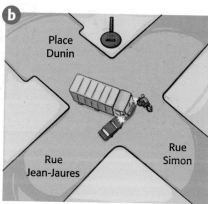
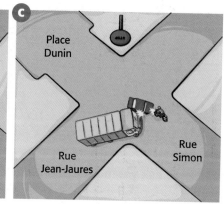

PARLER 4c Complétez la phrase pour donner votre opinion:
L'accident était la faute… (de la moto, du camion, de la voiture?) parce que…

ÉCRIRE 5 À vous!

✪ **Imaginez! Vous avez vu l'accident (activité 4). Recopiez et complétez la déclaration à droite.**

✪✪✪ **Décrivez une panne ou un accident de la route, réel(le) ou imaginaire. Écrivez 75 mots environ.**

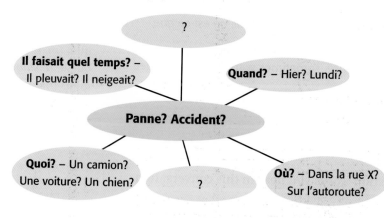

Véhicules: 1   une voiture rouge

2   ……

3   ……

Incident: J'ai vu ……, rue Jean-Jaurès, qui ne …… stop.

La voiture est entrée en collision avec ……

dans la rue …… Le camion – qui roulait …… –

a freiné, mais il …… la moto. Il …… de blessés.

Zoom grammaire | *Asking questions*

How to ask yes/no questions

There are three ways to ask yes/no questions.
1 Make your voice go up at the end: *Vous prenez le train?*
2 Start with *est-ce que*: **Est-ce que** *vous prenez le train?*

3 Reverse the order of the subject and the verb:
   Prenez-vous *le train?*

227

1 Find an example of each type of question in the cartoon. Ask the same questions in a different way.

2 How many different questions can you make from these statements?
   a Vous avez des timbres.
   b Elle part à neuf heures.
   c Tu voudrais un horaire.
   d Vous allez à la gare.
   e Tu as une moto.

Using question words

To ask more specific questions, use a "question word": *où, comment, pourquoi, qu'est-ce que, qu'est-ce qui, quand, combien, qui, quel.*

These words can appear in different positions in the sentence, sometimes with *est-ce que* added in.

*Le train part **à quelle heure**?*
À quelle heure *est-ce que le train part?*
À quelle heure *part le train?*

quel *(m. sing.)*
quelle *(f. sing)*
quels *(m. pl.)*
quelles *(f. pl.)*

3 Listen and note how many different question words you hear in this conversation.

4 Write out the questions, filling in the gaps with a question word.
   a ...... est-ce que vous allez en France? En juillet.
   b ...... va acheter les billets? Moi!
   c ...... est mon passeport? Ici!
   d Un aller-retour, c'est ......? 15 euros.
   e ...... il attend ici? Le bus.
   f Tu prends ...... bus? Le 15.

Zoom grammaire | *The imperative*

Évitez le mal des transports!

Est-ce que vous souffrez du mal des transports? Suivez nos conseils et vous n'aurez plus de problèmes!

Mal d'auto
- Regardez la route.
- Ne lisez pas. Écoutez de la musique.
- Ouvrez une vitre et… respirez!
- Demandez au chauffeur de s'arrêter régulièrement.
- Ne vous inquiétez pas à l'avance.

Mal de l'air
- N'oubliez pas: les meilleures places sont au milieu, au-dessus des ailes.
- Si vos oreilles vous font mal:
  - avalez en vous pinçant le nez
  - mâchez un chewing-gum
  - sucez un bonbon.

When to use the imperative

You use the imperative to give directions, instructions or advice.
When giving an instruction/advice to:
- someone you say *tu* to: Use the *tu* form of the verb without *tu* (and no final -*s* for -*er* verbs).
  tu tournes – tourne
- someone you say *vous* to: Use the *vous* form of the verb without *vous*.
  vous continuez – continuez

Reflexive verbs need the emphatic pronoun (see page 14):
  Couche-toi. (but: *Ne te couche pas.*)
  Couchez-vous. (but *Ne vous couchez pas.*)

224

1a LIRE Read the article above and list all the imperatives, plus their English equivalent.
Example: *suivez nos conseils* – follow our advice

1b ÉCRIRE Write out the suggestions for a friend (use *tu*).
Example: *Regardez la route → Regarde la route.*

2 ÉCRIRE Write out the advice on the right, changing the infinitives in brackets to imperatives (*vous* form).

Mal de mer

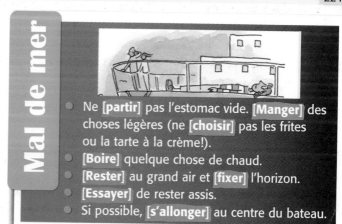

- Ne [partir] pas l'estomac vide. [Manger] des choses légères (ne [choisir] pas les frites ou la tarte à la crème!).
- [Boire] quelque chose de chaud.
- [Rester] au grand air et [fixer] l'horizon.
- [Essayer] de rester assis.
- Si possible, [s'allonger] au centre du bateau.

Negative imperatives

To tell someone not to do something, put *ne…pas* around the command:
Ne *regarde* **pas!** **Ne** *touchez* **pas!**

224

3 ÉCRIRE Write some advice for a visitor to your town (what there is to see, how to get around, etc.), using imperatives. Include at least three negative imperatives.
Example: *Allez voir le château. N'y allez pas à pied. Prenez le bus parce que c'est assez loin du centre-ville. Demandez un dépliant…*

Guide examen

1 Before you start
- **Predict useful words and phrases for the situation.**
- **Think of phrases you know and look up others in a dictionary if necessary.**
- **Think whether it is appropriate to use *tu* or *vous*.**
- **When you see !, you'll have to respond to something that you haven't prepared. Try to predict the kind of question the examiner might ask.**

ÉCRIRE 1 Regardez le diagramme: "*À la poste*".
À vous de faire un diagramme: "*À la gare*".

> Remember to be polite:
> use s'il te/vous plaît, merci
> monsieur/madame.

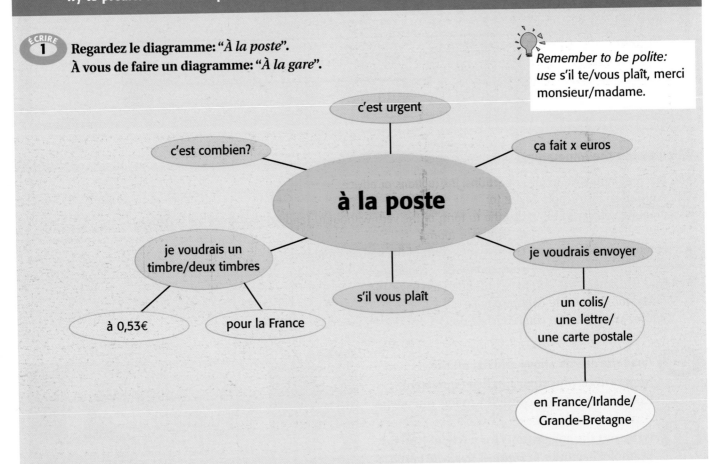

2 Picture cues
If you are given picture cues for your role-play:
- **make sure you understand what the pictures represent**
- **look carefully: don't ask for three tickets if the picture shows four**
- **try to expand and say as much as possible.**

> If you are not sure what a
> picture represents, ask:
> S'il vous plaît, que signifie
> ce dessin?

PARLER 2 Regardez les dessins et inventez
un dialogue à la banque avec
un(e) partenaire.
Exemple: *Bonjour, madame.*
Je voudrais changer…

£1 = 1,55€
~~commission~~

3 Written instructions
- Read all instructions carefully before you start.
- Keep referring to the instructions, but keep the dialogue as natural as possible.

PARLER 3 Lisez les instructions et faites le jeu de rôle avec un(e) partenaire.

> **You are at the ticket office of a French railway station.**
> - Billet et destination.
> - Réduction?
> - ! [*in the teacher's role this could be asking whether you want "fumeurs ou non-fumeurs"*]
> - Détails du train: (i) départ? (ii) quai?

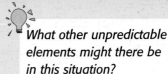
What other unpredictable elements might there be in this situation?

4 How to get top marks
- Use *tu* to a young person or family member. Use *vous* to someone you don't know well.
- Listen carefully: don't miss any unpredictable element.
- Communicate all the elements of the message.
- Use full sentences and different tenses if appropriate.
- If you can't think of a word that you need, don't panic. You could:
  - describe what it looks like
  - use the opposite in a negation (e.g. *pas cher* – for "cheap")
  - use a synonym and say *un peu comme*
  - use a word like "thingummy" in English, e.g. *truc* or *machin*.
  If that won't work, you could always:
  - ask for help: *Comment dit-on X en français?*
  - say you can't remember: *J'ai oublié le mot pour X.*
- A conversation needs to be two-sided. Interact with the examiner.

PARLER 4 Inventez un dialogue avec un(e) partenaire. Ensuite, changez de rôles.

A

You are playing the role of the aunt/uncle of a French teenager talking to a British visitor. Read the questions below. You start the conversation.

1 *Alors ta visite en ville aujourd'hui, ça s'est bien passé?*
2 *Très bien./C'est dommage. Et qu'est-ce que tu as fait en ville?*
3 *Et chez toi, en Grande-Bretagne? Comment est-ce que tu vas en ville?*
4 *Qu'est-ce qu'il y a d'autre comme transports en commun près de chez toi?*

B

You are talking to your penfriend's aunt/uncle about your visit to town. You got lost and had to ask for directions. Your partner will begin the conversation.

1 *Visite en ville: transport et opinion*
2 *Deux activités en ville*
3 *Chez toi: transport pour aller en ville*
4 *!*

Parlons-en

À deux, répondez aux questions.

1 Qu'est-ce qu'il y a à faire et à visiter dans ta ville?
2 Qu'est-ce qu'il y a comme transports en commun chez toi?
3 Quels sont les avantages et les inconvénients de différents moyens de transport?

Vocabulaire

En ville
Voici/Voilà le cinéma.
ici/là/là-bas
c'est…/ce sont…
il y a…
on peut voir…
le camping
le commissariat de police
le musée
le stade
le supermarché
la banque
la bibliothèque
la gare
la pharmacie
la piscine
la poste
l'église (f.)
l'hôpital (m.)
l'office de tourisme (m.)

In town
Here is the cinema.
here/there/over there
it's …/they're…
there are…
you can see …
campsite
police station
museum
stadium
supermarket
bank
library
station
chemist
swimming pool
Post Office
church
hospital
tourist office

Les directions
Où est la poste,
  s'il vous plaît (SVP)?
Où sont les toilettes,
  SVP?
Pour aller à la banque/
  au théâtre, SVP?
C'est par où?
C'est loin?
Allez tout droit.
Tournez à droite/à gauche.
Prenez la première (rue) à
  droite/la deuxième à gauche.
Traversez le pont/la place.
Allez jusqu'à l'église/au parc.

C'est au bout de la rue.
C'est en face de vous.
C'est à cinq minutes à pied/
  en voiture.

Directions
Where is the Post Office,
  please?
Where are the toilets, please?

How do you get to the bank/
  to the theatre, please?
Which way is it?
Is it far?
Go straight on.
Turn right/left.
Take the first (street) on the
  right/the second on the left.
Cross the bridge/the square.
Keep going until you get to the
  church/to the park.
It's at the end of the street.
It's in front of you.
It's five minutes away on foot/
  by car.

Les transports
Comment est-ce que tu vas
  à l'école?
J'y vais à pied/à vélo/en bus.
Je préfère aller à l'école
  en voiture.
Qu'est-ce qu'il y a comme
  transports en commun
  chez toi?
Il y a le métro/le tramway.
On peut aussi prendre le car.
J'aime bien prendre le train.
Si je rentre tard le soir, je
  prends un taxi.
Je trouve/pense que le métro
  est pratique/rapide.

Transport
How do you get to school?

I go on foot/by bike/by bus.
I like going to school by car.

What public transport is there
  where you live?

There's the tube/the tram.
You can also take the coach.
I like taking the train.
If I'm going home late in the
  evening, I take a taxi.
I think the tube is practical/
  quick.

À la poste
C'est combien pour envoyer
  une lettre/une carte postale
  en Grande-Bretagne?
C'est X euros.
Je voudrais un timbre/
  trois timbres à X euros,
  SVP.
Je voudrais envoyer ce colis
  en Irlande.
C'est urgent.

At the Post Office
How much is it to send a
  letter/a postcard to Great
  Britain?
It's X euros.
I would like a X euro stamp/
  three X euro stamps, please.

I would like to send this parcel
  to Ireland.
It's urgent.

À l'office de tourisme
Je pourrais avoir un plan
  de la ville, s'il vous plaît?
une carte de la région
une liste des hôtels
une brochure sur les attractions
  touristiques
des dépliants sur les visites/
  spectacles/activités
Vous pouvez me recommander
  une visite?
C'est où?
C'est ouvert à quelle heure?
C'est combien?

At the tourist office
I would like a street map, please.

a map of the region
a list of hotels
a brochure showing the
  tourist attractions
leaflets about visits/shows/
  activities
Could you recommend a place
  for me to visit?
Where is it?
What time does it open?
How much is it?

La gare
Où est l'arrêt de bus le
  plus proche?
Où est la gare SNCF/la station
  de métro la plus proche?
Où sont les guichets/
  les toilettes/les téléphones?
Vous avez des horaires pour
  les trains Paris – Nantes?
Le (prochain) train pour Paris
  part à quelle heure?
Le train part de quel quai?

C'est direct?
Je voudrais un aller simple/
  un aller-retour pour Paris,
  s'il vous plaît.
en seconde/première classe
côté fenêtre/côté couloir
fumeurs/non-fumeurs
Il y a un tarif réduit pour
  les jeunes/étudiants?

The station
Where is the nearest bus stop?

Where is the nearest train
  station/tube station?
Where are the ticket offices/
  the toilets/the telephones?
Have you got the times of the
  Paris–Nantes trains?
What time does the (next) train
  to Paris leave?
Which platform does the train
  go from?
Is it direct?
I'd like a single/return ticket to
  Paris, please.

first/second class
window/aisle seat
smoking/no smoking
Is there a young person's/
  student discount?

Sur la route
On est en panne.
On a un pneu crevé.
On n'a plus d'essence.
Le moteur ne marche plus.
J'ai un problème avec les freins.

On vient d'avoir un accident.
Il faut appeler une ambulance.
Il y a des blessés.

On the road
We've broken down.
We've got a flat tyre.
We've run out of petrol.
The engine's not working.
I've got a problem with the
  brakes.
We've just had an accident.
We need to call an ambulance.
Some people are hurt.

7 Au travail!

Contexts: future plans: study and work

Grammar: the future tense, the conditional

Skill focus: writing with accuracy, writing a formal letter

Cultural focus: part-time jobs and work placements in France

Rappelez-vous!

PARLER 1 À votre avis, quelles sont les qualités nécessaires pour ce travail?

Complétez: *Il faut être sportif... On doit avoir le sens de l'équilibre...*

ÉCRIRE 2 Cette personne parle de son métier. Écrivez une bulle.

Exemple: *C'est un métier passionnant parce que...*

Je déteste ce métier parce que...

3a **Reliez les définitions aux professions dans la grille.**

a Il/Elle travaille dans une ferme.

b Il/Elle fait payer les clients d'un supermarché.

c Il/Elle donne des concerts et enregistre des CD.

d Il/Elle s'occupe d'installations électriques.

e Il/Elle donne des informations aux journalistes.

f Il/Elle soigne les dents.

g Il/Elle travaille dans un tribunal.

h Il/Elle s'occupe de la santé des gens.

 3b **Recopiez la grille et complétez-la avec ces professions.**

* agent de police   * vendeur

* mécanicien   * instituteur

* journaliste   * employé de bureau

* professeur   * cuisinier

 3c **À deux, ajoutez le plus possible d'exemples dans la grille!**

5 MN

 4a **Lisez le courriel de Moussa à droite. Répondez.**

a Qui n'a pas d'emploi?

b Qui aime son travail? (3)

c Qui est bien payé?

d Qui travaille trop?

e Qui ne trouve pas le travail intéressant? (2)

4b **À deux, répondez aux questions pour votre famille. Inventez des détails.**

Exemple:

A: Qui n'a pas d'emploi?

B: Ma sœur n'a pas d'emploi.

 4c **Écrivez un courriel sur votre famille comme Moussa.**

noms de métier masculins	noms de métier féminins
-e *un dentiste*	-e *une dentiste*
-é *un attaché de presse*	-ée *une attachée de presse*
-t *un avocat*	-te *une avocate*
-ier *un caissier*	-ière *une caissière*
-ien *un électricien*	-ienne *une électricienne*
-eur *un chanteur*	-euse *une chanteuse*
-teur *un agriculteur*	-trice *une agricultrice*
masc. = fém. *un médecin*	masc. = fém. *un médecin*

Ma mère est infirmière. Elle travaille dans un hôpital à Saint-Louis. Elle aime bien son travail en pédiatrie parce qu'elle adore les enfants, mais elle trouve que les horaires sont trop longs et c'est mal payé.

Mon père est cuisinier. Il a un restaurant à Saint-Louis. Il trouve son travail passionnant et il aime bien les gens avec qui il travaille.

Mon grand frère vend des téléphones portables dans un magasin au centre-ville. Ça lui plaît parce qu'il aime le contact avec les gens et c'est bien payé. Ma belle-sœur[1] est caissière dans un supermarché. Elle déteste son travail parce qu'elle s'ennuie.

Mon autre frère est chômeur[2] depuis six mois. Il voudrait être électricien dans une usine, mais il ne trouve pas de travail. Alors, il travaille à la maison, il répare des télés et des radios, mais ça ne l'intéresse pas.

Moussa

[1] sister-in-law

[2] unemployed

Expressions-clés

Que fait ton père/ta mère?

Il/Elle est… [+ *profession*]

Où travaille-t-il/elle?

Il/Elle travaille dans…/à…

Aime-t-il/elle son travail?

Il/Elle aime bien son travail…

Son travail lui plaît…

      parce que c'est intéressant/bien payé.

      parce qu'il/elle aime bien travailler avec….

Il/Elle n'aime pas son travail…

Son travail ne lui plaît pas…

      parce que c'est ennuyeux/mal payé.

      parce que les horaires sont trop longs.

5a **LIRE** Reliez les dessins aux noms de jobs.

a faire du baby-sitting

b travailler dans un magasin

c travailler dans un bureau

d travailler dans une station-service

e travailler dans un restaurant

f faire du jardinage

g vendre des glaces

h distribuer des prospectus

5b **PARLER** Mémorisez les jobs dans l'ordre des dessins. Ensuite, livre fermé, énumérez-les dans le même ordre. Votre partenaire vérifie (1 point par job).

Exemple: *A: Numéro 1: travailler dans un magasin*

5c **ÉCRIRE** Notez les jobs par ordre de préférence.

6a **LIRE ÉCRIRE** Regardez les notes. Recopiez et complétez le CV pour Léa.

Curriculum Vitae

1 Nom et prénom:

2 Date de naissance:

3 Lieu de naissance:

4 Âge:

5 Nationalité:

6 Adresse, téléphone et courriel:

7 Éducation:

8 Qualifications:

9 Langues étrangères:

10 Expérience professionnelle:

11 Qualités personnelles:

12 Centres d'intérêt:

a THOMAS Léa

b Paris

c 78, rue de Bercy, 75 012 Paris
tél: 01 45 63 98 76
leathomas@hotmail.com

d calme, responsable, sociable, énergique

e les voyages, les langues, la lecture, la musique, le cinéma

f École primaire Diderot
Collège Paul Verlaine
Lycée Arago

g 30 juillet 199X

h française

i Brevet des Collèges
prépare le Baccalauréat international

j anglais, allemand

k 16 ans

l Emplois d'été: stage dans une mairie, vendeuse en magasin, baby-sitting

6b **ÉCOUTER** Écoutez pour vérifier.

Les petits boulots | *Décrire un petit boulot*

Forum-Internet
Fichier   Actions   Outils   ?

Bonjour les amis! Qu'est-ce que vous faites pour avoir de l'argent?
Moi, j'ai un peu d'argent de poche en aidant à la maison. J'aimerais bien faire un petit boulot ou avoir un job d'été pour gagner un peu plus d'argent, mais mon père ne veut pas. Est-ce que vous avez un job? Racontez-moi!

Malika

Salut Malika!

Moi, je gagne un peu d'argent en faisant du baby-sitting le week-end pour une amie de ma mère. Elle me paie huit euros de l'heure. J'ai aussi un job d'été: je suis vendeuse. Je travaille dans le magasin de vêtements de ma cousine au forum des Halles à Paris. Je commence à 11 heures le matin et je finis à 19 heures le soir, sauf le lundi quand je travaille de midi à 15 heures. Je gagne 200 euros par semaine. C'est bien payé. Par contre, c'est fatigant et assez ennuyeux parce que les vêtements et la mode, ça ne m'intéresse pas vraiment.

Léa

Je gagne un peu d'argent en distribuant des prospectus et des journaux dans mon village tous les matins. C'est mal payé mais j'aime bien parce que c'est un bon exercice physique! J'ai aussi un petit boulot à Rimouski le week-end: je travaille dans une station-service. Les horaires sont de 13h à 17h le samedi après-midi. Je suis payé 15 dollars canadiens[1] par jour. C'est assez mal payé, mais c'est intéressant parce qu'on a des contacts avec beaucoup de gens, et ce n'est pas fatigant!

Samuel

[1] 1 dollar canadien ≈ € 0,70 ≈ £0,50

1 **Lisez les messages du forum. Notez:**
   a   quatre petits boulots.
   b   les différentes façons de parler:
       – du salaire (3)
       Exemple: *Je gagne... par semaine*
       – des horaires (3)
       Exemple: *Je commence à 11 heures,...*
       – des avantages et des inconvénients du job
   c   les exemples de participe présent dans le texte.

en + participe présent
en gardant des enfants
by looking after children

67

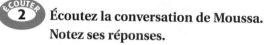 Écoutez la conversation de Moussa.
Notez ses réponses.

a   Travail (où)?
b   Horaires
c   Salaire
d   Avantages
e   Inconvénients

> * FCFA: *African franc*
> 200 FCFA ≈ € 0,30 ≈ £0,20

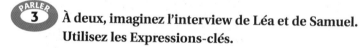 À deux, imaginez l'interview de Léa et de Samuel.
Utilisez les Expressions-clés.

PARLER 4 Jouez: "*Call my bluff!*" La classe vous pose les
questions des Expressions-clés. Vous répondez.
La classe décide si c'est vrai ou faux!
Exemple:
classe: Qu'est-ce que tu as comme job?
vous: Je donne des cours de guitare…

ÉCRIRE 5 À vous!

☆ Écrivez un message pour le forum: expliquez
comment vous gagnez de l'argent. Donnez des détails
(jobs, horaires, salaires, avantages et inconvénients).
Adaptez les textes page 110.

☆☆ Répondez à la question: "Est-ce que vous avez
déjà travaillé?" Inventez un job si vous n'avez jamais
travaillé!

Exemple: *L'année dernière, j'ai eu un petit job. J'ai
gagné un peu d'argent en travaillant dans le magasin
de mes parents. J'étais vendeur. Je commençais à 14h
et je finissais à 19h. Je gagnais trois livres de l'heure.
C'était sympa.*

Expressions-clés

Qu'est-ce que tu fais pour gagner de l'argent?
J'aide à la maison.
J'ai un petit boulot/un job d'été.

Qu'est-ce que tu as comme job?
Je n'ai pas de job.
Je suis serveur/serveuse/vendeur/vendeuse.
Je fais du baby-sitting.
Je vends des glaces.

Tu travailles où?
Je travaille dans un restaurant/un magasin.
Quels sont tes horaires?
Je commence à 9 heures et je finis à
    midi et demi.
Je travaille de 11 heures à 17 heures.

Tu gagnes combien?
Je gagne 20 euros par jour/200 euros
    par semaine.
Je suis payé(e) 8 euros de l'heure.

C'est comment?
C'est sympa et intéressant; par contre c'est
    mal payé.
C'est ennuyeux et fatigant mais c'est bien payé.

Pour obtenir de meilleures notes:
utilisez différents temps du passé.

J'ai fait un stage | *Raconter un stage en entreprise*

1 En juin dernier, j'ai fait un stage en entreprise. J'ai travaillé pour la mairie[1] de mon quartier. Je m'occupais de la lettre d'information pour les jeunes du quartier. Le stage a duré une semaine.

2 C'est ma prof d'histoire-géo qui a suggéré ce stage à la mairie parce qu'elle sait que le journalisme m'intéresse beaucoup. J'ai envoyé un CV et une lettre de motivation, j'ai eu un entretien et j'ai eu le stage.

3 Tous les matins, je partais de chez moi à 8h45, j'allais à pied au bureau et j'arrivais à 9h. C'était pratique! D'abord, le matin, je lisais et je rangeais le courrier[2]. Ensuite, je lisais les journaux et les lettres d'information des associations locales. Puis je téléphonais pour avoir plus de renseignements et prendre des rendez-vous pour le reporter.

À midi, j'allais manger à la cantine avec les collègues du bureau. C'était très sympa. L'après-midi, je sortais souvent avec le reporter pour faire des interviews et prendre des photos. En rentrant au bureau, j'écrivais des articles sur l'ordinateur. La rédactrice[3] lisait mes articles et les corrigeait. Ensuite, elle mettait les articles sur le site web de la mairie. Le soir, je quittais le bureau à cinq heures. J'étais très fatiguée!

4 J'ai beaucoup aimé cette expérience. Le bureau où je travaillais n'était pas très bien équipé ni très confortable, par contre les gens étaient très sympa et toujours prêts à m'aider. Je n'étais pas payée pendant le stage mais la rédactrice m'a donné un petit cadeau le dernier jour. C'était sympa! Ce qui m'a plu le plus, c'était de sortir avec le reporter. J'ai beaucoup aimé le contact avec les gens. Ce que j'ai le moins aimé, c'était d'écrire les articles, parce que je ne suis pas très bonne en français et que je fais plein de fautes! Heureusement, l'ordinateur les corrigeait!

5 J'ai appris beaucoup de choses pendant mon stage, surtout comment faire des reportages. Je pense que le travail de reporter est vraiment très intéressant. Par contre, ce n'est pas très bien payé, les journées sont longues et c'est fatigant parce qu'il faut beaucoup se déplacer.

6 Plus tard, je voudrais devenir photographe ou reporter. J'aimerais bien travailler pour la télévision parce que le travail est passionnant et surtout très varié.

[1] town hall
[2] mail
[3] editor

Rapport de stage en entreprise

1 Où as-tu fait ton stage en entreprise?

2 Comment as-tu trouvé ce stage?

3 C'était quand et pendant combien de temps?

4 Quels étaient tes horaires?

5 Combien étais-tu payé(e)?

6 Que faisais-tu pendant la journée?

7 Qu'as-tu pensé de ton stage?

8 Quels étaient les avantages?

9 Quels étaient les inconvénients?

10 Aimerais-tu faire ce métier plus tard? Pourquoi?

1 Écoutez et lisez le rapport de stage de Léa. Notez les idées-clés pour chaque paragraphe.

Exemple: *1 J'ai fait un stage dans une mairie pendant une semaine.*

2a Lisez les questions à droite et complétez les Expressions-clés pour Léa.

Exemple: *J'ai fait mon stage dans une mairie.*

2b Notez les phrases utiles pour écrire un rapport de stage.

Exemple: *J'ai fait un stage en entreprise. J'ai travaillé pour….; Je m'occupais de….; le stage a duré…*

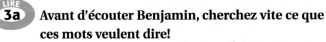

Benjamin

3a Avant d'écouter Benjamin, cherchez vite ce que ces mots veulent dire!

a une agence immobilière; **b** avoir de la chance; **c** les frais de transport; **d** classer; **e** donner envie; **f** la formation

3b Écoutez et notez les réponses de Benjamin aux questions de son directeur de stage.

4 À deux, imaginez la conversation de Léa avec son directeur de stage.

Exemple:

A: Où as-tu fait ton stage en entreprise?

B: J'ai fait mon stage à la mairie de mon quartier…

5 À vous!

○ Utilisez les idées-clés (de l'activité 1) ou vos notes (activité 3b) et expliquez le stage de Léa ou de Benjamin. Utilisez *elle* ou *il*.

Exemple: *Elle a fait un stage à la mairie de son quartier./ Il a fait un stage dans une agence immobilière.*

○○ Utilisez les phrases utiles (activité 2b) et les questions (activité 3) pour écrire votre propre rapport de stage.

Si vous n'avez pas encore fait de stage, inventez les détails de votre stage idéal! (150 mots)

Expressions-clés

J'ai fait mon stage à/en/dans…

J'ai trouvé mon stage…

C'était en… pendant…

Je travaillais de… h à… h.

Je gagnais… euros./Je n'étais pas payé(e).

Je m'occupais de…

Je faisais…

J'allais….

C'était super/sympa, etc.

Ce qui m'a plu le plus, c'est de…

Ce que j'ai le moins aimé, c'est de…

J'aimerais/Je n'aimerais pas faire ce métier parce que…

Trouver du boulot | *Parler au téléphone; postuler pour un job*

Hôtel-Restaurant La Vanoise
On cherche serveur/serveuse pendant la saison
Contacter *André Simon*
Tél: 02 79 07 89 67
Courriel: asimon-lavanoise@wanadoo.fr

 1a Lisez l'annonce et écoutez les trois conversations:
– notez les noms, les numéros de téléphone,
les courriels
– qui parle à M. Simon?

 1b Réécoutez la réceptionniste. Comment dit-elle…?

a Can I help you?

b Hold the line.

c I'm sorry, M. Simon's line is busy.

d Could he call you back?

e Who's speaking?

f Could I have your contact details?

g I'll pass on your message.

h Would you like to leave a message?

i I'll put you through.

j You're welcome.

 2 Lisez les deux annonces ci-dessous et, à deux,
inventez des dialogues en adaptant les
Expressions-clés. Ensuite, changez de rôles.
A = le/la réceptionniste   B = le/la candidat(e)
Exemple:
A: *Café des Tribunaux, j'écoute?*
B: *Bonjour. Je pourrais parler à Madame Sarzeau,
s'il vous plaît?…*

Révisez les nombres difficiles!
70 = 60 + 10 = soixante-dix
80 = 4 x 20 = quatre-vingts
90 = 4 x 20 + 10 = quatre-vingt-dix

Les numéros de téléphone français se disent
par blocs de deux chiffres:
04 – 43 – 56 – 68 – 98

Expressions-clés
Allô, …, j'écoute?
    Bonjour. Est-ce que je peux/Je pourrais/
    Je voudrais parler à…, s'il vous plaît.
Ne quittez pas. Je vous le passe.
Je regrette, … est déjà en ligne/est absent(e).
Vous pouvez rappeler un peu plus tard?
Il/Elle peut vous rappeler à quelle heure?
    À partir de six heures.
    Je peux laisser un message?
C'est de la part de qui?
    Je suis… J'appelle au sujet du poste de…
Vous pouvez me donner vos coordonnées?
    Oui, je vous laisse mes coordonnées.
    Je suis…. Mon numéro de portable,
    c'est le… et mon courriel, c'est….
Très bien, je transmettrai votre message.
    Au revoir madame/monsieur, et merci!
Je vous en prie.

Camping du Soleil Levant
On demande réceptionniste
1-31 août
S'adresser au Directeur du personnel
Tél: 04 98 67 43 67

Café des Tribunaux
On recherche plongeur/plongeuse
pour juillet/août
Mme Sarzeau
Tél: 02 38 21 08 56

Léa Thomas
78, rue de Bercy
75012 Paris
tél: 01 45 63 98 76
leathomas@hotmail.com

Sylvie Biot
Hôtel l'Océan
14, rue des Vénètes
56610 ARRADON

Paris, le 17 mai...

Madame

J'ai lu votre annonce dans le journal Espace Jeunes.
Je voudrais poser ma candidature au poste de **1** et je joins **2**.
Je pense avoir les qualités idéales pour le poste. Je suis **3** et **4**
et je parle trois langues (français, anglais et **5**), ce qui est très
utile avec les clients étrangers.
J'ai déjà une expérience professionnelle: j'ai été vendeuse
dans un **6** et j'ai fait un stage à **7** comme assistante-reporter.
C'était très intéressant parce que j'ai énormément appris sur
les contacts avec le public. Je m'occupe aussi souvent **8**.
J'aimerais travailler un mois, de préférence en août. Je
pourrai travailler jusqu'au 31 août car mes cours reprendront
le 2 septembre.
J'espère que vous considérerez ma candidature
favorablement.
Veuillez agréer, Madame, l'expression de mes sentiments
respectueux.

Léa Thomas

---

*Espace Jeunes * Jobs d'été*

Réceptionniste
Pour une personne dynamique et sociable
Expérience préférable mais pas essentielle
Langues: anglais + espagnol ou allemand
Lettre de motivation et CV à adresser à:
Sylvie Biot
Hôtel l'Océan
14, rue des Vénètes, 56610 ARRADON
Tél: 02 97 44 23 13, Fax: 02 97 44 23 47
info@hotelocean.com

 3a Lisez l'annonce et relisez le CV de Léa, page 109.
Recopiez et complétez sa lettre de motivation avec
les détails appropriés parmi ceux de la boîte.

* réceptionniste/serveuse
* mon CV/ma lettre
  de motivation
* énergique/calme
* responsable/sociable
* allemand/espagnol
* magasin/lycée
* la mairie/un journal
* d'argent/d'enfants

 3b Écoutez Léa et vérifiez.

 4 Trouvez dans la lettre des expressions synonymes de:
a postuler; **b** la position; **c** j'inclus; **d** je crois que j'ai;
e les aptitudes requises; **f** j'ai déjà travaillé; **g** si possible;
h ma demande d'emploi; **i** Veuillez agréer l'expression
de mes meilleurs sentiments

 5 Lisez le CV de Julien. Écrivez sa lettre de motivation
pour l'annonce de l'hôtel l'Océan.

 6 À vous!

✪ Préparez votre CV en français.

✪✪ Choisissez une annonce et écrivez votre lettre de motivation selon le
modèle de la lettre de Léa ou avec les expressions de l'activité 4.

Curriculum Vitae

Nom: BORELLI
Prénom: Julien
Adresse: Cité Émile Zola,
Appt. 12C,
35300 Rennes
Tél: 02 99 28 55 84
Âge: 16 ans
Nationalité: français

Formation
Élève de seconde au Lycée Mariette à Rennes

Langues étrangères
Anglais, italien (niveau élémentaire)

Expérience
Serveur chez McDonald
Caissier au Ciné-club Lumière à Rennes

Loisirs
Membre du ciné-club, membre du club théâtre
du lycée. Autres passe-temps: la lecture, la photo,
la pêche

Projets d'avenir | *Dire ce qu'on veut faire plus tard*

1

Après le lycée, je voudrais devenir hôtesse de l'air. Mes parents pensent que je devrais continuer mes études, avoir des diplômes et trouver un emploi stable dans l'administration. Moi, je sais que je ne serai jamais heureuse dans un bureau! Alors, pour le moment, je ne sais pas ce que je vais faire!

2

Quand j'aurai le DES[1], je continuerai mes études de sport. Comme le ski et le surf c'est ma passion, j'aimerais vraiment devenir moniteur. Ma mère m'a dit qu'elle m'aiderait à payer mes études. J'ai aussi l'intention de faire des petits boulots pour gagner de l'argent.

[1] diplômes d'études secondaires

3

Dans deux ans, je vais passer[1] le Bac. Quand je l'aurai, je partirai à l'étranger pendant un an. Soit[2] j'irai dans plusieurs pays, soit[2] je travaillerai dans un endroit, je ne sais pas encore. En tout cas, mes parents disent que ça serait une super expérience! Après, je reviendrai et j'irai à l'université. J'aimerais faire des études de journalisme.

[1] to sit (an exam)
[2] either…or

4

L'année prochaine, je vais passer une audition pour entrer à l'école supérieure de musique d'Alger. Là, j'étudierai la musique pendant au moins quatre ans. Mon rêve, c'est de devenir pianiste de concert et j'ai bien l'intention d'y arriver! Mes parents seraient tellement fiers[1] de moi!

[1] so proud

5

Je veux arrêter l'école. Je n'aime pas ça et mes parents ne pourraient pas me payer d'études de toute façon. L'année prochaine, j'ai l'intention de travailler comme apprenti mécanicien chez un garagiste et après je vais chercher un travail à plein temps[1]. Plus tard, j'aurai peut-être mon propre garage.

[1] full time

6

Après le Bac[1], je voudrais faire des études universitaires. J'aimerais vraiment devenir ingénieur. Mon rêve depuis que je suis tout petit, c'est de construire des ponts! Mon père n'est pas d'accord: il espère que je reprendrai le restaurant quand il sera à la retraite. Moi, ça ne m'intéresse pas et, en plus, je gagnerais plus d'argent comme ingénieur!

[1] le Baccalauréat

Moussa

Malika

Léa

Samuel

Lucie

Jonathan

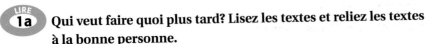

1a Qui veut faire quoi plus tard? Lisez les textes et reliez les textes à la bonne personne.

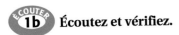

1b Écoutez et vérifiez.

2a **Relisez les textes. Qui …**

a veut faire une formation professionnelle? (2)

b veut prendre une année sabbatique[1]? (1)

c veut faire des études supérieures? (4)

[1] gap year

d s'oppose à ses parents? (2)

e va travailler pour payer ses études? (1)

f voudrait suivre sa passion? (3)

2b **Notez toutes les expressions utilisées pour parler de projets en trois listes:**

a projets certains *(aller + inf.): Je vais passer…*

b projets plus lointains *(futur simple): Je partirai*

c rêves *(conditionnel): J'aimerais bien*

Voir Zoom grammaire, pages 118–119.

Expressions-clés

1 *Quels examens vas-tu passer cette année?*
Cette année, je vais passer le Brevet des Collèges/le GCSE/les Standard Grades, etc.

2 *Qu'est-ce que tu vas faire après?*
L'année prochaine, je vais préparer le Bac/les A-levels/les Highers/un concours.
Je vais quitter l'école et travailler.

3 *Qu'est-ce que tu voudrais faire plus tard?*

Je veux	trouver un emploi.
J'ai l'intention de	faire une formation professionnelle.
Je voudrais	prendre une année sabbatique.
J'aimerais bien	faire des études à l'université.
Mon rêve, c'est de	devenir prof de français.

---

3 **Écoutez six jeunes. Qui:**

a veut continuer l'école? **b** veut quitter l'école? **c** ne sait pas?

4 **Posez les questions des Expressions-clés à votre partenaire. Ensuite, changez de rôles et répondez. Notez ses réponses.**

Exemple:

A: Quels examens vas-tu passer cette année?

B: Je vais passer le GCSE en huit matières: maths, sciences, anglais, français, histoire, éducation religieuse, technologie et informatique.

5 **Micro-trottoir: "Comment sera votre vie dans 20 ans?"**
Écoutez et notez les réponses (1–3).

Exemple: *Dans vingt ans, j'aurai… je serai…, j'irai… etc.*

Verbes au futur simple: voir page 118.

6 **Étudiez ces deux textes écrits par la même personne: A = avant corrections, B = après. Discutez, en anglais, comment elle a amélioré son texte.**

"Écrivez 50–70 mots en réponse à la question de l'activité 5."

A À trente-cinq ans, je pense que j'aurai une famille avec trois enfants. Je travaillerai: je voudrais être architecte. On sera assez riches, on habitera une belle maison près de la mer et on ira en vacances en Inde plusieurs fois par an. Je serai heureuse, j'espère!

B À mon avis, quand j'aurai trente-cinq ans, j'aurai une famille parce que j'ai toujours voulu avoir trois enfants. Je travaillerai sûrement car pour moi, une carrière, c'est important: j'ai l'intention de devenir architecte. On sera riches, on habitera une belle maison en bordure de mer et on ira souvent en vacances. Mon grand rêve, c'est d'aller en Inde plusieurs fois par an! J'espère que je serai heureuse!

---

7 **À vous!**

⚬ **Quels sont les projets d'avenir de votre partenaire? Relisez vos notes de l'activité 4 et écrivez 50–70 mots. Échangez vos textes!**

Exemple: *L'année prochaine, Ross va passer le GCSE en huit matières…*

⚬⚬ **Expliquez en 150 mots comment vous envisagez votre avenir (examens, études, formation, emploi, projets, rêves, etc.). Utilisez des temps différents.**

Exemple: *Quand j'étais petit, je rêvais d'être pilote d'avion… Dans deux ans, je vais aller à l'université… Après, j'irai…*

Zoom grammaire | *The future tense and the conditional*

> **Toto**: Maîtresse, pourquoi on fait une photo de classe?
> **Maîtresse**: Eh bien, imagine Toto, ce sera un super souvenir dans trente ans, quand Amélie sera médecin, quand Lisa aura quatre enfants, quand Lucien travaillera comme pompier, quand Léa ira en Australie, quand Jules conduira une Ferrari, quand Théo partira en vacances sur la Lune…

> **Toto**: Et quand vous, vous serez vieille, ridée[1] et que vous n'aurez plus de dents!
>
> [1] wrinkled

To talk about the future

- Use the present tense for an event which is certain to happen very soon:
  *Je **pars** ce soir.*
  *Je **vais** au cinéma ce soir.*

- Use *aller* + infinitive for an event which is going to take place in the future:
  *Il **va partir** vers 18h.*
  *Il **va étudier** les maths à l'université l'année prochaine.*

- Use the future tense:
  a for future plans that are not 100% certain:
  *J'**irai** probablement à l'université.*
  b to predict the future:
  *Dans dix ans, il **sera** professeur à l'université.*
  c to say what will definitely happen if or when something else happens:
  *Si j'ai mon bac, **j'irai** à l'université.*
  If I pass the baccalaureate, I'll go to university.
  *Quand il **sera*** à la retraite, il **ira** habiter en France.*
  When he retires, he'll go and live in France.
  (* NB: not a present tense as in English)

- Use a conditional phrase for plans that you wish would happen:
  *Je **voudrais/J'aimerais aller** à l'université l'année prochaine.*
  I'd **like to go** to university next year.

- Use a verb in the conditional for something that would happen if something else did:
  *J'**irais** à l'université si j'avais assez d'argent.*
  I **would go** to university if I had enough money.

How to form the future tense

The future is one of the simplest tenses to form, with only one set of endings for most verbs.

- for *-er* and *-ir* verbs, add the ending to the infinitive.

- for *-re* verbs, drop the final e before adding the ending.

aimer		sortir		prendre	
j'	aimer**ai**	je	sortir**ai**	je	prendr**ai**
tu	aimer**as**	tu	sortir**as**	tu	prendr**as**
il/elle/on	aimer**a**	il/elle/on	sortir**a**	il/elle/on	prendr**a**
nous	aimer**ons**	nous	sortir**ons**	nous	prendr**ons**
vous	aimer**ez**	vous	sortir**ez**	vous	prendr**ez**
ils/elles	aimer**ont**	ils/elles	sortir**ont**	ils/elles	prendr**ont**

How to form the conditional

The conditional is as easy as the future tense. It uses the same verb stem with the following endings.

aimer		sortir		prendre	
j'	aimer**ais**	je	sortir**ais**	je	prendr**ais**
tu	aimer**ais**	tu	sortir**ais**	tu	prendr**ais**
il/elle/on	aimer**ait**	il/elle/on	sortir**ait**	il/elle/on	prendr**ait**
nous	aimer**ions**	nous	sortir**ions**	nous	prendr**ions**
vous	aimer**iez**	vous	sortir**iez**	vous	prendr**iez**
ils/elles	aimer**aient**	ils/elles	sortir**aient**	ils/elles	prendr**aient**

Irregular verb stems

Learn these common irregular verb stems in the future and conditional:

avoir → aur-   être → ser-   aller → ir-   devoir → devr-   faire → fer-
pouvoir → pourr-   venir → viendr-   vouloir → voudr-   voir → verr-   savoir → saur-

1a **LIRE** Read the joke on page 118 and find all the verbs in the future. Which are regular verbs? Which are irregular?

1b **ÉCRIRE** Change all the verbs into the conditional.
Example: *ce serait un super souvenir…*

2 **ÉCRIRE** Copy the sentences, changing the infinitives in brackets to future tense verbs.
a   À dix-huit ans, il [**quitter**] la maison.
b   Après sa formation de prof, elle [**enseigner**] à plein temps.
c   J'[**aller**] le voir quand il [**être**] à l'université.
d   Un jour, nous [**vivre**] tous jusqu'à 150 ans.

3 **ÉCRIRE** Predict the future! Finish the sentences in two different ways:

☺ vous êtes optimiste   ☹ vous êtes pessimiste

Example: ☺ *Bientôt, il n'y aura plus de guerres.*

☹ *Bientôt, il n'y aura plus d'air pur*.

a   Bientôt, il n'y aura plus de…
b   On ne pourra plus…
c   Par contre, on fera…
d   Sur la Terre entière, ce sera…

4a **ÉCRIRE** Future or conditional? Fill in with the correct form of the verb.
a   Si tu pouvais, tu [**aller**] à l'université?
b   Non, si j'avais assez d'argent, je [**prendre**] une année sabbatique.
c   Dans dix ans, j'achèterai une maison et je la [**donner**] à ma mère.
d   J'espère que vous [**venir**] me voir bientôt!
e   J'[**aimer**] bien pouvoir voyager dans le temps.
f   Je pense qu'il [**aimer**] le film ce soir.

4b **LIRE ÉCRIRE** Which sentences above could you rewrite using *aller* + infinitive?

Un jour, je serai footballeur professionnel.

Le foot, ce n'est pas une question de vie ou de mort… c'est beaucoup plus!

1 Before the exam
- Create your own personal vocabulary lists for each topic (see diagram).
- Learn the most common verbs in the past, present and future tenses.
- Go over old work, understand the corrections and rewrite it without any mistakes.
- Get familiar with the task types required in the exam: informal or formal letters, factual or imaginative texts, articles and job applications.

ÉCRIRE 1a Recopiez et complétez avec vos détails personnels.

If possible, base your writing on something that you've experienced. If not, research and invent details!

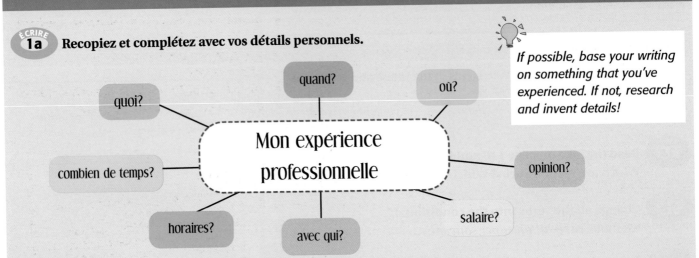

Mon expérience professionnelle

- quoi?
- quand?
- où?
- combien de temps?
- opinion?
- horaires?
- avec qui?
- salaire?

LIRE 1b Vous devez écrire une lettre. Choisissez les expressions pour:
- **a** une lettre à un(e) ami(e) ou correspondant(e)
- **b** une lettre officielle

Pour commencer:	Pour finir:
1 Madame/Monsieur	4 Avec toute mon amitié/Grosses bises
2 Cher/Chère Dominique	5 À bientôt
3 Cher Monsieur Dutronc	6 Veuillez agréer, madame/monsieur, l'expression de mes meilleurs sentiments

Remember: always start and finish your letters appropriately.

2 During the exam
- Read the questions very carefully.
- Plan what to write. Build in opportunities to say something about the past and the future.
- Give clear and accurate answers.
- Write complex sentences, using connectives if possible.

Remember to use link words: et, mais, par contre, parce que, quand, où, qui, etc.

ÉCRIRE 2 Écrivez une lettre (120 mots) pour répondre à cette annonce et poser votre candidature. Dites: (1) si vous parlez bien français; (2) si vous êtes allé(e) en France; (3) si vous avez une expérience professionnelle; (4) vos qualités pour le job; (5) pourquoi vous voulez ce job; (6) quand vous êtes disponible.

Supermarché 7/7 - Boulogne-sur-Mer recherche vendeur/ vendeuse pour l'été. Contactez le directeur du personnel: M. Hestain

3 After writing
– **Check that you have answered all questions fully.**
– **Check that all sentences make sense and that no words are missing.**
– **Check for grammatical and spelling accuracy.**
– **Look for ways to improve, e.g. avoid repetition, add adjectives, interesting ideas, opinions, etc.**

LIRE 3 Lisez ces deux lettres. Choisissez la meilleure et dites pourquoi.

Check accuracy of:
- *determiners, nouns and adjectives: spelling? gender? singular? plural?*
- *verbs: correct ending for the subject? correct tense?*
- *correct use of être/avoir in the perfect tense?*
- *agreement of the past participle?*

A

18 Corner Street
Middletown
luckynumber@hotmail.com

M. Hestain
Directeur du Personnel
Supermarché 7/7
Boulogne-sur-mer

Middletown, le 17 mai

Monsieur

Je voudrais poser ma candidature au poste de vendeur. Je pense avoir les qualités et l'expérience nécessaires.
J'apprends le français depuis quatre ans et je viens d'avoir d'excellentes notes à mon examen!
Je connais déjà Boulogne parce que j'y suis allé l'année dernière, chez mon correspondant qui habite à côté.
J'ai une expérience professionnelle: j'ai distribué les journaux, j'ai fait du baby-sitting et je serai vendeur dans le magasin de mon père cet hiver.
Je suis calme, sérieux, organisé et sociable ce qui est, à mon avis, très utile pour le poste. J'aimerais faire ce travail parce que je voudrais séjourner en France où j'ai l'intention de beaucoup parler français. Je pourrais ainsi améliorer mon français! Je suis libre du 1 au 31 août, quand je retournerai au lycée.
Veuillez agréer, monsieur, l'expression de mes meilleurs sentiments

Ramesh Patel

B

Monsieur,

Je voudrais poser ma candidature au poste de vendeur dans votre magasin.
J'apprends le français depuis quatre ans. Je suis allé à Boulogne l'année dernière. J'ai déjà eu des petits boulots, comme distribuer les journaux et du baby-sitting. Je suis calme, sérieux, organisé et sociable.
Je voudrais faire ce travail parce que je voudrais être en France et je voudrais améliorer mon français. Je suis libre du 1 au 31 août.
À bientôt!

Tom Watkins

4 Top tips for top grades
1 **Answer the questions fully.**
2 **Use a wide range of structures and tenses.**
3 **Use different tenses accurately.**
4 **Explain and justify opinions.**
5 **Keep to the point and be accurate.**

An answer will get top grades if it contains:
- *a range of vocabulary and structures (e.g. venir de, see page 223)*
- *link words and relative pronouns (see Unit 9)*
- *a range of tenses*
- *a range of opinions with appropriate phrases (à mon avis, je pense que…, par exemple, en ce qui concerne…).*

 Parlons-en!

À deux, répondez aux questions.

1 Que font tes parents?
2 Tu as déjà travaillé?
3 C'était comment?
4 Quel métier aimerais-tu faire?
5 Quels examens vas-tu passer l'année prochaine?
6 Quels sont tes projets pour l'avenir?

Vocabulaire

Les petits boulots

Qu'est-ce que tu fais pour
  gagner de l'argent?
J'aide à la maison.
J'ai un petit boulot/
  un job d'été.
Je fais du baby-sitting
Je travaille dans un magasin.
un bureau
une station-service
un restaurant
Je fais du jardinage.
Je vends des glaces.
Je distribue des prospectus.

Qu'est-ce que tu as comme job?

Je n'ai pas de job.
Je suis serveur/serveuse.
Tu travailles où?
Je travaille dans un restaurant.
Quels sont tes horaires?
Je commence à neuf heures
  et je finis à midi et demi.
Je travaille de 11 heures
  à 17 heures.
Tu gagnes combien?
Je gagne X euros/livres par
  jour/semaine.
Je suis payé(e) huit euros
  de l'heure.
C'est comment?
C'est sympa et intéressant;
  par contre, c'est mal payé.
C'est ennuyeux et fatigant
  mais c'est bien payé.

Mon stage en entreprise

J'ai fait mon stage dans un
  magasin/un bureau.
J'ai trouvé mon stage
  intéressant.
C'était en mai pendant
  deux semaines.
Je travaillais de neuf
  heures à quatre heures.
Je gagnais sept euros
  de l'heure.
Je n'étais pas payé(e).
Je m'occupais de…
Je faisais…/J'allais…
C'était super/sympa.
Ce qui m'a plu le plus,
  c'est de…
Ce que j'ai le moins aimé,
  c'est de…
J'aimerais/Je n'aimerais
  pas faire ce métier.

Part-time jobs

What do you do to earn money?

I help in the house.
*I have a part-time job/
  summer job.*
I babysit.
I work in a shop.
an office
a filling station
a restaurant
I do gardening.
I sell ice creams.
I deliver leaflets.

What job do you have?

I don't have a job.
I'm a waiter/waitress.
Where do you work?
I work in a restaurant.
What hours do you work?
*I start at nine o'clock and
  I finish at half past twelve.*
I work from 11 till 5.

How much do you earn?
*I earn X euros/pounds a
  day/week.*
I'm paid eight euros an hour.

What's it like?
*It's nice and interesting;
  on the other hand it's badly paid.*
*It's boring and tiring but it's
  well paid.*

My work experience

*I did my work experience in
  a shop/an office.*
*I found my work experience
  interesting.*
It was for two weeks in May.

*I worked from nine o'clock to
  four o'clock.*
I earned seven euros an hour.

I wasn't paid.
I looked after…
I did…/I went…
It was great/nice.
What I liked best was…

What I liked least was…

*I would/wouldn't like to do
  this job.*

Les métiers

Que fait ton père/ta mère?

Il/Elle est médecin.
Où travaille-t-il/elle?
Il/Elle travaille dans un hôpital.
Aime-t-il/elle son travail?
Il/Elle aime bien son travail/
  Son travail lui plaît.
Il/Elle n'aime pas son travail./
  Son travail ne lui plaît pas.
C'est intéressant/ennuyeux.
C'est bien/mal payé.
Il/Elle aime bien travailler
  avec les enfants.
Les horaires sont trop longs.

Au téléphone

Je pourrais/Est-ce que je
  peux parler à M. Simon,
  s'il vous plaît?
Je voudrais parler à
  M. Simon, s'il vous plaît.
Il peut me rappeler à partir
  de six heures.
Je peux laisser un message?
J'appelle au sujet du poste
  de vendeur.
Je vous laisse mes
  coordonnées.
Mon numéro de portable,
  c'est le…
Mon courriel, c'est….

Projets d'avenir

Quels examens vas-tu
  passer cette année?
Cette année, je vais passer
  le GCSE/les Standard
  Grades.
Qu'est-ce que tu vas
  faire après?
L'année prochaine, je vais
  préparer les A-levels/
  les Highers/un concours.
Je vais quitter l'école
  et travailler.
Qu'est-ce que tu voudrais
  faire plus tard?
Je veux trouver un emploi.
J'ai l'intention de faire une
  formation professionnelle.
Je voudrais prendre une
  année sabbatique.
J'aimerais bien faire des
  études à l'université.
Mon rêve, c'est de devenir
  prof de français.

Jobs

*What does your father/
  mother do?*
He/She is a doctor.
Where does he/she work?
He/She works in a hospital.
Does he/she like his/her work?
He/She likes his/her work.

*He/She doesn't like
  his/her work.*
It's interesting/boring.
It's well/badly paid.
*He/She likes working with
  children.*
The hours are too long.

On the telephone

*Could I/Can I speak to
  M. Simon, please?*

*I'd like to speak to
  M. Simon, please.*
*He can call me back after
  six o'clock.*
May I leave a message?
*I'm calling about the
  waiter position.*
*I'll give you my
  contact details.*
*My mobile phone
  number is…*
My email address is…

Future plans

*What exams are you taking
  this year?*
*This year, I am taking my
  GCSE/Standard Grade exams.*

*What are you going to do
  afterwards?*
*Next year, I am going to
  study for my A-levels/
  Highers/an entrance exam.*
*I am going to leave school
  and work.*
What would you like to do later?

I want to find a job.
*I'm planning to do professional
  training.*
I would like to take a gap year.

*I would like to study at
  at university.*
*I dream of being a French
  teacher.*

8 On sort?

Contexts: going out, leisure activities, going to cafés and restaurants

Grammar: negatives

Skill focus: speaking: discussion after a presentation

Cultural focus: leisure activities, French cafés and restaurants, regional food

Rappelez-vous!

1a **Regardez et répondez. Comparez avec votre partenaire.**

   a Où sont-ils?

   b Qu'est-ce qu'ils font?

   c Qu'est-ce qu'ils pensent?

   d Qu'est-ce qu'ils disent?

   e Qu'est-ce qui s'est passé avant?

   f Qu'est-ce que qui va se passer ensuite?

1b **À deux, imaginez la conversation.**

1c **Notez le plus possible de mots associés à l'image.**

Écoutez (1–5). Quand ils sortent, ils vont…?

Exemple: *1 – f,…*

a   au cinéma

b   à la piscine

c   chez des copains

d   au centre sportif

e   au centre commercial

f   à un concert ou en boîte

g   à un match de sport

h   au café

2b **Et vous? A pose des questions pour les endroits a–h.**
B répond. Ensuite, changez de rôles.

Exemple:

A: *Quand tu sors, tu vas au cinéma?*

B: *Oui, le plus souvent/de temps en temps/le samedi*
soir/quand j'ai de l'argent, je vais au cinéma.

ou Non, je ne vais jamais/pas souvent au cinéma.

3a **Recopiez le menu. Complétez avec les mots de la boîte.**
Quel mot reste?

un …… -frites

du …… avec des
pâtes au beurre

un sandwich au ……

un hot-dog avec des ……

un ……

un coca

une ……

un jus de ……

bière
fromage
pamplemousse
crêpe
hamburger
café
poulet
oignons

3b **Qu'est-ce qu'ils ont commandé?**

Exemple: *a Ça fait quatre euros. = Un hamburger-frites.*
ou Un sandwich au fromage et un café.

a   Ça fait quatre euros.

b   Ça fait six euros cinquante.

c   Ça fait cinq euros
quatre-vingt-dix.

d   Ça fait cinq euros vingt.

e   Ça fait neuf euros.

f   Ça fait huit euros
soixante-dix.

3c **Regardez le menu. A commande, B donne le total.**

Exemple:

A: *Je voudrais un sandwich au fromage et un jus de*
pamplemousse, s'il vous plaît.

B: *Alors, trois euros et un euro soixante-dix,*
ça fait quatre euros soixante-dix.

3 MN

4 **Faites deux listes des mots à droite: à manger/à boire.**
Trouvez l'équivalent en anglais.

Exemple:

À manger: une glace à la vanille – vanilla ice-cream

À boire: un café-crème – white coffee

un café-crème
une glace à la vanille
un chocolat chaud
un croque-monsieur
un thé au lait
un jus de pomme
UNE PIZZA AUX
CHAMPIGNONS
une orange pressée
une limonade
une crêpe au chocolat
un croissant
un Orangina
un vin blanc
un pain au chocolat
une eau minérale
un sandwich au jambon

5a Lisez les annonces 1–4. Quelle annonce vous attire?

a Vous voulez faire du roller.

b Vous aimez la musique.

c Vous avez envie d'aller au cinéma.

d Vous aimez les sports à sensation forte.

5b Répondez en anglais.

a What day of the week is the Reggae Bash?

b What time does it start?

c How much are the tickets and where can you buy them?

d Is the rollerblading school indoor, outdoor or both?

e When can you enrol?

f What activities are mentioned in the Aventure Sports Loisirs ad?

g How many screens are there at the Multiplex cinema?

h Where is the cinema?

i When are films shown in the mornings?

j How can you see a film without paying full price? (2 ways)

5c Écoutez (1–5). Notez le numéro de téléphone. Comparez avec les annonces. Ils téléphonent où?

1

PLUS GRAND, PLUS PRÈS.

Votre MULTIPLEX du centre ville d'Annecy

10 Salles - 10 Films pour tous les goûts

Nouveaux horaires
14h00-16h45-19h30-22h15

+mercredi, samedi, dimanche et jours de fête : séances matinales à 11h et également de nombreuses avant-premières avec Prix réduit.

Et sa carte d'abonnement CINÉ-CASH, un cadeau idéal pour vos proches pour aller *plus* souvent au cinéma en payant *moins* cher !

Décavision

TÉL. 04 50 52 58 30
FAX 04 50 52 58 31
RÉPONDEUR 04 50 52 58 32

2

CLINTON FEARON & Boogie Brown Band

The Viceroys

mate m nk

N.E.E.F.A, le FJEP et All in One Production présentent

REGGAE BASH

Mer 29 sept 20h30
Salle des Sociétés

Saint Jorioz

14€ en locations : Fnac, Carrefour, 0 892 68 3622 (0,34€ ttc/min)
Locations conseillées

6 A dit un numéro, B donne l'endroit.

Annecy – numéros utiles	
Parc des Sports	04 50 46 92 87
Salle Renoir	04 50 57 07 84
MJC Novel	04 50 33 44 11
Théâtre	04 50 46 08 97
Exposition photos	06 16 53 78 17

3

Aventure Sports Loisirs

Depuis + de 12 ans tous les jeunes de **25/38 ans**, du bassin Annécien se retrouvent en toute convivialité et profitent de la vie au cours de plus de 45 activités sports et loisirs accessibles à tous!

RAFT, HYDRO, RANDO, SKI, GROSSE BOUFFE EN REFUGE, ETC...

Téléphone vite à Olivier et viens faire notre connaissance: 06 84 10 90 90

rando = randonnée
grosse bouffe – big meal
refuge – hut

4

ANNECY ROLLER
Ecole de Roller

Cours Adultes et enfants
Intérieur et extérieur

Infos et Inscriptions
les 31 août, 1er, 7 et 8 septembre de 17h à 20h
9 AV. DE LA MANDALLAZ
74000 ANNECY
TEL 04 50 51 26 79
www.annecyroller.com

Tu veux sortir?

Inviter quelqu'un et organiser un rendez-vous

Samuel invite Manon au bowling.

Samuel: Tu es libre <u>vendredi soir</u>? Tu veux aller <u>au bowling</u>?

Manon: Ah non, je suis désolée. <u>Vendredi soir</u>, je ne peux pas. <u>C'est l'anniversaire de mon frère</u>. Je regrette mais je dois <u>rester à la maison</u>.

Samuel: <u>Samedi</u> alors? Tu veux sortir <u>samedi soir</u>?

Manon: D'accord. Mais je n'aime pas beaucoup <u>le bowling</u>. <u>J'aimerais mieux aller à la patinoire</u>. Et toi?

Samuel: D'accord. Je veux bien.

 1a Écoutez et lisez. Notez comment:

   a Samuel propose une sortie.
   b Manon refuse.
   c elle propose une autre activité.
   d il accepte.

 1b Avec un(e) partenaire, jouez les rôles de Samuel et de Manon.

 1c Adaptez la conversation. Changez les éléments soulignés.

> Samuel invite Manon à la piscine mercredi après-midi mais elle doit faire du baby-sitting. Ils décident d'aller à un concert vendredi soir.

 2 Écoutez (1-4). Notez
   • l'activité proposée
   • si on accepte, refuse ou propose une autre activité.

 3 A invite B. B refuse et propose une autre activité. A accepte.

Expressions-clés

Pour inviter

Tu es libre	ce week-end?
	demain?
	samedi soir?
Tu veux	aller au bowling?
	faire les magasins?
	venir chez moi?

Pour accepter/refuser/s'excuser

Oui. D'accord. Je veux bien.	
Ça dépend.	
Je ne peux pas.	
Je suis désolé(e)	mais je sors avec Anne samedi.
Je regrette	mais je dois rester à la maison.

Pour proposer une autre activité

| J'aimerais mieux | aller à la patinoire. |
| | faire un tour à vélo. |

à + le/la/les
le cinéma → Tu veux aller **au** cinéma?
la piscine → Je préfère aller **à la** piscine.
les échecs → Si on jouait **aux** échecs?

4a Lisez le dialogue à droite. Ensuite, écoutez. À la fin du dialogue audio, Manon change quel détail du rendez-vous? Pourquoi?

 4b Écoutez (1–5) et notez les détails des rendez-vous.
Exemple: *1 – 9h20, à la gare*

 5a Écoutez et lisez la Conversation-clé. Qu'est-ce qu'ils achètent?

 5b Lisez la Conversation-clé à haute voix avec votre partenaire.

 5c Adaptez la Conversation-clé pour:
a un adulte
b un adulte et trois enfants
c quatre adultes.

Où? Quand?

Manon: Où est-ce qu'on se retrouve?
Samuel: Je peux passer chez toi si tu veux?
Manon: Euh, non… ce n'est pas la peine. On se retrouve devant le bowling?
Samuel: D'accord, si tu veux. On se retrouve à quelle heure?
Manon: À sept heures dix.
Samuel: OK! On se retrouve samedi à sept heures dix devant le bowling. À samedi!
Manon: À samedi!

MATCH AMICAL
FC Reims–FC Troyes
au Stade Lafontaine
Dimanche 19 avril à 15 h
Prix des billets: 14€ (enfants 12€)

Conversation-clé

A: Bonjour. Je voudrais deux billets pour le match, s'il vous plaît.
B: Adultes ou enfants?
A: Deux billets adultes. C'est combien?
B: C'est 14 euros pour un adulte. Alors, ça vous fait 28 euros.
A: Voilà.
B: Merci. Voici vos billets. Le match va commencer dans quinze minutes.
A: Merci.

Expressions-clés

Où est-ce qu'on se retrouve?

On se retrouve	chez moi/toi.
	devant la patinoire.
	à la gare/à l'arrêt de bus.

À quelle heure est-ce qu'on se retrouve?

On se retrouve à sept heures.

 **6 À vous!**

☺ **Fixez des rendez-vous. Inventez des dialogues pour ces dessins avec les Expressions-clés.**
Exemple:
A: Tu veux aller au café demain soir?
B: Oui je veux bien. Où est-ce qu'on se retrouve?
A: On se retrouve à la gare?
B: D'accord. À quelle heure?
A: À huit heures.
B: D'accord: à huit heures demain soir, à la gare.

☺☺ **Anna veut sortir avec Tim mais il n'est pas intéressé. Écrivez un sketch où il invente des excuses pour ne pas accepter ses invitations (+/-100 environ).**
Exemple: *Anna: Tu aimes le basket, Tim, non? Tu voudrais venir avec moi au match de basket au centre sportif mercredi après-midi?…*

Au café
Commander dans un café et se plaindre quand il y a un problème

Léa

Julien

Nabila

Guillaume

 1a **Commandez pour les quatre copains (voir les Expressions-clés).**
Exemple: *Léa – Je voudrais un Orangina et…*

 1b **Écoutez. Que vont manger Léa et Nabila?**

 1c **Réécoutez. Comment dit-on…?**
a   Can we order?
b   I'm just coming.
c   There are no more…
d   Would you like something else?

 2 **Vous êtes au café avec votre ami anglais Simon. Écoutez et commandez.**

LIRE 3a Reliez les Expressions-clés aux dessins 1–6.

ÉCOUTER 3b Écoutez pour vérifier.

ÉCRIRE PARLER 4 À vous!

⭐ Écrivez le texte de la conversation au café quand les quatre amis (activité 1a) commandent.

⭐⭐ Jouez ou écrivez un dialogue entre un serveur/une serveuse qui a trop de travail et un client/une cliente difficile (utilisez les idées A–F).

Expressions-clés

a Je n'ai pas commandé ça!
b Mon café est froid.
c Il y a une erreur dans l'addition.
d S'il vous plaît! Je peux avoir le menu?
e Mon verre est sale.
f Je n'ai pas de couteau.

A une assiette

B

C une fourchette

D

E une cuillère

F

Au restaurant | *Réserver une table dans un restaurant et commander un repas*

AUBERGE CHAMPENOISE
35 chambres - 5 salles modulables de 15 à 400 personnes
RESTAURANT avec BAIE VITRÉE
Restaurant traditionnel Français depuis 3 générations
sur tennis et jardin d'enfants
MOUSSY- 51530   Propriétaire:Benjamin Arthozoul
Tél.: 03.26.54.03.48 - Fax : 03.26.51.87.25 - Télex 842 743

RESTAURANT

LE BEL AZUR

Spécialités Tunisiennes
Couscous - Tagine
Plats à emporter

SERVICE NOCTURNE JUSQU'A 23 h.30

33 RUE GAMBETTA - EPERNAY
Réservations : 03 26 55 34 52

1 Lisez et répondez.

a Est-ce qu'on peut manger le lundi soir à l'Œil de Bœuf?

b Quand le bar Chriss' est-il ouvert?

c On peut dormir à l'Auberge Champenoise?

d Quelles spécialités sert-on au Bel Azur?

e Quelles sont les spécialités de l'Œil de Bœuf?

2a Eddy téléphone au restaurant. Écoutez (1–3) et notez:

a Il réserve pour combien de personnes?

b Pour quand?

c À quelle heure?

d Quelle table? (terrasse?/intérieur?)

RESTO-GRILL "L'ŒIL DE BŒUF"
Spécialités :
Viandes rouges
Desserts Maison
Menu et Carte
Service tardif
Fermé le lundi
03.26.54.81.90
Rue de Sézanne - EPERNAY

CHRISS'
BAR DE JOUR
BAR DANSANT
CLUB
De 10h30 à 4h du matin
Fermé dimanche
03.26.54.38.47

2b Réécoutez (1–2). Notez le nom du restaurant et le problème.

3a Écoutez et lisez la Conversation-clé.

3b Jouez la Conversation-clé avec un(e) partenaire.

3c Adaptez la Conversation-clé pour les situations suivantes. A réserve, B répond. Ensuite, changez de rôles.

a 6 pers., mardi, 20h, nom: Jourdain

b 2 pers., dimanche, 21h15, nom: Leclerc

c 3 pers. + 1 bébé, samedi, 13h15, nom: Martin

d 12 pers., samedi, 19h45, nom: Lucas

Conversation-clé

B: Allô, le Bel Azur, j'écoute?

A: Je voudrais réserver une table, s'il vous plaît.

B: Oui, pour combien de personnes?

A: Pour sept personnes.

B: Oui, pour quand?

A: Pour lundi, à 20h30.

B: Désolé, c'est complet.

Oui, c'est a quel nom?

A: C'est au nom de Lemercier.

B: D'accord. Merci, au revoir!

4a **Reliez les définitions aux plats du menu à droite.**

Exemple: *a – assortiment crudités-charcuterie*

a carottes et céleri râpés, salami et jambon

b gâteau avec biscuits et poires

c poulet, champignons, oignons dans une sauce au vin

d pommes de terre avec crème et fromage

e glace avec œufs en neige et une sauce chaude

 4b **Écrivez la définition de trois plats traditionnels de votre pays. Votre partenaire devine le plat.**

Exemple: *C'est un sandwich aux frites.* (= chip butty)

 5 **Vous travaillez au restaurant. Écoutez et notez les commandes.**

Entrée	Plat principal	Dessert
1 ass. crudités-charc.		
3 x terr. poisson		

 6a **Lisez et jouez la Conversation-clé.**

 6b **Adaptez la Conversation-clé. B est serveur/serveuse. A est client/cliente. Ensuite, changez de rôles.**

7 **Écoutez (1–3). Qu'est-ce qu'ils demandent?**

 **a** l'addition   **b** les toilettes   **c** les téléphones

 À vous!

⭐ **Vous allez à l'Auberge avec votre partenaire.**

a Regardez le menu et notez votre choix.

b Devinez et notez le choix de votre partenaire. Ensuite, comparez et discutez.

Exemple:

A: Comme entrée, tu vas prendre la terrine de poisson?

B: Ah non! Je déteste le poisson. Je vais prendre l'assortiment…

⭐⭐ **Commandez votre repas. Écrivez la scène et jouez-la avec votre partenaire.**

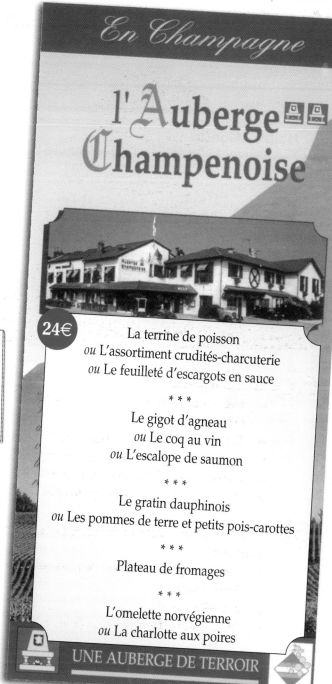

En Champagne

l'Auberge Champenoise

24€

La terrine de poisson
ou L'assortiment crudités-charcuterie
ou Le feuilleté d'escargots en sauce

* * *

Le gigot d'agneau
ou Le coq au vin
ou L'escalope de saumon

* * *

Le gratin dauphinois
ou Les pommes de terre et petits pois-carottes

* * *

Plateau de fromages

* * *

L'omelette norvégienne
ou La charlotte aux poires

UNE AUBERGE DE TERROIR

Conversation-clé

B: Vous avez choisi?

A: Un menu à 24 euros, s'il vous plaît.

B: Qu'est-ce que vous allez prendre comme entrée?

A: C'est quoi, l'assortiment crudités-charcuterie?

B: Des carottes, du céleri, des tomates, du salami et du jambon.

A: D'accord. Je prends ça. Et comme plat principal, je vais prendre le gigot d'agneau et le gratin dauphinois.

B: Comme dessert?

A: Je voudrais la charlotte aux poires, s'il vous plaît.

B: Très bien.

Le week-end dernier | *Parler de ce qu'on a fait le week-end dernier*

Forum-Internet

Fichier Actions Outils ?

Malika, Algérie

Moi, souvent le week-end, je m'ennuie.
Le week-end dernier, je n'ai rien fait
d'intéressant. J'ai aidé ma mère à faire
la cuisine, j'ai fait mes devoirs et j'ai
5 regardé la télé. Voilà! Et vous, qu'est-ce
que vous avez fait le week-end dernier?

Moussa, Sénégal

Salut, Malika! Je ne me suis encore jamais ennuyé pendant un
week-end! À Saint-Louis, il y a toujours quelque chose à faire.
Le week-end dernier, je me suis bien amusé. Samedi, de onze
heures à trois heures, j'ai travaillé dans le restaurant de mon
5 père. C'est très animé. Après, j'ai fait du jardinage avec mon
grand-père. Je n'aime pas beaucoup travailler dans le jardin
mais je dois le faire! Le soir, je suis allé à la pêche avec mon
père. On n'a pas attrapé de poissons, mais on a bavardé
ensemble et c'était sympa.

10 Dimanche, je suis allé chez mon frère Mamadou et sa femme.
Ils ont organisé un barbecue sur la plage. J'ai invité des copains
et tout le monde a apporté quelque chose à manger ou à boire.
On a écouté de la musique et on a dansé. C'était super!

Un seul problème: dimanche soir, j'ai dû faire mes devoirs!

 Lisez et écoutez Moussa. Vrai, faux ou on ne sait pas?

a Il n'y a rien à faire à Saint-Louis.

b Le week-end dernier, Moussa a travaillé dans le jardin.

c Il est allé à la pêche avec ses copains.

d Dimanche, le frère de Moussa a fait la cuisine.

e Il a regardé la télé après le barbecue.

f Il a fait ses devoirs avant d'aller au lit.

 Lisez et notez tous les verbes au passé composé. Ajoutez l'équivalent en anglais.

Exemple: *Je ne me suis encore jamais ennuyé* –
I have never been bored yet

La pêche au Sénégal

Forum-Internet

Fichier   Actions   Outils   ?

Léa, France

Le week-end dernier, c'était mon anniversaire, alors je ne me suis pas ennuyée! Samedi matin, j'ai reçu des cartes, des cadeaux et de l'argent. Génial! Mon copain Antonin était déjà parti en vacances avec sa famille mais il m'a envoyé un SMS.[1]

5 L'après-midi, mes copines sont venues chez moi et on est sorties ensemble. Nous avons fait une promenade le long du canal Saint-Martin. Il faisait beau et chaud, alors on s'est assises au soleil. Ensuite, on est allées au Parc de la Villette où on a vu un film sur l'Everest au cinéma IMAX de la Géode. Ce 10 cinéma a un énorme écran hémisphérique. C'est super. Samedi soir, on a mangé dans une pizzeria. Je suis rentrée très tard, mais comme c'était mon anniversaire, mes parents étaient cool et ils ne se sont pas fâchés.

Dimanche, je suis restée à la maison. J'ai surfé un peu sur 15 Internet et j'ai lu des magazines. Je me suis reposée et je me suis couchée de bonne heure.

[1] text message

 2a **Lisez le message de Léa. Comment dit-elle…?**

a   I wasn't bored
b   we sat in the sun
c   they didn't get angry
d   I stayed at home
e   I had a rest
f   I went to bed early

 2b **Relisez le texte de Léa. Répondez aux questions enregistrées (1–8).**

3 **Lisez les notes de Samuel. Écrivez 10 questions (utilisez *qu'est-ce que, qui, où, quand*). Lisez-les à votre partenaire qui répond. Utilisez des verbes au passé composé.**

Exemple: *Quand est-ce qu'il a lu un magazine?*

Samuel

Le week-end dernier…
samedi matin: centre sportif – hockey sur glace
sam. après-midi: à la maison (TV/Internet/magazine)
sam. soir: bowling + copains
dim. matin: chez grand-mère déjeuner restaurant
après-midi: piscine
soir: devoirs

 4 **À vous!**

✿ **Répondez à la question de Malika.**
Écrivez +/- 100 mots.

✿✿✿ **Choisissez: un champion de sport ou une personne paresseuse. Qu'est-ce qu'il/elle a fait le week-end dernier? Discutez avec un(e) partenaire. (Utilisez le passé composé.)**
Exemple: *Le samedi matin, elle s'est levée à six heures pour faire du jogging …*

Expressions-clés

Qu'est-ce que vous avez fait le week-end dernier?
Je n'ai rien fait d'intéressant.
Je suis allé(e) à la pêche/au cinéma/chez mon frère.
J'ai fait mes devoirs.
J'ai regardé la télé.
Je me suis reposé(e).
Je me suis couché(e) tard.
Je (ne) me suis (pas) ennuyé(e).

Zoom grammaire | *Negatives*

Personne ne me comprend! Jo ne me téléphone jamais. Il n'a rien à me dire.

Il ne m'aime pas. C'est fini! Je ne lui parlerai plus. Plus jamais jamais jamais!

Jo! Aller au ciné avec toi? Oui, bien sûr! On se retrouve où?

Dring, dring!

To make a sentence negative

Put *ne* in front of the <u>verb</u> and *pas* after it: ne + <u>verb</u> + pas → Je ne <u>sors</u> pas.

- *ne* + vowel or silent *h* → *n'*: Jessica **n'<u>aime</u> pas** le cinéma.
- in the perfect tense: *Asif **n'<u>a</u> pas** vu le film.*
- with reflexive verbs: *On **ne s'<u>amuse</u> pas**!* (*ne* before **the pronoun**, *pas* after <u>the verb</u>)
- reflexive verbs in the perfect: *Nous **ne nous <u>sommes</u> pas** couchés tard.*

226

 1 **Find the following negatives in the cartoon strip.**

   a never   **c** no one

   b nothing   **d** not … any more (no longer)

2 **Jim always does the opposite of Jules. Adapt sentences a–f for him.**

   Example: ***a** Je n'aime pas aller au bowling.*

   a J'aime aller au bowling. *(not)*   **c** Je veux manger au restaurant. *(never)*

   b Je vais en ville à pied. *(no longer)*   **d** Je mange le matin. *(nothing)*

 3 **Translate into English.**

   a Ils n'ont rien fait d'intéressant.   **c** Il ne s'est pas amusé à la fête.

   b Je ne suis jamais allé à la pêche.   **d** Tu n'as pas invité tes parents au concert?

Negatives and *de*

After a negative, *un/une/des* + noun change to *de* (or *d'* in front of a vowel or silent *h*):

Il n'y a pas de pizza. There isn't any pizza.

Il n'y a plus de chips. There are no more crisps.

Je n'ai jamais d'argent. I never have any money.

226 ▷

 4 **Translate into French.**

a Max hasn't got any fruit juice.

b There are no restaurants in this street.

c I haven't got any more onions.

d I didn't buy any apples.

ne … que

One negative is a bit different from the others: *ne* + verb + *que* = only

226 ▷

Ce n'est qu'un poème …

Je n'ai qu'un copain et c'est <u>Rémi</u>

Je ne fais qu'un sport et c'est <u>le ski</u>

Je n'écoute qu'une musique et c'est <u>le reggae</u>

Je n'aime qu'une couleur et c'est <u>le violet</u>

Je n'ai pas de job et ça c'est moche

Je n'ai que mon argent de poche

On ne me donne que <u>cinq euros</u>,

Et ce n'est pas très rigolo!

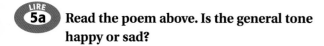 **5a** **Read the poem above. Is the general tone happy or sad?**

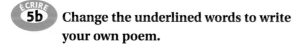 **5b** **Change the underlined words to write your own poem.**

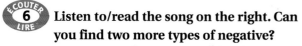 **6** **Listen to/read the song on the right. Can you find two more types of negative?**

a not a single

b neither… nor…

226 ▷

Le vieux Parisien

Au coin de ma rue,
Un vieux Parisien est toujours assis:
Il ne fait rien.
Il s'appelle comment?
Jacques? Albert? Armand?
Il habite dans le coin?
Ça, je n'en sais rien.
Il n'a aucun ami.
Il n'a pas de famille.
Il n'a ni mère ni père,
Ni sœur ni frère.

Et quand tombe la nuit, il se lève et s'enfuit.
Il disparaît sans bruit[1], dans les rues de Paris.
Dans les ombres de la nuit[2],
Tous les chats sont gris.[3]

[1] without a sound
[2] the shadows of the night
[3] There is a French saying: in the night all cats are grey.

Guide examen

1 Discussion after a presentation

- **Be prepared. What is not covered in the presentation that the examiner might ask about? Work out how you will answer.**
- **Revise as much vocabulary associated with the topic as you can. Look up one or two unusual words and learn them.**
- **Avoid one-word answers. Develop your answers into full sentences using link words and adding opinions and examples.**
- **Speak clearly and confidently, without too much hesitation.**

5 MN

1a **Notez des idées de vocabulaire.**
Présentation: Mes passe-temps

Think of expressions to say when/how often/where/with whom you do these activities too.

1b **Développez les réponses comme dans l'exemple.**
a Quel est ton passe-temps préféré?
b Tu regardes souvent la télévision?
c Qu'est-ce que tu as fait samedi dernier?
Exemple:
Q: Tu fais du sport au collège?

> **R1:** *Oui.*

> **R2:** *Oui. Je joue au hockey et au tennis.*

> **R3:** *Oui. Le lundi, je joue au hockey et le jeudi, je joue au tennis. J'aime beaucoup le sport au collège. L'année dernière, on faisait aussi de la gymnastique et j'aimais beaucoup ça, mais malheureusement on n'en fait plus cette année.*

2 General conversation topics

Make sure you have something to say for each topic:

- **Yourself, your family, your friends**
- **Your home and your daily routine**
- **Your home town/surrounding area**
- **Your school**
- **Your leisure activities**
- **Further education, jobs and careers**
- **Holidays**
- **Pocket money**
- **Shopping**
- **Travel and transport**
- **Food and drink**
- **Special occasions**
- **The environment**

2 **Choisissez quatre titres dans la liste. Écrivez six phrases pour chacun.**
Exemple: your school – *En général, les professeurs sont sympa, mais ils nous donnent beaucoup trop de devoirs.*

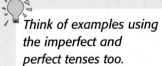
Think of examples using the imperfect and perfect tenses too.

3 General conversation – improving your grades

- **Expand every answer. While you're speaking, you're in control. Show off what you can do.**
- **Find a variety of ways to describe/give opinions.**
- **Justify and explain what you say.**
- **Give examples using different tenses.**
- **Use idioms where appropriate.**

ÉCRIRE 3a **Trouvez des synonymes.**

Exemple: *bon – super, génial, adorable, passionnant, délicieux, agréable, intéressant, etc.*

a mauvais   **b** grand   **c** stupide

LIRE 3b **Lisez les questions et les réponses. Pour quelle(s) raison(s) la réponse niveau A* est-elle meilleure que la réponse niveau C? Expliquez en anglais.**

Question: Qu'est-ce que tu as fait samedi dernier?

> **Grade C answer**
> Le matin, j'ai fait mes devoirs. L'après-midi, je suis allé(e) au cinéma avec mes copines parce que je voulais voir un film romantique.

> **Grade A* answer**
> Samedi matin, je me suis levé(e) assez tard et après le petit déjeuner, j'ai fait mes devoirs. L'après-midi, je suis allé(e) en ville. J'ai retrouvé mes copines et on est allé(e)s au cinéma. Nous avons vu un film romantique qui était passionnant.

Question: Quel est ton passe-temps préféré?

> **Grade C answer**
> Mon passe-temps préféré, c'est la musique. Je joue de la guitare. Ma musique préférée, c'est le rap. J'écoute des CD de rap.

> **Grade A* answer**
> Je pense que mon passe-temps préféré, c'est la musique parce que j'adore toutes sortes de musique. Je joue de la guitare depuis deux ans et je trouve que c'est un instrument génial. Hier soir, je suis allé(e) à un concert de rap qui était fantastique.

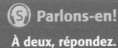 **Parlons-en!**

À deux, répondez.

1 Décris un repas au restaurant ou pour une fête.
2 Qu'est-ce que tu as fait dimanche dernier?
3 Quelles sont tes sorties préférées?

Vocabulaire

Tu es libre ce week-end?
Tu veux…
aller au bowling?
faire les magasins?
venir chez moi?
Oui. D'accord. Je veux bien.
Ça dépend.
Je ne peux pas.
Je suis désolé(e) mais je
  sors avec Anne samedi.
Je regrette mais je dois
  rester à la maison.
J'aimerais mieux aller à la
  patinoire/faire un tour
  à vélo.
Où est-ce qu'on se retrouve?
On se retrouve…
chez moi/toi
devant la patinoire
à la gare/à l'arrêt de bus
À quelle heure est-ce
  qu'on se retrouve?
On se retrouve à sept heures.

Are you free this weekend?
Do you want to…
go bowling?
go to the shops?
come to my place?
Yes, OK, I would like to.
It depends.
I can't.
I'm sorry but I'm going out
  with Anne on Saturday.
I'm sorry but I have to
  stay at home.
I'd prefer to go to the ice
  rink/go out cycling.

Where shall we meet?
Let's meet…
at my place/your place
in front of the ice rink
at the station/at the bus stop
What time shall we meet?

Let's meet at seven o'clock.

Le match de foot
Je voudrais deux billets
  pour le match, s'il vous plaît.
Adultes ou enfants?
Deux billets adultes.
C'est combien?
Ça vous fait 28 euros.
Voici vos billets.
La match va commencer
  dans 15 minutes.

The football match
I'd like two tickets for the
  match, please.
Adults or children?
Two adult tickets.
How much is it?
That makes 28 euros.
Here are your tickets.
The match will start in
  15 minutes.

Au café
Une limonade, s'il vous plaît.
Je voudrais un chocolat
  chaud, s'il vous plaît.
Je vais prendre un Orangina,
  s'il vous plaît.
Vous avez des glaces à
  la vanille?
Qu'est-ce que vous avez
  comme glaces?
S'il vous plait! Je peux
  avoir le menu?
Je n'ai pas commandé ça.
Mon café est froid.
Il y a une erreur
  dans l'addition.
Mon verre/Mon assiette
  est sale.
Je n'ai pas de couteau/de
  fourchette/de cuillère.

At the café
A lemonade, please.
I would like a hot chocolate,
  please.
I'll have an Orangina, please.

Have you got any vanilla
  ice cream?
What kind of ice cream do
  you have?
Excuse me! Can I have the
  menu?
I didn't order that.
My coffee is cold.
There's a mistake on my bill.

My glass/My plate is dirty.

I don't have a knife/fork/
  spoon.

Réserver une table
Je voudrais réserver une
  table, s'il vous plait.
Pour combien de
  personnes?
Pour sept personnes.
Pour quand?
Pour lundi, à 20h30.
Désolé, c'est complet.
C'est à quel nom?
C'est au nom de Lemercier.

Reserving a table
I would like to reserve a
  table, please.
For how many people?

For seven people.
For when?
For Monday, at 8.30.
Sorry, we're fully booked.
In what name?
In the name of Lemercier.

Au restaurant
Vous avez choisi?
Un menu à 24€,
  s'il vous plaît.
Qu'est-ce que vous allez
  prendre comme entrée?
Comme plat principal,
  je vais prendre…
Comme dessert, je voudrais…
C'est quoi?
la terrine de poisson
l'assortiment
  crudités-charcuterie
le feuilleté d'escargots
  en sauce
le gigot d'agneau
le coq au vin
l'escalope de saumon
le gratin dauphinois
le plateau de fromages
l'omelette norvégienne

At the restaurant
Have you chosen?
A 24-euro menu, please.

What are you going to have
  as a starter?
For the main course,
  I'll have…
For dessert I would like…
What is it?
fish pâté
raw vegetables and cold meats

snails in sauce in a pastry case

leg of lamb
chicken cooked in wine
salmon fillet
potatoes in cheese sauce
cheese platter
baked alaska

Le week-end dernier
Qu'est-ce que vous avez
  fait le week-end dernier?
Je n'ai rien fait d'intéressant.
Je suis allé(e) à la pêche/
  au cinéma/chez mon frère.
J'ai fait mes devoirs.
J'ai regardé la télé.
Je me suis reposé(e).
Je me suis couché(e) tard.
Je ne me suis pas ennuyé(e).

Last weekend
What did you do last
  weekend?
I didn't do anything interesting
I went fishing/to the
  cinema/to my brother's.
I did my homework.
I watched the TV.
I rested.
I went to bed late.
I wasn't bored.

9 Faire les magasins

Contexts: shopping, fashion

Grammar: the pronoun *en*, quantities, *ce/cet/cette/ces*, *celui/celle/ceux/celles*, direct and indirect object pronouns, *qui/que*

Skill focus: writing: redrafting coursework

Cultural focus: shops in France, French teenagers and fashion

Rappelez-vous!

Regardez et répondez. Comparez avec votre partenaire.

a   Où est ce magasin?

b   Qu'est-ce qu'on y achète?

c   À votre avis, qui sont les clients?

d   Il y a des magasins similaires dans votre ville? Comment s'appellent-ils?

e   Pourquoi voudriez-vous (ou ne voudriez-vous pas) aller dans ce magasin?

2a Lisez la liste de magasins à droite. Reliez les
noms aux photos. Quel magasin n'est pas illustré?

2 MN

2b À deux, trouvez d'autres magasins.
Qui a la liste la plus longue de la classe?
Exemple: *une pharmacie, une maison de la presse, ...*

3 MN

2c Écoutez (1–5). Dans quel magasin ont-ils un petit job?

2d Devinettes. B ferme son livre.
Exemple:
A: *J'ai acheté du pain.*
B: *Tu es allé(e) à la boulangerie.*
A: *Oui!*

2e Quels magasins y a-t-il près de chez vous? Expliquez
ou écrivez.

3 Cette pancarte de supermarché vous dit trois choses.
Expliquez en français.

la boucherie	l'épicerie
la boulangerie	la pâtisserie
la charcuterie	la poissonnerie
la chocolaterie	le marchand de
la crémerie	fruits et légumes

Pour dire "*some*":
J'ai acheté **du** pain, **de l'**eau minérale,
de la moutarde et **des** oranges.

143

À deux. A choisit un mot des Expressions-clés (1),
B le traduit en anglais sans hésiter.

Exemple:

A: Des baskets?

B: Trainers. *Une robe?*

A: A dress. *Un blouson? …*

Kristina

Albert

Constance

Étienne

Attention aux faux amis!
une veste – *a jacket*
un jogging – *a tracksuit*
un slip – *a pair of pants/knickers*

5a **Notez les vêtements de chaque mannequin.**

Exemple: *Kristina – une robe, un foulard…*

5b **Écoutez pour vérifier.**

5c **Réécoutez et notez les prix. Vous avez 200€. Quels vêtements**
achetez-vous?

Exemple: *J'achèterais le pantalon marron en velours à 40 euros…*

5d **Écrivez une bulle pour chaque mannequin.**

Exemple: *Kristina – Je porte une robe verte en coton et…*

6 **Qu'est-ce que vous mettez pour:**

a un entretien pour un job dans un bureau?

b une audition pour un groupe rock?

Exemple: *Je mets une veste beige en coton,…*

Expressions-clés (2)

la couleur	*la matière*
bleu/bleue (s)	en coton
gris/grise (s)	en cuir
noir/noire (s)	en jean
vert/verte (s)	en laine
blanc/blanche (s)	en plastique
beige (s)	en velours
jaune (s)	
rouge (s)	
marron	

vêtement + couleur + matière
des bottes noires en cuir

Les courses | *Demander des aliments*

 1a Écoutez (1–5). C'est dans quel magasin?

 1b Réécoutez. Notez la liste de courses de chaque personne.
Exemple: *1 – des champignons, des poires, ...*

 1c Écoutez encore une fois. Notez ce qu'il n'y a pas.
Exemple: *pas de poires, pas de melon, ...*

2 A est le client/la cliente et a une liste (activité 1b). B est vendeur/vendeuse. Adaptez la Conversation-clé. Ensuite, changez de rôles.
Exemple:
B: Vous désirez?
A: Je voudrais six pots de yaourt, s'il vous plaît.
B: Et avec ça?...

Conversation-clé

B: Vous désirez?
A: Je voudrais <u>une livre de champignons</u>, s'il vous plaît.
B: Et avec ça?
A: Je peux avoir <u>un kilo de poires</u>?
B: Ah, je regrette mais il n'y en a plus.
A: Alors, je vais prendre <u>des pommes</u>.
B: Comme ça?
A: Oui. Vous avez <u>des melons</u>?
B: Ah non, désolé(e). C'est tout?
A: Oui. Ça fait combien?
B: Alors, 7 euros, s'il vous plaît.

Zoom grammaire the pronoun *en*

Use *en* as a pronoun in place of *de/de la/des* + noun.

Je peux avoir un kilo de poires?	Can I have a kilo of pears?
Je regrette mais il n'y a plus <u>de poires</u>.	Sorry but there aren't any (more) <u>pears</u>.
Je regrette mais il n'y <u>en</u> a plus.	Sorry but there aren't any (more) (<u>of them</u>).

3 Préparez la liste de courses avec des quantités. Ensuite, comparez avec un(e) partenaire.

Exemple:

A: *J'ai "un kilo de tomates".*
B: *Moi, j'ai "une boîte de tomates".*
A: *D'accord, les deux sont possibles.*

des biscuits
des chips
des tomates
de la limonade
de la confiture
des bonbons
du riz
du gâteau
des cerises
du thon

Zoom grammaire quantities

- To say "some" in French, you use: *du, de la, de l', des*

de + le → du	**du** saucisson
de + la → de la	**de la** pizza
de + l' → de l'	**de l'**Orangina
de + les → des	**des** pommes

- To say you don't have any (more) of something, you use:

  Il n'y a pas
  Il n'y a plus } *de (or d')*

  *Il n'y a pas **de** saucisson, **de** pizza, **d'**Orangina, **de** pommes.*

- You express quantities in the following way:

	200 grammes	**de** champignons
	une (demi-)livre	**de** poires
	un kilo	**de** pommes
	un (demi-)litre	**de** lait
	une douzaine	**d'**œufs
	un morceau	**de** fromage
Je voudrais	**une tranche**	**de** jambon/
Je peux avoir		**de** saucisson
	un pot	**de** yaourt
	une boîte	**de** petits pois/
		de haricots verts
	un paquet	**de** biscuits/
		de pâtes
	une bouteille	**de** limonade

4 Écoutez les offres spéciales au supermarché.

a Notez les aliments.
b Notez les prix.

5 À vous!

✪✪ Vous avez fait des courses pour un pique-nique. Décrivez ce que vous avez acheté et dans quels magasins. Écrivez 75 mots environ.

Exemple: *D'abord, je suis allé(e) à la boulangerie où j'ai acheté une douzaine de petits pains. Ensuite, ...*

✪✪✪ Inventez une publicité radio pour les offres illustrées. Écrivez et enregistrez. (Réécoutez d'abord l'annonce de l'activité 4 et notez les expressions utiles.)

Exemple: *Aujourd'hui, il y a des offres exceptionnelles au rayon fruits et légumes – les bananes sont à seulement 4,20€ le kilo...*

Offres spéciales

3,0€

0,75€

4,20€ le kg

0,95€

Argent de poche | *Parler de l'argent de poche et ce qu'on en fait*

Forum-Internet
Fichier   Actions   Outils   ?

Malika
Mes parents me donnent de l'argent de poche quand j'aide à la maison. Avec cet argent, j'achète des vêtements parce que j'aime beaucoup la mode, ou bien je vais au cinéma. Mais je ne mets jamais d'argent de côté[1]. Et toi?

1   Tu as combien d'argent de poche?
2   Qu'est-ce que tu fais avec ton argent?
3   Tu mets de l'argent de côté?

[1] I never save

Forum-Internet
Fichier   Actions   Outils   ?

Samuel
Salut, Malika! Mes parents ne me donnent pas d'argent de poche. Par contre, pour gagner de l'argent, je travaille dans une station-service le week-end. On me donne 60 dollars par jour.
Avec mon argent, je paie mes sorties. Je sors avec mes copains. On fait du ski et autres sports d'hiver et ça coûte assez cher. En plus, j'aime bien aller au cinéma ou au bowling de temps en temps. Normalement, je dépense tout l'argent que je gagne, mais en ce moment, je mets de l'argent de côté pour acheter un nouveau vélo.

Léa
C'est ma mère qui me donne de l'argent de poche (j'ai 12 euros par semaine). Pour gagner un peu plus, je fais du baby-sitting de temps en temps le week-end, et, pendant les grandes vacances, j'ai travaillé comme vendeuse dans une boutique. J'aime bien gagner mon argent, comme ça je me sens plus indépendante.
C'est ma mère qui achète mes vêtements et qui paie mes frais de transport. Avec mon argent, j'achète des CD, des DVD ou des livres et des magazines. Je paie aussi mes appels sur mon portable (comme je suis très bavarde, ça coûte cher!). En ce moment, je fais des économies. Je mets de l'argent de côté pour acheter un nouveau portable.

 1 **Lisez et écoutez le message de Samuel. Vrai, faux ou on ne sait pas?**

   a Il ne reçoit pas d'argent de poche de ses parents.
   b Le week-end, il a un petit boulot.
   c Il n'aime pas les sorties en groupe.
   d Il achète des magazines de sports d'hiver.
   e Il a acheté un nouveau vélo récemment.

2 Lisez le message de Léa (page 144). Répondez.

a Qui lui donne son argent de poche?

b Combien reçoit-elle?

c Qu'est-ce qu'elle a fait comme boulot?

d Qu'achète sa mère?

e Comment dépense-t-elle son argent de poche?

f Pourquoi fait-elle des économies?

 3 Micro-trottoir. Écoutez (1–4) et prenez des notes. À votre avis, qui a le plus de chance?

4 Lisez les notes de Moussa. Écrivez son message pour le forum Internet.

> Moussa
> argent de poche/parents = 2500 FCFA par mois
> job – samedi – restaurant
> paie sorties: matchs de foot, lutte, cinéma
> achète: équipement de sport, magazines et livres
>
> pour mobylette

 5 À vous!

✪ Répondez aux questions de Malika. Écrivez +/– 80 mots.

✪✪✪ Lisez Point culture. Les pourcentages sont les mêmes dans votre classe? Préparez des questions et faites un sondage.

Exemple: *Tu as de l'argent de poche? Tes parents te paient tout? Qui paie tes sorties? Qui paie tes vêtements? …*

 Point culture

L'argent de poche, c'est surtout pour les loisirs

Qu'est-ce que vous payez avec votre argent de poche?

Juste les sorties et les loisirs (cinéma, CD…)	58,6%
Rien de spécial, mes parents me paient pratiquement tout mais j'ai quand même un peu d'argent de poche	27,9%
Le plus de choses possible: vêtements, loisirs, téléphone, vacances…	9,3%
Rien, je n'ai pas d'argent de poche	4,2%

Source: *L'Internaute/Journal des Femmes*

J'achète! | *Acheter des vêtements*

1 **Lisez les bulles. Notez:**
   a les vêtements mentionnés
   b les couleurs

2a **Recopiez et complétez la conversation avec *ce, cette* ou *ces*.**

Julien:	Tu n'aimes pas **1** chaussettes jaunes et **2** baskets noires?
Sophie:	Non! Horrible! Mais j'aime bien **3** veste, et **4** short bleu est super!
Julien:	Oui, il est super avec **5** tee-shirt blanc et **6** casquette blanche, non?
Sophie:	Ah oui! Et regarde **7** sandales roses en plastique. Je les essaie? Ou j'achète **8** robe jaune?

2b **Écoutez pour vérifier.**

2c **Jouez la conversation avec un(e) partenaire.**

3a **Lisez et complétez la conversation ci-dessous avec les expressions de la boîte bleue.**
Exemple: *1 – c*

Julien:	**1**
Vendeuse:	Oui, en quelle taille*?
Julien:	**2**
Vendeuse:	Oui. Quelle couleur voulez-vous?
Julien:	**3**
Vendeuse:	Oui, il y a une cabine là-bas … Ça va?
Julien:	**4, 5**
Vendeuse:	Alors, ça fait 31 euros.
Julien:	**6**

*vêtements	–	En quelle taille?
chaussures	–	En quelle pointure? (36, 38, …)

3b **Écoutez pour vérifier.**

3c **Recopiez toute la conversation et jouez-la avec un(e) partenaire.**

Oh. super ce jean et ce blouson bleu.

Bof! Moi, je préfère ce pantalon marron en velours et cette chemise verte!

Zoom grammaire *ce, cet, cette, ces*

To say "this/that/those" + noun, use *ce, cet*, cette, ces*:

m. sing.	fem. sing.	m. or f. pl.
le/un	*la/une*	*les/des*
↓	↓	↓
ce/cet*	*cette*	*ces*

* Use *cet* with masculine words that start with a vowel or silent *h* (*cet appartement, cet examen*, etc.).

213

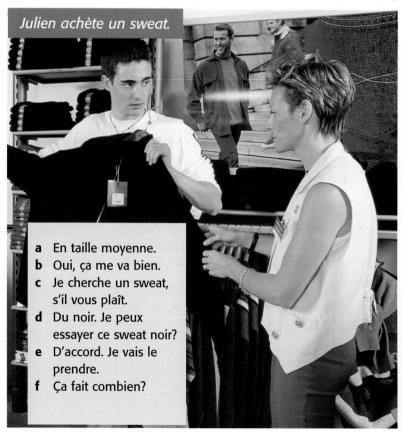

Julien achète un sweat.

a En taille moyenne.
b Oui, ça me va bien.
c Je cherche un sweat, s'il vous plaît.
d Du noir. Je peux essayer ce sweat noir?
e D'accord. Je vais le prendre.
f Ça fait combien?

3d Adaptez la conversation de l'activité 3a pour les articles 1–4 à droite.

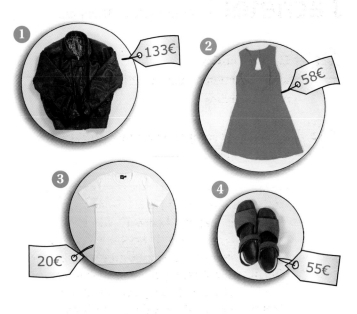

❶ 133€

❷ 58€

❸ 20€

❹ 55€

 4 Écoutez. Julien et Sophie essaient les articles de l'activité 3d mais ne les achètent pas. Pourquoi?

Exemple: *1 – (c) c'est trop cher*

a *C'est trop petit.*

b *C'est trop grand.*

c *C'est trop cher.*

d *Je n'aime pas.*

Le blouson?	Je vais **le** prendre.
La robe?	Je vais **la** prendre.
Les sandales?	Je vais **les** prendre.

150

 5 Écoutez et lisez la Conversation-clé. **Comment dit-on...?**

a What size?
b medium
c Can I try it on?
d It fits well.
e I'll take them.

 6 **À vous!**

⭐ **Lisez et jouez la Conversation-clé plusieurs fois, en changeant les articles/couleurs/prix selon les options données.**

⭐⭐⭐ **Découpez des photos de vêtements dans un catalogue ou magazine. Votre partenaire explique pourquoi il/elle achète ou n'achète pas chaque article.**

Exemple: *Je n'achète pas ces bottes parce que je ne les aime pas. Je n'aime pas le look habillé et le marron ne me va pas.*

Conversation-clé

A: Je cherche

B: En quelle taille/pointure?

A: En petite taille/taille moyenne/grande taille. En 36/37, …

B: Quelle couleur voulez-vous?

A: Du   Je peux essayer ça?

B: Oui, bien sûr … Ça va?

A: Ça me va bien. Ça fait combien?

A: Non, c'est trop grand/petit. Non, je n'aime pas.

B: Ça fait 55/45/124 euros.

A: D'accord. Je vais le/la/les prendre.

A: C'est trop cher! Je ne le/la/les prends pas.

Les grands magasins | *Se renseigner dans un magasin et porter plainte*

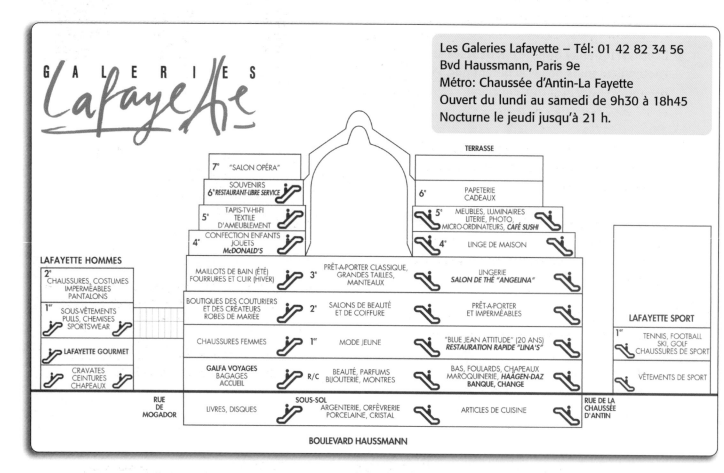

GALERIES Lafayette

Les Galeries Lafayette – Tél: 01 42 82 34 56
Bvd Haussmann, Paris 9e
Métro: Chaussée d'Antin-La Fayette
Ouvert du lundi au samedi de 9h30 à 18h45
Nocturne le jeudi jusqu'à 21 h.

TERRASSE

7e	"SALON OPÉRA"
6e	SOUVENIRS *RESTAURANT-LIBRE SERVICE*
5e	TAPIS-TV-HI-FI TEXTILE D'AMEUBLEMENT
4e	CONFECTION ENFANTS JOUETS *McDONALD'S*

6e	PAPETERIE CADEAUX
5e	MEUBLES, LUMINAIRES LITERIE, PHOTO, MICRO-ORDINATEURS, *CAFÉ SUSHI*
4e	LINGE DE MAISON

LAFAYETTE HOMMES

2e	CHAUSSURES, COSTUMES IMPERMÉABLES PANTALONS
1er	SOUS-VÊTEMENTS PULLS, CHEMISES SPORTSWEAR
	LAFAYETTE GOURMET
	CRAVATES CEINTURES CHAPEAUX

	MAILLOTS DE BAIN (ÉTÉ) FOURRURES ET CUIR (HIVER)	3e	PRÊT-A-PORTER CLASSIQUE, GRANDES TAILLES, MANTEAUX	LINGERIE *SALON DE THÉ "ANGELINA"*
	BOUTIQUES DES COUTURIERS ET DES CRÉATEURS ROBES DE MARIÉE	2e	SALONS DE BEAUTÉ ET DE COIFFURE	PRÊT-A-PORTER ET IMPERMÉABLES
	CHAUSSURES FEMMES	1er	MODE JEUNE	"BLUE JEAN ATTITUDE" (20 ANS) *RESTAURATION RAPIDE "LINA'S"*
	GALFA VOYAGES BAGAGES ACCUEIL	R/C	BEAUTÉ, PARFUMS BIJOUTERIE, MONTRES	BAS, FOULARDS, CHAPEAUX MAROQUINERIE, *HAAGEN-DAZ* BANQUE, CHANGE

LAFAYETTE SPORT

| 1er | TENNIS, FOOTBALL SKI, GOLF CHAUSSURES DE SPORT |
| | VÊTEMENTS DE SPORT |

| RUE DE MOGADOR | LIVRES, DISQUES | **SOUS-SOL** ARGENTERIE, ORFÈVRERIE PORCELAINE, CRISTAL | ARTICLES DE CUISINE | RUE DE LA CHAUSSÉE D'ANTIN |

BOULEVARD HAUSSMANN

1a **Regardez le plan. Écrivez une liste des rayons en anglais. Devinez ou cherchez dans le dictionnaire.**

4 MN

Exemple: *le prêt-à-porter* – ready-to-wear clothes

1b **Écoutez (1–4). À quel rayon vont-ils?**

1c **Écoutez pour vérifier.**

2 **A pose des questions. B répond en consultant le plan. Ensuite, changez de rôles.**

Exemple:

A: *C'est où, le rayon jean, s'il vous plaît?*

B: *C'est au premier étage. C'est à droite du rayon mode jeune.*

3 **Lisez le texte de la boîte rose sur le plan. Écoutez. On parle des heures d'ouverture. Qui a raison, la fille ou le garçon?**

Expressions-clés

Ça ouvre le dimanche?
Ça ouvre/ferme à quelle heure?
C'est où, le rayon souvenirs, s'il vous plaît?
C'est au sous-sol.
　　　au rez-de-chaussée.
　　　au premier étage.
C'est à droite de.../à gauche de.../à côté de...
Vous sortez... Vous traversez... Vous allez tout droit.

4 Reliez chaque dessin à un problème.
(Quel problème n'est pas illustré?)

a ça ne me plaît pas

b ce n'est pas ma taille

c c'est abîmé

d ça ne marche pas

e la fermeture éclair est cassée

 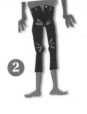  

5 Écoutez (1–5). Recopiez et complétez la fiche pour chaque conversation, comme dans l'exemple à droite.

Article	pull
Problème	pas la taille
Ticket de caisse	oui
Échangé	oui
Remboursé	–

6 Regardez les fiches (activité 5) et adaptez la Conversation-clé à droite. A est le client/la cliente, B est le vendeur/la vendeuse. Ensuite, changez de rôles.

Conversation-clé

A: J'ai acheté ce/cette/cet/ces … mais ça ne me plaît pas/ce n'est pas ma taille/c'est abîmé/ la fermeture éclair est cassée.

B: Vous avez le ticket de caisse?

A: Oui, je l'ai./Non, je ne l'ai plus. C'est possible d'échanger/d'être remboursé(e)?

B: Oui, c'est possible./Non, ce n'est pas possible.

7 Regardez les vêtements ci-dessous et discutez de vos préférences avec votre partenaire.

Exemple:

A: Tu préfères quelles chaussures?

B: Je préfère celles-là parce que j'aime bien la couleur...

 À vous!

⚙ Regardez le plan, page 148, et écrivez des instructions pour dire où se trouvent les rayons:
(a) chaussures hommes; (b) livres;
(c) vêtements de sport; (d) souvenirs

⚙⚙ Avec un(e) partenaire, imaginez un dialogue entre un vendeur/une vendeuse et un client/une cliente difficile qui rapporte plusieurs vêtements. Jouez ou écrivez.

Zoom grammaire *celui, celle, ceux, celles*

Use the pronouns *celui, celle, ceux, celles* to avoid repeating a noun and say "this one, that one, these/those". The pronoun matches the noun it replaces – masculine or feminine, singular or plural.

	sing.	pl.
masc.	*celui*	*ceux*
fem.	*celle*	*celles*

You can add *-ci* or *-là* if you are pointing.
*J'ai acheté ce pull-**ci** mais je préfère celui-**là**.*

Zoom grammaire | *Direct and indirect object pronouns; qui and que*

Jeu-test: Le shopping me rend fou!

1

Samedi matin: tes copains t'invitent à sortir.
A Tu leur proposes de faire du shopping.
B Tu leur suggères une promenade dans le parc.

2

On te donne de l'argent pour Noël. Tu vois un beau jean mais il a l'air trop grand.
A Tu l'essaies tout de même.
B Tu ne le prends pas.

3

Ta copine te téléphone. Elle ne peut pas faire les magasins avec toi parce qu'elle est fauchée¹.
A Tu lui prêtes de l'argent.
B Tu l'invites chez toi pour regarder un bon DVD.

¹ broke

 1 **The yellow highlighted words in the quiz are direct object pronouns. What or who do they refer to?**
Example: *tes copains t'invitent* – you

 2 **The blue highlighted words in the quiz are indirect object pronouns. What do they mean? What words do they stand for?**
Example: *Tu leur proposes* – to them (*à tes copains*)

Which pronoun?

subject pronoun	direct object pronoun	indirect object pronoun	
je	me/m' (me)	me/m' (to me)	Verb + noun: use a **direct object** pronoun.
tu	te/t' (you)	te/t' (to you)	
il	le/l' (him/it)	lui (to him/it)*	Verb + *à* + noun: use an **indirect object** pronoun (leaving out *à*).
elle	la/l' (her/it)	lui (to her/it)*	
nous	nous (us)	nous (to us)	* Notice that *lui* is used for masculine and feminine words.
vous	vous (you)	vous (to you)	
ils/elles	les (them)	leur (to them)	

218

Position of pronouns

- In present, past and future tenses and negative instructions, the pronoun goes in front of the verb group:
  Je prends <u>ce short</u>. → Je <u>le</u> prends.
  J'ai cherché <u>mes chaussures</u>. → Je <u>les</u> ai cherchées*.
  N'achète pas <u>ce pantalon</u>. → Ne <u>l'</u>achète pas.
  J'offre un cadeau <u>à ma copine</u>. → Je <u>lui</u> offre un cadeau.
  J'ai téléphoné <u>à mes parents</u>. → Je <u>leur</u> ai téléphoné.
  * The past participle agrees in number and gender with a *direct* object pronoun before it. See page 218.

- In positive instructions, the pronoun goes after the verb, with a hyphen. Use *moi* and *toi* instead of *me* and *te*.
  Prends <u>ces chaussettes</u>. → Prends-<u>les</u>.
  Téléphonez-<u>moi</u>.

- In **verb** + infinitive constructions (e.g. with *aller, devoir, pouvoir*), the pronoun goes in front of the infinitive:
  Je dois acheter <u>ces pommes</u>. → Je <u>dois les</u> acheter.
  On va regarder <u>le film</u> demain. → On <u>va le</u> regarder demain.
  Je vais offrir un cadeau <u>à ma copine</u>. → Je <u>vais lui</u> offrir un cadeau.

- When there is more than one pronoun in a sentence, direct object pronouns come before indirect ones:
  Je donne le CD à Ali.   Je le lui donne.
  I am giving the CD to Ali.   I'm giving it to him.

218

LIRE
3 **Translate into English.**

    a Ton père va en ville. Tu lui demandes si tu peux l'accompagner.

    b Jo nous a donné ces sandwichs quand je lui ai dit qu'on avait faim.

    c Je lui donnerai ma veste si elle la veut.

    d Tu leur as téléphoné pour les inviter au concert?

LIRE
ÉCRIRE
4 **Fill in the missing indirect object pronouns.**

    a Où est Anne? Je veux **......** parler.

    b J'écris à mes grands-parents. Je **......** écris souvent.

    c J'ai donné ma liste à Paul et à Marie. Tu **......** a donné la tienne?

    d Quand je vais voir mon père, je vais tout **......** expliquer.

LIRE
ÉCRIRE
5 **Write some A and B options for questions 4–9 of the quiz, using pronouns.**

    Example: *4 – A Tu leur suggères de laver la voiture pour gagner de l'argent.*

    4 Tes parents ne te donnent pas d'argent de poche.

    5 Le blouson que tu as acheté est abîmé.

    6 Tes copains ne veulent pas aller au centre commercial.

    7 Quand tu achètes un DVD, la vendeuse te rend trop de monnaie[1].   [1] change

    8 Tu vois un tee-shirt vraiment super dans un magasin assez cher.

    9 Les baskets de ton petit frère sont très sales.

---

qui and *que*

qui	who, which, that
que	who, whom, which, that

} These pronouns link two parts of a sentence, to avoid repetition.

- Use *qui* if the noun it replaces is the subject of <u>the verb</u>:
  J'ai un CD. Le CD <u>est</u> super. → *J'ai un CD qui est super.* (I've got a CD that is great.)

- Use *que* if the noun it replaces is the object of <u>the verb</u>:
  J'ai un CD. J'<u>adore</u> le CD. → *J'ai un CD que j'adore.* (I've got a CD that I love.)

> *que changes to* qu' *before a* <u>vowel</u>, *but* qui *never changes:*
> un ami qu'<u>il</u> invite
> *but*
> un ami qui arrive
>
> 219

ÉCRIRE
6 **Fill the gaps with *qui* or *que* (or *qu'*).**

La naissance du tee-shirt

Au début, c'était l'armée américaine **1** recherchait un sous-vêtement pratique et pas cher pour ses soldats.

Pourquoi ce nom "tee-shirt" **2** on connaît si bien? Parce qu'il est en forme de T! En 1942, ce sont les soldats américains **3** , quand ils sont arrivés en France, ont fait connaître le tee-shirt aux Français.

Aujourd'hui, c'est le vêtement **4** tous les enfants – et bien des adultes – préfèrent. C'est un vêtement **5** est pratique et **6** on peut personnaliser.

Guide examen | *Writing: redrafting coursework*
Speaking: general conversation

After you have written a first draft of your coursework, your teacher will look through it and give you comments under different headings.

1 Content
Task completion
– Make sure you have covered all parts of the task.

1a Pourquoi ce commentaire?

Some parts of the task have not been covered. [✓]

> Write about a recent holiday. Say how you travelled, how long you stayed and what you did. [...] Say what you thought of the holiday and if you would go to the same place again.
>
> Au mois d'août, je suis allée en France avec mon père et ma sœur. Nous avons voyagé en avion jusqu'à Bergerac et nous avons loué une voiture. Nous sommes allés près de Royan dans un appartement au bord de la mer. La région était super. J'ai fait de la planche à voile sur un grand lac, j'ai joué au volley et je suis allée à la plage. J'ai bien aimé mes vacances parce que j'avais toujours beaucoup de choses à faire. J'ai fait du shopping et j'ai parlé français dans les magasins.

Read through the instructions again and match each to a section of your writing.

1b Recopiez le paragraphe. Ajoutez des phrases en tenant compte du commentaire.

2 Presentation and layout
– Is your handwriting legible? Or have you chosen a clear typeface?
– Are ideas neatly arranged in clearly defined paragraphs?
– Have you used capital letters, full stops and other punctuation appropriately?

Interest
- Add some more ideas, an introduction and/or a conclusion.
- Give more description.
- Give more opinions/reasons.
- Vary the type of sentence more.
- Vary your vocabulary more.

 3a Écrivez une introduction et une conclusion pour le texte de l'activité 1.

 3b Adaptez ce texte.
   a Ajoutez plus de description/opinions/raisons.
   b Variez le type de phrase.

> Mes parents ne me donnent pas d'argent de poche. Je travaille dans un supermarché le samedi. On me donne £25 par jour.
>
> Avec mon argent, j'achète un CD, un DVD ou un magazine de sport. Je sors avec mes copains. On va au bar ou à un concert. Je vais au cinéma ou au bowling de temps en temps.
>
> Normalement, je dépense tout l'argent que je gagne, mais en ce moment je mets de l'argent de côté pour aller à un festival de musique cet été.

 Use qui *and* que *to vary your type of sentence and at the same time give more description or opinions/reasons.*

Il y a une cathédrale au centre-ville **qui** date de 1750.

Le sport **que** je préfère, c'est la planche à voile.

 Quality of language
- Check spellings and accents.
- Check verb tenses and formation.
- Check word order.
- Check nouns and genders.
- Check adjectives and agreements.

 4 Quelles sortes de faute y a-t-il dans chaque phrase? Corrigez les phrases.
   a Je voudrais acheter une nouveau ceinture pour aller avec mon noir pantalon. ✗
   b Le rayon souvenirs est au deuxieme étage a droite du restaurant self-service. ✗
   c Avant, je téléphone lui régulièrement. ✗
   d Mes vêtements préféré, c'est ma short blanche en coton, ma tee-shirt noirs et mes sandales bleues en cuir. ✗

 Use a dictionary – not only to check meaning and spelling, but also to check gender. Many dictionaries also have verb tables to help with tenses and formation.

 Parlons-en

À deux, répondez aux questions.

1 Décris les magasins qu'il y aura près de chez toi dans 20 ans.
   Exemple: *Il y aura un magasin de sport, deux supermarchés,…*
2 Qui te donne de l'argent et qu'est-ce que tu en fais?
3 Quelles sont tes vêtements préférés? Qu'est-ce que tu as mis samedi dernier?

Vocabulaire

Les magasins
la boucherie
la boulangerie
la charcuterie
la chocolaterie
la crémerie
l'épicerie
le marchand de fruits
  et légumes
la pâtisserie
la poissonnerie
Ça ouvre le dimanche?
Ça ouvre à quelle heure?
Ça ferme à quelle heure?

Shops
butcher's
baker's
delicatessen
chocolate shop
dairy shop
grocer's
greengrocer's

cake shop
fishmonger's
Is it open on Sundays?
What time does it open?
What time does it close?

Les quantités de nourriture
200 grammes de
  champignons
une (demi-)livre de poires
un kilo de pommes
un (demi-)litre de lait
une douzaine d'œufs
un morceau de fromage
une tranche de jambon/
  de saucisson
un pot de yaourt
une boîte de petits pois/
  de haricots verts
un paquet de biscuits/
  de pâtes
une bouteille de limonade

Quantities of food
200 grams of mushrooms

(half) a pound of pears
a kilo of apples
(half) a litre of milk
a dozen eggs
a piece of cheese
a slice of ham/sausage

a pot of yoghurt
a tin of peas/green beans

a packet of biscuits/pasta

a bottle of lemonade

L'argent de poche
Tu as combien d'argent
  de poche?
Mes parents me donnent
  de l'argent de poche.
Je n'ai pas d'argent de poche.
On me donne 12 euros/
  5 livres par semaine/
  par mois.
Pour gagner de l'argent,
  je travaille dans
  un restaurant.
Qu'est-ce que tu fais
  avec ton argent?
J'achète des vêtements.
Je sors avec mes copains.
Je vais au cinéma.
Je paie mes appels sur mon
  portable.
Tu mets de l'argent de côté?
Je mets de l'argent de côté
  pour acheter un vélo.

Pocket money
*How much pocket money
  do you get?*
*My parents give me
  pocket money.*
I don't get any pocket money.
*They give me 12 euros/£5
  a week/a month.*

*To earn money, I work in
  a restaurant.*

*What do you do with
  your money?*
I buy clothes.
I go out with my friends.
I go to the cinema.
I pay for my mobile phone calls.

Do you save money?
I'm saving up to buy a bike.

Les vêtements
un blouson
un chemisier
un foulard
un jean
un manteau
un pantalon
un short
un sweat
un tee-shirt
une casquette
une ceinture
une chemise
une jupe
une robe
une veste
des baskets
des bottes
des chaussettes
des chaussures
des sandales

Clothes
a bomber jacket
a blouse
a scarf
a pair of jeans
a coat
a pair of trousers
a pair of shorts
a sweatshirt
a T-shirt
a cap
a belt
a shirt
a skirt
a dress
a jacket
trainers
boots
socks
shoes
sandals

Acheter des vêtements
Je cherche un sweat, s'il vous
  plaît.
En quelle taille?
En petite taille.
En taille moyenne.
En grande taille.
la pointure
Je peux essayer ce sweat noir?
Oui, il y a une cabine là-bas.

Ça me va bien.
Ça fait combien?

Buying clothes
*I'm looking for a sweatshirt,
  please.*
In what size?
In small.
In medium.
In large.
shoe size
Can I try this black sweatshirt?
*Yes, there is a changing room
  over there.*
It suits me.
How much is it?

Des problèmes
J'ai acheté ce jean/cette
  robe/ces chaussettes.
Ça ne me plaît pas.
Ce n'est pas ma taille.
C'est abîmé.
La fermeture éclair est cassée.
J'ai le ticket de caisse.
Je ne l'ai plus.
C'est possible d'échanger?
C'est possible d'être
  remboursé(e)?

Problems
*I bought these jeans/this
  dress/these socks.*
I don't like it.
it's not my size.
It's damaged.
The zip is broken.
I've got the receipt.
I haven't got it any more.
Can I change it?
Can I have a refund?

Les grands magasins
C'est où, le rayon (souvenirs),
  s'il vous plaît?
C'est au sous-sol.
au rez-de-chaussée
au premier étage
C'est à droite/gauche de...
Vous sortez...
Vous traversez...
Vous allez tout droit.

Department stores
*Where is the souvenir
  department, please?*
It's in the basement.
on the ground floor
on the first floor
It's on the right/left of...
You go out...
You cross...
You go straight ahead.

10 À l'écran

Contexts: media and entertainment
Grammar: adverbs, comparisons, passive, subjunctive and pluperfect
Skill focus: revision and exam techniques
Cultural focus: media in France

Rappelez-vous!

Regardez. Notez le plus possible de mots en relation avec ce collage.
Exemple: *un journal, …*

Répondez.

a Comment j'appelle le principal quotidien français?

b À qui se destine *Phosphore*?

c Dans quoi se spécialise *Télé7jours*?

d À votre avis, *La mort dans la peau*, c'est quel genre de film?

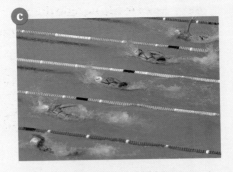

 LIRE 3a | Reliez les photos aux Expressions-clés (1).

1 MN

 ÉCOUTER ÉCRIRE 3b | Les Expressions-clés (1) sont numérotées dans l'ordre de préférence des garçons, selon un sondage en France. Écoutez et notez l'ordre de préférence des filles. Comparez.

 PARLER 3c | À deux, posez-vous des questions et comparez avec le sondage français.

Exemple:

A: *Qu'est-ce que tu aimes comme émission?*

B: *J'adore… J'aime beaucoup…*

Expressions-clés (1)

1 un film
2 une émission sportive
3 une série
4 une émission musicale
5 un documentaire
6 un jeu (les jeux)
7 le journal télévisé (les infos)
8 une émission jeunesse

😊😊😊 *j'adore*
😊😊 *j'aime beaucoup*
😊 *j'aime bien/assez*

☹ *je n'aime pas beaucoup*
☹☹ *je n'aime pas du tout*
☹☹☹ *je déteste*

4a
LIRE

Voici le hit-parade des genres de films préférés des jeunes Français. Retrouvez le nom de chaque genre dans les Expressions-clés (2).

Exemple: *1 – c*

 1 action

 2 comédie

 3 épouvante

 4 fantastique

 5 thriller

 6 amour

 7 drame historique

 8 animation

Expressions-clés (2)

a un film d'horreur
b un film de science-fiction
c un film d'aventure
d un film romantique
e un film de guerre
f une comédie
g un dessin animé
h un film policier

4b
PARLER

Devinez et notez les cinq genres de films préférés de votre partenaire. Posez des questions pour vérifier.

Exemple:

A: *Tu aimes les films d'aventure?*

B: *Oui, j'aime bien./Non je n'aime pas du tout les films d'aventure.*

5a
LIRE

Quels équipements (parmi ceux d'Expressions-clés 3) sont décrits ici?

a On s'en sert pour parler ou envoyer des SMS aux copains.

b On s'en sert pour voir des films.

c On s'en sert pour jouer à des jeux électroniques seul ou à plusieurs.

d On s'en sert pour écouter des CD, des cassettes ou la radio.

e On s'en sert pour faire des recherches, pour envoyer des courriels, pour la messagerie instantanée, les chats et les blogs.

5b
LIRE ÉCRIRE

Faites quatre listes avec les équipements d'Expressions-clés 3.

a essentiel
b utile
c un luxe
d complètement inutile

Expressions-clés (3)

une télévision — une radio

une chaîne hi-fi — un ordinateur

la connexion à Internet — une console de jeux

un téléphone portable — un lecteur DVD

un appareil-photo numérique — un lecteur MP3

5c
PARLER

À deux, classez les équipements de 5b dans l'ordre de préférence.

Exemple:

A: *Pour moi, avoir un téléphone portable est essentiel.*

B: *Oui, pour moi aussi. Et un ordinateur est essentiel aussi.*

5d
ÉCRIRE

Quels équipements est-ce que vous avez? Décrivez et dites pourquoi.

Exemple: *J'ai un ordinateur parce que c'est essentiel. Je m'en sers pour communiquer avec mes copains, ...*

Ce soir à la télé | *Discuter du programme de télé*

TÉLÉVISION

TF1

18.00 : STAR ACADEMY (5925)
Musique.

18.30 : K 2000 (63166)
Série américaine : « Bactéries ».

19.20 : EXTRÊME LIMITE (7850692)
Série française : « L'amour à nu ».

20.00 : JOURNAL (32859)
Résultats des courses – La minute hippique – Météo.

20.45 : CINÉMA (169760)
Les professionnels
Film américain (1966) de Richard Brooks. Durée 1 h 57. Avec Burt Lancaster (Bill), Claudia Cardinale (Maria), Lee Marvin (Henry), Robert Ryan (Hans), Jack Palance (Jésus).

france 2

18.20 : FRIENDS (3095741)
Série américaine : « Un week-end à la campagne ».

18.50 : UN HOMME À DOMICILE (27147)
Série française : « Rollers ».

19.20 : QUE LE MEILLEUR GAGNE (7858234)
Jeu animé par Nagui.

20.00 : JOURNAL (48418)
Présenté par Étienne Leenhardt. Météo – Point route.

20.50 : CINÉMA (726079)
L'hôtel de la plage
Film français (1977) de Michel Lang. Durée 1 h 45. Avec Daniel Ceccaldi (Euloge), Guy Marchand (Hubert), Myriam Boyer (Aline), Martine Sarcey (Élisabeth), Michel Robin (Léonce).

france 3

18.20 : QUESTIONS POUR UN CHAMPION (3090296)
Jeu animé par Julien Lepers.

18.45 : MÉTÉO DES PLAGES (6615470)

18.55 : « 19/20 » Journal (8340234)
Présenté par Élise Lucet. Suivi du Journal régional – Météo.

20.05 : FA, SI, LA... CHANTER (523708)
Jeu animé par Pascal Brunner.

20.30 : TOUT LE SPORT (92234)
Magazine présenté par Gérard Holtz.

20.55 : DIVERTISSEMENT (5178447)
L'humour au féminin. Sketches interprétés par des humoristes sur la scène de Montreux.

CANAL+

17.45 : PLAYGROUND (5037876)
Magazine jeunesse.

18.25 : LES SIMPSON (6809321)
Dessin animé.

19.10 : LE GRAND JOURNAL DE CANAL + (626234)
Infos.

20.55 : FOOTBALL (7206031)
Bastia/PSG, en direct, commenté par Charles Biétry.

france 5 + arte

18.25 : BALADES EN FRANCE (9228128)

18.30 : LE MONDE DES ANIMAUX (5555)

18.57 : LE JOURNAL DU TEMPS (22621)

19.00 : CONFETTI (4166)
Magazine présenté par Alex Taylor et Annette Gerlach.

19.30 : LA GALICIE, VOUS CONNAISSEZ ? (4760)
Documentaire allemand de Jutta Szostak.

20.30 : JOURNAL (64963)

20.40 : MAGAZINE (509005)
Transit. Reportages sur le thème : « Vivre son handicap ».

M6

18.00 : SONNY SPOON

19.00 : DOCTEUR QUINN, FEMME MÉDECIN
Série américaine.

19.54 : FLASH INFOS

20.00 : MADAME EST SERVIE
Série américaine : « Le choix ».

20.35 : TOUR DE FRANCE À LA VOILE
Evénement sportif.

20.45 : TÉLÉFILM
La planète des singes (3/5)
Avec Roddy McDowall (Galen), Ron Harper (Virdon), James Naughton (Burke), Booth Coleman (Zaïus), Mark Leonard (Urko).

Canal + is a subscription channel.
la météo – weather forecast
un divertissement – a show

  1a **LIRE**
3 MN

Lisez le programme. Trouvez un exemple de chaque type d'émission (Expressions-clés 1, page 156).

Exemple: *un film – Les professionnels*

 1b **PARLER**

À trois: A décrit une émission du programme, B et C posent des questions. Le premier avec la bonne réponse gagne. Changez de rôles.

Exemple:

A: *C'est un jeu.*

B: *C'est sur quelle chaîne? …*

 2 **ÉCOUTER ÉCRIRE**

Écoutez les trois conversations. Notez les réponses aux questions 1–4 des Expressions-clés.

 3 **PARLER**

A pense à une émission britannique. B pose les questions 1–4 des Expressions-clés pour trouver. Changez de rôles.

Exemple:

B: *Qu'est-ce que c'est comme émission?*

A: *C'est une série anglaise. …*

Expressions-clés

1 *Qu'est-ce que c'est comme émission?*
C'est un jeu/un film.

2 *C'est quel jour?*
C'est le lundi/tous les jours/le mardi et le dimanche.

3 *C'est sur quelle chaîne?*
C'est sur BBC2/ITV1.

4 *C'est à quelle heure?*
C'est à 20h00/19h45.

ÉDITION INTERNATIONALE

Forum-Internet

Fichier   Actions   Outils   ?

Je regarde généralement une heure de télé le soir, dans ma chambre, quand j'ai fini mes devoirs. Le week-end, je préfère regarder des DVD ou des films sur Canal Plus. Je reçois six chaînes de télé et ma préférée c'est France 3 parce que les émissions y sont très variées. L'émission que j'aime le plus,
5 c'est "Thalassa". C'est un documentaire sur la mer, le vendredi soir à 20h45 sur France 3. J'adore cette émission et je la regarde régulièrement parce que c'est toujours très intéressant et vraiment éducatif.
Les émissions que j'aime le moins, ce sont les émissions de télé-réalité sur M6 ou TF1 que je ne regarde jamais. Je déteste "Loft Story" ou "L'Île de la
10 tentation" parce que, pour moi, c'est stupide et sans intérêt! De toute façon, mes parents ne sont pas d'accord pour que je regarde ces émissions-là!
Léa

Je regarde assez souvent la télé, peut-être une ou deux heures par jour, surtout les chaînes musicales. En Algérie, il n'y a qu'une seule chaîne: ENTV, qu'on appelle l'Unique, et je ne la trouve absolument pas intéressante. Par contre, ma famille se passionne pour les séries égyptiennes sur ENTV! Ce
5 sont un peu comme les séries américaines mais adaptées au monde arabe. Ce sont les émissions que j'aime le moins: je trouve ça franchement ringard et ennuyeux et je les regarde rarement! Chez moi, on a aussi la parabole[1] et quelquefois, je regarde les chaînes françaises. Mes parents me laissent regarder ce que je veux, mais on n'a qu'une seule télé au salon alors je dois
10 partager avec mes sœurs, qui sont des passionnées de séries! Les émissions que moi, j'aime le plus, ce sont les émissions musicales comme "Maestro" parce que j'adore la musique classique. Je trouve que les documentaires sur Arte, ma chaîne préférée, sont passionnants.
Malika

[1] satellite dish

4a **Lisez les messages et trouvez les synonymes des expressions suivantes:**

Exemple: *a – intéressant*

a ça m'intéresse;   **b** ça me passionne;   **c** ça ne m'intéresse pas;
d ça m'ennuie;   **e** on apprend des choses;   **f** c'est toujours différent;   **g** démodé;   **h** pas intelligent

4b **Écrivez les réponses de Léa et Malika aux questions à droite.**
Exemple: *Léa – (a) Je regarde environ une heure de télé par jour.*

5   *À vous!*

☼ **Écrivez votre message au forum avec vos réponses aux questions a–f de l'activité 4b.**

☼☼ **À deux, préparez votre programme de télé idéal pour la soirée.**
Exemple:
A: *À 18h00, on met un documentaire parce que c'est intéressant?*
B: *Bon d'accord, par exemple, un documentaire sur les animaux.*

a Combien de temps regardez-vous la télé par semaine?

b Avez-vous un lecteur DVD? le câble? le satellite?

c Avez-vous la télé dans votre chambre?

d Vos parents contrôlent-ils ce que vous regardez?

e Quelle est votre chaîne préférée?

f Quelle est votre émission préférée?

Utilisez des adverbes!
● de fréquence: *souvent, jamais, régulièrement*
● de manière: *vraiment, absolument, mieux*

214

Au cinéma | *Choisir un film, acheter des places et donner son opinion*

 1 Julien invite Léa au Ciné-club. Écoutez et notez (a) le genre de chaque film (voir page 157), (b) si Léa aime ☺ ou n'aime pas ☹ (c) le film qu'ils vont voir et (d) le jour.
Exemple: *Blade Runner* – (a) science-fiction; (b) ☹…

Expressions-clés

Qu'est-ce qu'on passe comme film?
On passe "Blade Runner".
Qu'est-ce que c'est comme film?
C'est un film de science-fiction.

---

 2 Regardez le programme. Répondez.
a Quelle séance choisir pour voir *Blade Runner* en français? Et en anglais?
b Qui paie 10€? Qui paie 8€?
c À quel âge peut-on voir *Blade Runner*?

 3a Écoutez les quatre conversations au Ciné-club. Notez les horaires. C'est quel film? C'est quel jour?

	horaire	film	jour
1	21h45	La Reine Margot	mercredi
2			
3			
4			

 3b Réécoutez. Comment dit-on?
a How much is a ticket?
b Is there a discount for students?
c At what time does the show start?
d Is the film dubbed in French?
e Is the film shown in the original version?

CINÉ-CLUB

Programme du 3 au 9 juin
La séance commence par le film

lundi/mardi

18h30 **Pretty Woman**
VF

21h30 **Blade Runner** ▶
VF *interdit aux moins de 13 ans*

mercredi

15h00 **Kirikou et la Sorcière**

19h15 **Astérix et Obélix: Mission Cléopâtre**

21h45 **La Reine Margot** ▶

jeudi/vendredi

18h15 **Pretty Woman** ▶
VO

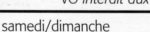

21h15 **Blade Runner**
VO *interdit aux moins de 13 ans*

samedi/dimanche

16h15 **Kirikou et la Sorcière**

18h00 **Astérix et Obélix: Mission Cléopâtre**

21h00 **La Reine Margot**

Tarif: 10€
Réduction: étudiants et moins de 18 ans: 8€

4a Julien téléphone au Ciné-club pour réserver le film de l'activité 1c. À deux, écrivez une conversation avec les Expressions-clés (1).

Exemple: *A: Allô, bonjour. Je voudrais réserver une place pour…, s'il vous plaît. Ça fait combien?*

 4b Écoutez et comparez.

Expressions-clés (1)

(Je voudrais) une place pour…, s'il vous plaît.
Ça fait combien?
Il y a une réduction pour les étudiants/
    les moins de 18 ans?
La séance commence à quelle heure?
Le film est en version française/en version originale?

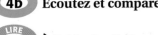 **5** À l'aide du dictionnaire, classez les mots à droite: (a) positifs, (b) négatifs. Trouvez d'autres mots pour continuer les listes.

Exemple: *a – inoubliable, amusant, …*

décevant	pas mal
inoubliable	génial/géniaux
réussi	fantastique
raté	pas terrible
mauvais	émouvant

 6a Micro-trottoir: Écoutez et notez les réponses de quatre jeunes Français aux questions des Expressions-clés (2).

Exemple: *1 – Titanic; histoire romantique; acteurs excellents; effets spéciaux et décors inoubliables*

Expressions-clés (2)

1 *Qu'est-ce que tu as vu comme film récemment?*
    J'ai vu…
2 *Qu'est-ce que tu en as pensé?*
    J'ai bien aimé/Je n'ai pas aimé
        parce que…
    J'ai trouvé ça super/nul parce que…
    L'histoire était/n'était pas…
    Les acteurs/Les décors/Les effets
        spéciaux étaient/n'étaient pas…
    Ce que j'ai le plus aimé, c'était…

 6b A interroge B. Utilisez les Expressions-clés (2) et le vocabulaire des activités 5 et 6a.

 7a Lisez les textes. Trouvez:
  a trois façons de répondre à la question 1 des Expressions-clés (2)
  b trois façons de dire ce que vous avez aimé le plus ou le moins

 7b Recopiez les textes en donnant l'opinion contraire!

Exemple: *Amina… et pourtant je n'ai pas du tout aimé celui-ci…*

Le dernier film que j'ai vu, c'était le dernier "Harry Potter". Je n'avais pas vu les premiers films et pourtant j'ai beaucoup aimé celui-ci. J'ai trouvé les acteurs vraiment excellents. Mon acteur préféré, c'était celui qui joue Ron Weasley!
Amina

Le plus-que-parfait:
Je n'**avais** pas **vu**.
Je n'**étais** jamais **allé**.

223

Récemment, j'ai revu la série des "Star Wars" sur écran géant. Je n'étais jamais allé dans un cinéma Imax avant et c'était une super expérience. J'ai adoré parce que l'histoire était géniale. Ce que j'ai aimé le plus, c'étaient les effets spéciaux!
Éric

La semaine dernière, je suis allée voir "Le Seigneur des Anneaux". Je ne l'avais pas vu quand il était sorti. Je n'ai pas aimé parce que l'histoire était décevante et j'ai trouvé ça long et ennuyeux! Ce que j'ai trouvé le plus nul, c'étaient les Orks!
Lucie

 **8** À vous!

✪✪ Écrivez 50 mots sur le dernier film que vous avez vu.

✪✪✪ Choisissez deux films et faites une comparaison. Lequel recommandez-vous?
Exemple: *Récemment, j'ai vu deux films d'action: "Mission Impossible" et "James Bond". J'ai préféré "James Bond" parce que…*

Le monde de la communication | *Discuter des médias et de la publicité*

1 Parmi ces médias, lequel/lesquels utilisez-vous…

a plusieurs fois par jour?

b occasionnellement?

c rarement?

d jamais?

> *télévision
> * magazines
> * journaux
> * radio
> * Internet

2 Quel équipement utilisez-vous…

a plus souvent qu'avant?

b moins souvent qu'avant?

c aussi souvent qu'avant?

> * chaîne hi-fi * ordinateur
> * console de jeux
> * téléphone portable
> * lecteur DVD
> * appareil photo numérique
> * lecteur MP3

3 Lesquels de ces médias et équipements (questions 1 et 2) trouvez-vous essentiels?

4 Qu'est-ce qui vous attire le plus vers une émission de télé ou de radio?

a le thème

b l'animateur/l'animatrice

c les invités

d la musique

5 Vous souvenez-vous mieux ou moins bien d'une publicité…

a à la télévision?

b dans un journal ou un magazine?

c sur une affiche?

d à la radio?

e sur Internet?

6 À votre avis, en ce moment, quelle est la meilleure pub? Quelle est la pire?

7 Quelle est votre attitude par rapport à ce que propose la publicité?

a J'achète plus de produits pour essayer immédiatement ce que j'ai vu.

b J'achète autant de produits parce que je ne suis vraiment pas influençable.

c J'achète moins de produits parce que je me méfie assez de la pub.

8 Selon vous, de façon générale, la publicité est assez, très ou pas du tout…

a divertissante?

b informative?

c mensongère?

d néfaste?

1a Lisez le sondage (page 162) en entier. Trouvez les synonymes des mots suivants:

a quelquefois; **b** vous rappelez-vous; **c** un poster; **d** le même nombre de; **e** je ne fais pas confiance à; **f** amusante; **g** ne dit pas la vérité; **h** dangereuse

1b Relisez et relevez tous les adverbes et toutes les comparaisons.

2a Répondez aux questions du sondage. Échangez vos réponses avec votre partenaire.

2b Lisez ses réponses et écrivez le plus possible de questions complémentaires.

Exemples:
1 *Combien de temps écoutes-tu la radio chaque jour?*
2 *À ton avis, pourquoi utilises-tu plus l'Internet qu'avant? …*

2c Posez ces questions à votre partenaire et répondez aux siennes.

3 Mettez les réponses de la classe en commun. Écrivez le bilan du sondage.

Exemple: *Dans la classe, 75% des élèves utilisent la radio plusieurs fois par jour…*

Adverbs qualify adjectives, verbs and other adverbs.
C'est **assez** intéressant.
J'utilise **rarement** Internet.
Il y a **trop rarement** de bonnes émissions.

164 ▶

Comparatives are used with adjectives, adverbs and nouns.
La radio, c'est **plus** intéressant **que** la télé.
Je lis **moins** souvent les journaux **qu'**avant.
J'achète **plus de** produits.

165 ▶

4  *À vous!*

⭐ **Lisez le Point culture et expliquez votre pratique personnelle des médias.**
Exemple: *J'ai un téléphone portable. J'envoie des SMS tous les jours. Je n'utilise pas les MMS.*

⭐⭐⭐ **Pour ou contre la publicité à la télévision? Faites une liste d'arguments pour ou contre. Discutez avec un(e) partenaire qui pense le contraire de vous.**

 Point culture

Sondage: Les 12–20 ans et les moyens de communication

- 83% ont un téléphone portable. 80% envoient des SMS tous les jours. 79% utilisent les MMS (SMS avec son, image ou vidéo).

- 80% ont un ordinateur à la maison (76% dans leur chambre). 59% ont une connexion à Internet. Ils l'utilisent pour des recherches (80%), les courriels (55%), la messagerie instantanée (31%), les chats (16%), les blogs (31%). Les "bloggeurs" sont principalement des filles.

- La majorité passent plus de temps à écouter la radio qu'à regarder la télé. 90% écoutent de la musique, 26% des divertissements, 17% des infos, 10% des jeux.

- 47% lisent au moins une fois par semaine un ou des magazines: auto-moto et titres sportifs pour les garçons, magazines people et féminins pour les filles. Ils lisent aussi les journaux: la presse nationale (30%), régionale (57%) et la presse jeunesse (72%).

- 68% utilisent plusieurs médias simultanément (45%: radio + Internet; 28%: radio + lecture).

Zoom grammaire | *Adverbs; Comparisons*

La Cigale et la Fourmi[1]

1 En été...

Salut, Fourmi! Tu travailles beaucoup trop! Tu es vraiment ridicule!

Non, chère Cigale, je me prépare simplement pour l'hiver!

2 En hiver...

Il gèle dehors et j'ai très faim. Aide-moi un peu, Fourmi!

Ah ah! Qui est ridicule maintenant?!

[1] The cicada and the ant

What are adverbs?

Adverbs are words (or groups of words) which are used to qualify other words in the sentence (verbs, adjectives, other adverbs).

1 How many adverbs are there in the cartoon? What words do they qualify?

What do adverbs do?

Most adverbs describe **what** something is like or **how** it happens (manner), **where** (place), **when** (time) and **to what extent** (quantity and intensity).

2a Note the category each of the adverbs on the right belongs to.
Example: *lentement* – manner…

2b Which categories do the adverbs in the cartoon belong to?

absolument	lentement
après	normalement
assez	partout
dedans	toujours
hier	gentiment

How are adverbs formed?

Most adverbs are formed by adding *-ment* to the feminine form of the adjective (which is like adding *-ly* in English):
slow – slow**ly** – *(lent/lente)* lente**ment**

There are exceptions: *bien, mal, vite, trop, très,* etc.

214

3 Copy and complete this film review with adverbs from the list.

absolument	normalement
assez	toujours
beaucoup	vraiment

......, je n'aime pas ...... les films un peu nostalgiques, mais pour *Les Choristes*, je fais une exception. C'est l'histoire d'un professeur de musique dans une école pour enfants ...... difficiles. Gérard Jugnot est un acteur qui réussit ...... à rendre ses personnages ...... émouvants. Il faut ...... voir *Les Choristes*!

① Je suis plus prévoyante que la cigale. Je travaille plus dur qu'elle en été et j'ai moins de problèmes qu'elle en hiver! Mais parfois, j'aimerais être aussi insouciante qu'elle et avoir autant d'amis!

② Je suis moins anxieuse que la fourmi. Je travaille moins dur qu'elle en été mais j'ai plus de problèmes qu'elle en hiver! Parfois, j'aimerais être aussi prévoyante qu'elle et avoir autant de réserves!

Read the cartoon above. How many comparisons can you spot?
What types of comparatives are there? (See below.)

Example: *Je suis plus prévoyante que la cigale – a*

Comparative

a with an **adjective**
*Le documentaire est **plus/moins/aussi** intéressant [**que** le jeu].*

b with an **adverb**
*Je parle **plus/moins/aussi** facilement en anglais [**qu'**en allemand].*

c with a **noun**
*On a **plus de/moins de/autant de** devoirs [**qu'**avant].*

d with a **verb**
*Je mange **plus/moins/autant que** mon frère.*

Superlative

a with an **adjective**
*C'est le documentaire **le plus/le moins** intéressant.*

b with an **adverb**
*C'est l'anglais que je parle **le plus/le moins** facilement.*

c with a **noun**
*C'est moi qui ai le **plus de/le moins de** devoirs.*

d with a **verb**
*C'est moi qui mange **le plus/le moins**.*

215

Irregular comparatives and superlatives

adjectives: *bon → meilleur* (better);   *le meilleur* (the best)
         mauvais → pire (worse; also *plus mauvais*); *le pire* (worst; also: *le plus mauvais*)

adverb: *bien → mieux* (better/best)

Copy and complete the film review with comparatives and superlatives.

J'adore tous les films de Harry Potter. Pour moi, le **1**, c'est le dernier, il est super! L'acteur qui joue le **2** selon moi, c'est Rupert Grint, il est super en Ron Weasley. J'aime **3** Daniel Radcliffe, qui, pour moi, n'est pas un super acteur. Les effets spéciaux sont toujours **4** bons, et je pense même que les scènes d'action sont encore **5** réussies que dans les autres. Par contre, ce film est peut-être **6** accessible aux très jeunes spectateurs comme les thèmes abordés sont très sombres.

Zoom grammaire | *Passive; Subjunctive; Pluperfect*

Le chat mange la souris.

Le chat est mangé par la souris.

The passive voice

In an active sentence (A), the subject does the action indicated by the verb.
In a passive sentence (B), the subject has something done to it.

A passive is formed with *être* + **a past participle** and is often followed by *par* + "agent" (who or which does the action to the subject).

 1 Look at the cartoon above. Which is the subject and which the agent in sentence B?

Tenses in the passive

A passive sentence can be used with all tenses. For that, you need to change the tense of *être*:

Le chat	est mangé *(is eaten)*	par la souris.
	a été mangé *(has been eaten)*	
	va être mangé *(is going to be eaten)*	
	sera mangé *(will be eaten)*	
	serait mangé *(would be eaten)*	

225

 2 Name the five tenses used in the example above.

Il ne faut pas que tu ailles au lycée, Toto, et je ne veux pas que tu fasses tes devoirs.

Il faut que tu ailles au lycée Toto, et je veux que tu fasses tes devoirs. Allez, réveille-toi!

The subjunctive

To speak about actions which are subjective (you want or don't want something, you feel it is or isn't necessary or important to do something, etc.) you use the subjunctive.

Some common expressions are followed by a subjunctive:
   Je **veux que** tu <u>rentres</u> à 21h. I want you to come back at 9 pm.
   Il faut que j'<u>aille</u> à la bibliothèque. I must go to the library.
   Il est **important qu'**il <u>vienne</u> avec moi. It's important for him to come with me.

225

3a Read the cartoon about Toto (page 166). What do you think are the infinitives of *ailles* and *fasses*?

3b Read this short article. Find the six verbs in the subjunctive.

> Mes parents ne veulent pas que je regarde la télé tard le soir.
> Ils disent qu'il faut que je fasse mes devoirs et que j'aille au lit
> tôt pour que je sois en forme le lendemain. Ils voudraient que
> je monte au lit à 21h et que j'aie presque 12 heures de sommeil!
> Mais je ne suis pas une marmotte, moi!

1 *Il vient de me demander en mariage et m'a dit qu'il était tombé immédiatement amoureux de moi quand il m'a vue hier soir! Super, non??!*

2 *Qu'est-ce qui ne va pas?*

Hier soir, quand il est arrivé, je lui ai dit pour plaisanter que tu avais gagné 35 millions d'euros à la loterie la semaine dernière...!!!

The pluperfect (*le plus-que-parfait*)

The pluperfect tense is used to say that something had (already) happened.
As in English, it is a compound tense like the perfect. It is made up of *avoir* or *être* **in the imperfect tense** and a past participle.

		perfect	pluperfect
Example:	*manger*	*j'ai mangé*	*j'**avais** mangé*
	arriver	*je suis arrivé(e)*	*j'**étais** arrivé(e)*

223

4 Read the cartoon above and find the two examples of the pluperfect.
Translate them into English.

5 Think how the following sentences would translate into English. Then copy the sentences with the correct verbs.
1 "Je suis désolé, monsieur, mais **je n'ai pas eu/je n'avais pas eu** le temps de faire mes devoirs."
2 Il était désolé parce qu'**il n'a pas fait/il n'avait pas fait** ses devoirs.
3 J'ai éteint la télé parce que je croyais que **tu as fini/tu avais fini** de regarder.
4 "S'il te plaît, éteins la télé quand **tu as fini/tu avais fini** de la regarder!"
5 Je ne savais pas que **tu es montée/tu étais montée** au sommet de la Tour Eiffel!
6 Quand elle est allée à Paris, **elle est montée/elle était montée** au sommet de la Tour Eiffel.

Guide examen | *Revision and exam techniques*
Speaking: general conversation

Revising: think how you learn best and play to your strengths.

1 Revise by listening
- **Read out loud or invent chants.**
- **Record yourself and listen back.**
- **Speak to a partner.**

1, 2, 3... Je suis allé, tu es allé... yé yé! Il est allé, elle est allée, yé yé!

PARLER 1 Invent a rap or chant to recall which verbs take *être* in the perfect tense.

2 Revise by seeing
- **Read through your notes.**
- **Make posters or lists of words and phrases and stick them up around your bedroom.**
- **Illustrate your notes in order to visualize them later.**

me nous
te vous
se se

ÉCRIRE 2 Invent a wall chart illustrating what you did at the weekend.
Example:

Je me suis levé à 10h00.　　*J'ai pris mon petit déjeuner.*

3 Revise by doing
- **Copy out your notes several times.**
- **Underline or highlight key information.**
- **Make and explain revision cards.**

ÉCRIRE LIRE 3 Make up some cards and play a game of snap with a partner to revise key grammar or words/phrases.
Example:

A:
| past participle of a regular -er verb |

B:
| mangé |

A + B: Snap!

Checklist of what to remember on the day

Listening
- Read the instructions.
- Check the marks for each question, to know how many items to include.
- Check whether to answer in English or French.
- Look for any helpful clues (illustrations, sound effects).
- Identify key words and focus on them.
- Knowing grammar can help answer questions (e.g. gap fill texts).

Speaking: presentation and general conversation
- Speak clearly and give answers that are as full as possible.
- Use different tenses and give your opinion.

Speaking: role-play
- Use preparation time well: decide what to say and anticipate what the unpredictable element might be.
- Remember the different ways of asking questions.
- Keep listening to what the examiner says.

Reading
- Check the marks for each question, then you'll know how many items to include.
- Check whether to answer in English or French.
- Knowing a grammar point can help answer questions (e.g. gap fill texts).
- Attempt all the questions. If you get stuck, go on and come back later.

Writing
- Include all the information you are asked for.
- Write clear paragraphs.
- Write extended sentences using link words *(mais, par contre, ensuite…)*.
- Use a variety of tenses and subject pronouns *(je, nous, ils)*.
- Keep some time to check your work. Priorities:
  - use of tenses and endings of verbs
  - agreement of adjectives
  - use of opinions

For coursework, see Units 5 and 9 *Guide examen.*

Be prepared!

Bring in a cassette or CD and ask your teacher to record some French. Listen and note what you think it's about.

Record yourself (presentation/role-play). Listen for what you could improve. Ask your teacher for advice. Work on it! A week later, re-record and compare the two. Have you improved?

Read an article from a French magazine and note the key words and ideas. Swap with a partner, compare and discuss.

Choose a topic (école, vacances, média), a style (letter, message, article), a time limit and a number of words. Write your version, swap with a partner and discuss.

 Parlons-en

À deux, répondez.

1 Est-ce que tu regardes souvent la télé?
2 Qu'est-ce que tu aimes comme émission?
3 Quelle est ton émission préférée?
4 Qu'est-ce que tu aimes comme film?
5 Tu vas souvent au cinéma?
6 Décris le dernier film que tu as vu.

Vocabulaire

À la télé

Qu'est-ce que c'est
  comme émission?
C'est un jeu.
un documentaire
un film
un jeu (les jeux)
le journal télévisé (les infos)
une émission jeunesse
une émission musicale
une émission sportive
une série
C'est quel jour?
C'est le lundi.
tous les jours
le mardi et le dimanche
C'est sur quelle chaîne?
C'est sur BBC2/ITV1.
C'est à quelle heure?
C'est à 20h00/19h45.

On television

What sort of programme
  is it?
It's a game show.
a documentary
a film
a game show (game shows)
the news
a children's programme
a music programme
a sports programme
a series
What day is it on?
It's on Mondays.
every day
on Tuesdays and Sundays
What channel is it on?
It's on BBC2/ITV1.
What time is it on?
It's on at 8 pm/7.45 pm.

Au cinéma

Qu'est-ce qu'on passe
  comme film?
On passe *Blade Runner.*
Qu'est-ce que c'est
  comme film?
C'est un film de science-fiction.
une comédie
un dessin animé
un film d'aventure
un film d'horreur
un film de guerre
un film policier
un film romantique
(Je voudrais) une place pour
  Harry Potter, s'il vous plaît.
Ça fait combien?
Il y a une réduction pour les
  étudiants/les moins de
  18 ans?
La séance commence à
  quelle heure?
Le film est en version
  française/en version
  originale?

At the cinema

What films are showing?

Blade Runner is showing.
What type of film is it?

It's a science-fiction film.
a comedy
a cartoon
an adventure/action film
a horror film
a war film
a detective film
a romantic film
(I'd like) a ticket for Harry
  Potter, *please.*
How much is it?
*Is there a reduction for
  students/under 18s?*

What time does the film start?

*Is the film in the French
  version/in the original
  version?*

La communication

un appareil-photo numérique
une chaîne hi-fi
une connexion à Internet
une console de jeux
un lecteur DVD
un lecteur MP3
un ordinateur
une radio
un téléphone portable
une télévision

Communication

a digital camera
a stereo
an Internet connection
a games console
a DVD player
an MP3 player
a computer
a radio
a mobile phone
a television

La critique du film

Qu'est-ce que tu as vu
  comme film récemment?
J'ai vu…
Le film s'appelle…
C'est un film avec…
Ça se passe à Paris en 1950/
  dans les années 50.
C'est l'histoire de…
Ça parle de…
Qu'est-ce que tu en as pensé?
J'ai bien aimé/Je n'ai pas
  aimé parce que…
J'ai trouvé ça super/
  nul parce que…
L'histoire était/n'était pas…
Les acteurs étaient/
  n'étaient pas…
les personnages
les décors
les effets spéciaux
Ce que j'ai le plus aimé,
  c'était/c'étaient…

The film review

*What films have you seen
  recently?*
I saw…
The film is called…
It's a film with…
*It takes place in Paris in
  1950/in the 1950s.*
It's the story of…
It's about…
What did you think of it?
*I liked it/I didn't like it
  because…*
*I thought it was great/
  rubbish because…*
The story was/wasn't…
The actors were/weren't…

the characters
the sets
the special effects
What I liked best was…

Aide-mémoire | *Se rappeler d'expressions utiles*

Connectives

alors	*then/so*
cependant	*however*
comme	*as*
dès que	*as soon as*
depuis que	*since*
donc	*therefore*
et	*and*
mais	*but*
ou (bien)	*or*
où	*where*
par contre	*on the other hand*
par exemple	*for example*
parce que/car	*because*
pendant que	*while*
pourtant	*however*
puisque	*since*
quand	*when*
(même) si	*(even) if*

Talking about the past

hier	*yesterday*
dimanche dernier	*last Sunday*
la semaine dernière	*last week*
avant	*before*
il y a trois mois	*three months ago*

Talking about the future

bientôt	*soon*
demain	*tomorrow*
la semaine prochaine	*next week*
dans deux ans	*in two years*
un jour	*one day*
à l'avenir	*in the future*

Opinions

J'adore	*I love*
Je déteste	*I hate*
J'aime (beaucoup)	*I like (a lot)*
Je n'aime pas (beaucoup)	*I don't (much) like*
C'est génial!	*It's great!*
C'est nul!	*It's rubbish!*
C'était intéressant!	*It was interesting!*
Je préfère	*I prefer*
Je préférerais	*I would prefer*
Je suis d'accord.	*I agree.*
Je ne suis pas d'accord.	*I don't agree.*
À mon avis	*In my opinion*
Je pense que	*I think that*

Sequencing words

pour commencer	*to start with*
d'abord	*first of all*
ensuite	*next*
puis	*then*
après	*after that*
maintenant	*now*
plus tard	*later*
finalement	*finally*
en conclusion	*in conclusion*

Useful verbs

infinitive	present	perfect	imperfect	future
aller *(to go)*	je vais	je suis allé(e)	j'allais	j'irai
avoir *(to have)*	j'ai	j'ai eu	j'avais	j'aurai
être *(to be)*	je suis	j'ai été	j'étais	je serai
faire *(to do/make)*	je fais	j'ai fait	je faisais	je ferai
regarder* *(to watch)*	je regarde	j'ai regardé	je regardais	je regarderai

* *regarder* is a regular verb. Most verbs with infinitives ending in *-er* follow this pattern.

1 Encore | *Qui est qui à l'entreprise Futura?*

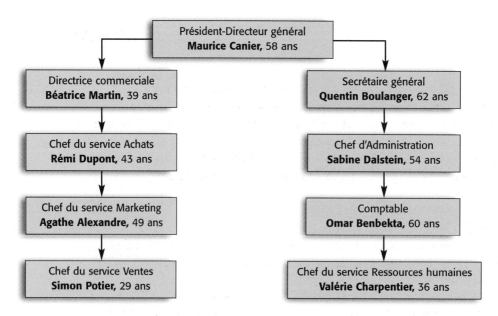

LIRE 1 Regardez le diagramme des responsables d'une entreprise française. Répondez.

a Comment s'appelle la directrice commerciale?

b Quel âge a-t-elle?

c Qui est l'employé le plus âgé?

d Qui est le PDG?

e Comment dit-on en français…?

1 Human Resources

2 Marketing

3 Sales

4 Purchasing

5 Accountant

LIRE 2a Lisez le portrait de Simon Potier. Quelle est sa photo: A ou B?

Le chef du Service Ventes s'appelle Monsieur Simon Potier. Il a vingt-neuf ans. Il est assez petit et assez gros. Il a les yeux bruns et il porte des lunettes de temps en temps. Il est brun et il a les cheveux courts et raides. Il est très dynamique et énergique. Il adore le contact avec les gens et il est, bien sûr, très travailleur.

ÉCOUTER 2b Regardez les photos 1–4. Écoutez.
Qui est Béatrice Martin? Et Valérie Charpentier?

ÉCOUTER 2c Réécoutez. Notez les adjectifs qui décrivent leur personnalité.
Exemple: *Béatrice Martin – travailleuse*

ÉCRIRE PARLER 2d A écrit un portrait similaire d'une des autres femmes et lit sa description à B. B trouve la photo qui correspond.

ÉCRIRE 3 Écrivez le portrait d'un(e) comptable idéal(e).

1 En plus | *L'amitié filles–garçons*

Annecy, le 3 juillet

Cher Marco

Salut! J'attends avec impatience ta visite le mois prochain. J'ai déjà organisé plein de choses à faire – de la natation, de la voile, de l'escalade. Ma meilleure amie, Zoé, est impatiente de faire ta connaissance aussi. Je t'ai beaucoup parlé de Zoé, non? C'est une
5 super copine depuis trois ans. C'est une fille sympa, sociable et amusante. On s'entend très bien et j'ai confiance en elle, même si c'est une fille! Même si on n'aime pas toujours les mêmes choses (j'adore le foot, par exemple, et elle déteste tous les sports!), on se comprend bien.

Mais cette amitié est devenue un problème pour moi. J'en ai marre[1] de mes copains – ils
10 se moquent de moi en disant que, pour un garçon, c'est impossible d'avoir une fille comme meilleure amie. Ils disent que nous sommes amoureux mais ce n'est pas vrai! À mon avis, les filles et les garçons sont différents mais ils se complètent. Le pire[2], c'est que mes parents commencent à se plaindre aussi. Ils me font des reproches et disent que je téléphone trop à Zoé, que je sors trop souvent avec elle et que je dois passer plus de
15 temps à faire mes devoirs!

Et toi, qu'est-ce que tu penses? Que dois-je faire?
À bientôt!
Yvan

[1] I'm fed up
[2] The worst thing

 1a **Lisez la lettre. (Cherchez cinq mots maximum dans le dictionnaire.) Quel est le problème?**

 1b **Vrai ou faux? Corrigez les phrases fausses.**
- **a** Marco va à Annecy au mois de juillet.
- **b** Zoé a un caractère agréable.
- **c** Yvan et Zoé jouent au football tous les jours.
- **d** Les copains d'Yvan comprennent bien son amitié avec Zoé.
- **e** Yvan n'est pas amoureux de Zoé.
- **f** Les parents d'Yvan pensent qu'il a trop de devoirs.

 1c **Imaginez la réponse que Marco écrit à Yvan. Écrivez 100–120 mots.**

 2 **L'amitié filles–garçons, c'est possible? En groupes, discutez. Quelle est l'opinion de la classe?**

Les filles sont trop (bavardes/sentimentales/sérieuses, etc.).

Les garçons sont trop (paresseux/égoïstes/vaniteux, etc.)

Ils se comprennent./ Ils ne se comprennent pas.

Ils s'entendent bien./ Ils ne s'entendent pas bien.

Les différences sont intéressantes parce que…

2 Encore | *Chez moi*

LIRE
1a Lisez cette lettre de Nabila. Retrouvez les mots qui manquent dans la liste ci-dessous.

Exemple: *1 – maison*

garage	cave
salon	chambres
maison	partage
jardin	salles de bains
cuisine	salle à manger

ÉCOUTER
1b Écoutez pour vérifier.

ÉCRIRE
2a Écrivez une lettre pour Sylvain avec les mots de la boîte à droite. Adaptez la lettre de Nabila.

Exemple: *J'habite à Saint-Gervais…*

ÉCOUTER
2b Écoutez l'interview de Sylvain pour vérifier.

ÉCOUTER
3 Écoutez Rachid. Prenez des notes en anglais.

J'habite à Fuveau. C'est un village, à la campagne près d'Aix-en-Provence. J'habite dans une **1**. C'est grand et ancien: ça date de 1890! Au rez-de-chaussée, il y a une grande **2**, un petit **3** et une **4**. Au premier étage, il y a trois **5**: une pour mes parents, une pour mon frère Karim et une pour moi: je ne **6** pas ma chambre, c'est super! Nous avons deux **7** et deux WC. Il y a aussi un grenier et une **8**. Le **9** est dans le **10** qui est très grand. J'aime bien chez moi, c'est sympa!

Nabila

Saint-Gervais, petite ville, la montagne, près de Chamonix, un appartement, troisième étage, petit, moderne, trois chambres, un salon, une salle à manger, une cuisine, une salle de bains, des WC, un grand balcon, une cave, sympa

2 En plus | *Comprendre les abréviations*

1 Lisez les annonces pour des maisons à vendre. Recopiez-les avec les mots de la boîte pour remplacer les abréviations.

avec	cuisine	maison
balcon	équipée	proximité
beaucoup	étage	salle de bains
caractère	garage	séjour
chambres	grand	traditionnelle
cheminée	jardin	

2a Avant de lire les renseignements sur Paris, essayez de deviner ce que veulent dire ces abréviations.

M°	Tél	ét	Ent.	€	enfts	t.l.j.
sept.	oct.	sf	ven.	sam.	mn	av.
Pl	m	TR	jan.	juil.	nov.	déc.

2b Comparez vos réponses avec votre partenaire. Pour vous aider et vérifier, lisez les annonces et répondez aux questions.

a Quel est le numéro de téléphone de la Tour Montparnasse?

b Combien d'étages a la Tour?

c Peut-on visiter la Tour Montparnasse tous les jours en septembre? Et en octobre?

d C'est quel métro pour l'Arc de Triomphe?

e Combien coûte l'entrée de l'Arc de Triomphe pour les adultes?

f Quel est le tarif réduit à l'Arc?

g À quelle heure est la dernière visite de l'Arc?

3 Enregistrez une publicité radio pour ces deux endroits, en remplaçant les abréviations, bien sûr!

À VENDRE

Basse-Normandie
2 ch.
séj. av balc.
cuis. équip.
s.d.b.
gar.
jar.

Bretagne sud
mais. trad., bcp de caract.
gd. séj av chem.
2 WC
ét : 5 ch.
s.d.b.
pr. plages

Tour Montparnasse
rue de l'Arrivée
Paris 15ème
M° Montparnasse-Bienvenüe
Tél: 01 45 38 52 56
www.tourmontparnasse56.com
Vue unique sur Paris à 360°
de jour comme de nuit
Terrasse panoramique au
56ème ét.
Ent.: adultes: 8,50 €
     14/18 ans: 7,50 €
     enfts: 5,80 €
t.l.j.
avril-sept. – de 9h30 à 23h30
oct.-mars – de 9h30 à 22h30
    sf ven./sam. et
    veilles de fêtes – de
    9h30 à 23h00
dernière montée 30 mn av.
fermeture

Arc de Triomphe
Pl. Charles-de-Gaulle
Paris 8ème
M° Charles-de-Gaulle-Etoile
Tél: 01 55 37 73 77
www.monum.fr
Monument historique
Vue panoramique du
toit (50 m)
Ent.: Tarif plein 8 €
     TR 5 €
t.l.j.
avril-sept. – de 10h00 à 23h
oct.-mars – de 10h à 22h30
    sf 1 jan., 1er et
    8 mai, 14 juil.,
    11 nov., 25 déc.
fermeture caisses 1/2 h. av.

	En France	Chez nous
On porte un uniforme	non	oui
Le mercredi après-midi	on n'a pas cours	
Le samedi matin	on a souvent cours	
Les cours commencent	en général à 8 heures	
Les cours se terminent	en général à 5 heures	
Jours de classe par an	180	
Heures de classe par semaine (dans le secondaire)	30	
Les grandes vacances durent	9 semaines	
La première année du collège s'appelle	la sixième	
Les profs organisent des activités en dehors des cours	rarement	
On passe les examens	en juin	

  1 Recopiez le tableau. Complétez la colonne *chez nous*.

 2a Vrai ou faux? Corrigez si c'est faux.

    a En France, les cours commencent plus tôt que chez nous.

    b En France, il y a plus de jours de classe par an que chez nous.

    c Les Français ont plus d'heures de classe par semaine que nous.

    d En France, les grandes vacances sont moins longues que chez nous.

    e En France, les professeurs organisent moins d'activités en dehors des classes.

2b Écoutez les cinq commentaires. Vrai ou faux?

 3 Comparez votre école avec les écoles en France. Faites des phrases comme dans l'exemple. (*tandis que* = **whereas**)

Exemple: *Dans notre collège, on porte un uniforme, tandis qu'en France on ne porte pas d'uniforme.*

4 A dit une phrase du tableau. B donne son opinion. Ensuite, changez de rôles.

Exemple:

A: En France, on n'a pas cours le mercredi après-midi.

B: À mon avis, c'est une excellente idée. ou Je trouve que c'est ridicule.

3 En plus | *De l'autre côté de la Manche*

"Comment imaginez-vous l'école en Grande-Bretagne?" Des élèves français répondent.

Moi, je ne voudrais pas être au collège en Angleterre[1] parce que les élèves n'ont pas le droit de sortir à midi. En général, ils mangent tous à la cantine. Moi, j'apprécie trop[2] de rentrer chez moi à midi, c'est moins stressant!

Katya

On m'a dit que les élèves britanniques sont très disciplinés, qu'ils ne trichent jamais et qu'ils ne sèchent jamais les cours. Je ne sais pas si c'est vrai!

Théo

Dans toutes les écoles anglaises[1], on doit porter un uniforme. Je trouve ça ridicule et moche. Moi, je n'aimerais pas ça!

Sophie

Moi, je crois que les élèves anglais font beaucoup d'activités sympa avec leurs profs en dehors des cours. Ils ont beaucoup de clubs, de chorales, d'orchestres, d'équipes sportives et moi, je trouve ça super.

Sylvain

On dirait que les élèves britanniques font plus de voyages scolaires que nous. Il y a souvent des groupes d'Anglais dans ma ville. Ici, dans mon collège, on ne fait jamais rien. C'est nul!

Céline

À mon avis, ils ne travaillent pas beaucoup. Ils n'ont pas beaucoup de devoirs à faire le soir et ils ont des matières faciles comme art dramatique ou religion.

Lucie

Je pense qu'en Angleterre, les vacances sont beaucoup plus longues qu'en France et j'ai l'impression que les journées scolaires sont beaucoup plus courtes. Ils ont de la chance là-bas!

Lucien

[1] The French often use *anglais/Angleterre* when they mean British/Great Britain.
[2] here means "really"

LIRE
1 Lisez. Qui a une vision positive des écoles britanniques?

LIRE
2 Trouvez dans le texte huit expressions pour dire ce qu'on pense.
Exemple: *Je trouve ça,…*

ÉCRIRE
3 Avec qui êtes-vous d'accord ou pas d'accord? Pourquoi? Écrivez.
Exemple: *Je suis d'accord avec X parce que je pense aussi que…*

PARLER ÉCRIRE
4 À deux, discutez et notez ce que vous pensez des écoles en France. Ensuite, discutez en classe.

Julien et Sophie échangent des souvenirs de vacances.

JULIEN:
"Mes meilleures vacances, c'est quand je suis allé en Inde avec mes parents pendant deux mois. C'était génial! On a pris l'avion pour Mumbai et on est descendus dans le sud de l'Inde en car. C'était long et très inconfortable mais les gens étaient très sympa. Là, on a fait du tourisme en voiture: il y avait beaucoup de choses à voir: des temples, des villages, des paysages extraordinaires. Il faisait beau et tout était fascinant!"

SOPHIE:
"Mes pires vacances, c'est quand je suis allée camper deux semaines à Toulon, dans le sud de la France, avec ma mère et mes demi-sœurs. Tout était cher, le camping était nul et il y avait beaucoup de vent! La région était jolie mais la voiture était toujours en panne et on n'a rien visité. Ma mère et mes demi-sœurs voulaient seulement aller à la plage et bronzer. Moi, je déteste ça et je me suis ennuyée. C'était nul!"

1a **Écoutez et lisez. Trouvez:**

   a trois moyens de transport

   b deux noms de ville

   c deux durées

   d deux descriptions de temps

   e trois activités de vacances

   f au moins quatre opinions

1b **Relisez. Combien de verbes:**

3 MN

   a au présent?

   b au passé composé?

   c à l'imparfait?

2 **À deux: imaginez les interviews de Julien et Sophie. Adaptez et utilisez les questions des Expressions-clés, page 63.**

Exemple:

A: Tu as passé de bonnes vacances?

B: Ah oui, j'ai passé d'excellentes vacances…

3 **Changez et réécrivez les textes pour dire le contraire!**

Exemple: *Julien: Mes pires vacances, c'est …*

C'était nul! … les gens n'étaient pas sympa…

4 En plus | *Objets trouvés*

Léo va au bureau des objets trouvés faire une déclaration de perte.

Décrivez votre portefeuille: la forme, la couleur, la marque et le contenu, s'il vous plaît.

Léo a passé un week-end à Paris avec trois amis. À la gare, il cherche son portefeuille. Il l'a perdu.

1 **Écoutez la conversation de Léo au bureau des objets trouvés. Son portefeuille est là? Si oui, lequel est-ce?**

a b c

2 Complétez la Conversation-clé pour les deux autres portefeuilles. Inventez les détails!

3 Adaptez la Conversation-clé pour les articles suivants.
Exemple:
A: *J'ai perdu mes lunettes de soleil.*
B: *Où les avez-vous perdues?*

c un sac de sport

a des lunettes de soleil

b un pull

Conversation-clé

A: J'ai perdu mon portefeuille.
B: Où l'avez-vous perdu?
A: Je ne sais pas, peut-être à/au/dans…
B: Quand l'avez-vous perdu?
A: Je pense que c'était quand…
B: Comment est-il?
A: Il est…. Dedans, il y avait…
B: C'est le vôtre*?
A: Ah non, ce n'est pas le mien*/Oui, c'est le mien!

* le/la vôtre/les vôtres: yours
* le mien/la mienne/les miens/les miennes: mine

Zoom grammaire past participle agreement

The past participle agrees with the preceding direct object:
masc. sing. *Où l'avez-vous perdu?*
fem. sing. *Où l'avez-vous perdue?*
masc. pl. *Où les avez-vous perdus?*
fem. pl. *Où les avez-vous perdues?*

150 ▶

d une valise

e une pochette

5 Encore | *Ça ne va pas*

 1a **Écoutez Pierre. Notez:**

a ses symptômes

b les conseils de sa mère

 1b **Réécoutez. Notez les questions de la mère de Pierre.**

 1c **A est Pierre, B est sa mère. Utilisez les questions pour recréer la conversation.**

 2a **Recopiez et complétez le dialogue à droite avec les mots de la boîte.**

à la pharmacie	une ordonnance
j'ai mal	de l'aspirine
ça ne va pas	je me suis cassé
un muscle	

Docteur:	Bonjour! Ça va?
Patient:	Non! **1**
Docteur:	Qu'est-ce que vous avez?
Patient:	**2** au bras. **3** le bras, docteur?
Docteur:	Non, je ne crois pas. Vous vous êtes déchiré[1] **4** .
Patient:	C'est grave?
Docteur:	Non, pas trop, mais gardez le bras en écharpe! Prenez **5** si ça vous fait mal. Je vais vous donner **6** . Allez acheter cette crème **7** .

[1] torn

 2b **À deux, lisez la conversation.**

 3a **Décrivez chaque personne dans les dessins a–d.**

Exemple: *a Elle a peur, elle a mal aux dents, il a sommeil.*

3b **Prenez les rôles des personnages dans les dessins. Inventez des dialogues.**

Exemple:

A: *Ça va?*

B: *Non, ça ne va pas bien.*

A: *Qu'est-ce que tu as?*

B: *J'ai peur.*

A: *Ne t'inquiète pas – j'ai un peu sommeil, mais je suis un excellent dentiste.*

5 En plus | *En cas d'urgence*

Quand on fait une activité sportive, il y a parfois des risques d'accident. Savez-vous quoi faire en cas d'urgence?

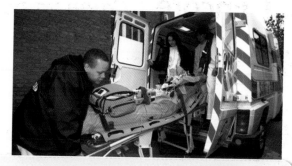

Imaginez, vous faites une randonnée à vélo à la campagne.
Votre ami tombe et se blesse.

1 Vous voulez attirer l'attention de quelqu'un. Vous criez tout de suite:
- **a** S'il vous plaît!
- **b** Au secours, à l'aide!
- **c** Ahhhh!

2 Quelqu'un arrive. Vous expliquez d'abord la situation:
- **a** avec des gestes
- **b** simplement, en quelques mots
- **c** avec tous les détails

3 Vous téléphonez aux services de secours:
- **a** vous parlez lentement et clairement
- **b** vous parlez le plus rapidement possible
- **c** vous répondez aux questions des secouristes

4 Vous êtes avec votre ami. Vous attendez les secours:
- **a** vous ne lui parlez pas pour ne pas le fatiguer
- **b** vous lui demandez de chanter avec vous
- **c** vous lui tenez la main et vous lui parlez doucement

Les meilleurs conseils: 1b, 2b, 3a, 4c

1a Lisez le test et choisissez les meilleurs conseils.

1b Écoutez comment réagissent trois personnes dans la situation ci-dessus. Qui réagit le mieux?

1c Réécoutez et répétez après la personne qui réagit le mieux.

2 Imaginez! A fait de l'escalade avec un ami qui tombe et se blesse. A téléphone et explique la situation au SAMU, représenté par B. Ensuite, changez de rôles. Qui réagit le mieux?
Exemple: *A: Allô. J'ai besoin d'aide. Mon ami…* (expliquez le problème) *Nous sommes…* (expliquez où vous êtes).

3 Lisez ce dépliant (à droite) distribué dans la région de Marseille. Décidez quel numéro appeler dans chaque cas:
- **a** un accident de canoë-kayak avec un noyé
- **b** un accident entre une voiture et un cycliste (blessé)
- **c** une dame attaquée
- **d** votre amie s'est évanouie au soleil.

Réflexe urgence santé

Composez le 15 – aide médicale en cas de:
- détresse, grande urgence à domicile
- accident de la circulation avec blessés
- malaise dans un lieu public
- accident du travail/de sport
- urgence en l'absence du médecin traitant ou de garde

Composez le 18 – les pompiers – en cas de:
- incendie
- accident de la circulation avec blessés
- explosion
- gaz/vapeurs toxiques
- noyade

Composez le 17 – police secours – en cas de:
- agression
- toute situation d'urgence menaçant la sécurité des personnes

6 Encore | *Le jeu des questions*

¹ ticket office

The board game contains the following squares:

Départ →
1. Le train pour Brive part à quelle heure?
2. Vous désirez?
3. C'est combien? **11€**
4. Il faut réserver? ✓
5. Un aller simple ou un aller-retour?
6. Une place fumeurs ou non-fumeurs?
7. En quelle classe? **2ᵉ**
8. Il y a une réduction pour les jeunes? ✗
9. Le train arrive à quelle heure?
10. Où est le guichet¹, s'il vous plaît? *i*
11. Où sont les toilettes, s'il vous plaît?
12. Le train part de quel quai? **6**
13. C'est quel quai pour le train pour Paris? **5**
14. Un aller-simple ou un aller-retour?
15. Est-ce que c'est direct? ✓
16. Le train pour Dax part quand?
17. Vous préférez côté fenêtre ou côté couloir?
18. Vous désirez?

STATION	ARRIVÉES	DÉPART	TRAIN
Paris-Brive	07:35	09:00	PB090
Paris-Brive	11:00	13:30	PN06
Paris-Brive	15:30	17:30	PB034

19. Vous désirez? BLOIS

LIRE ÉCOUTER 1 Lisez les questions du jeu. Ensuite, écoutez. Qui donne la bonne réponse:
Zoé (Z) ou Paul (P)?

LIRE PARLER 2 Jouez avec un(e) partenaire.
Prenez un dé et un jeton pour chaque personne.
A lance le dé et fait avancer son jeton.
B lit la question, A répond. Une bonne réponse = 1 point.
Ensuite, B lance le dé et fait avancer son jeton, etc.
Exemple:

A: *(lance le dé) Deux!*   B: *Deux… Vous désirez?*

A: *Je voudrais deux allers-retours pour Dax, s'il vous plaît.*   B: *OK, un point…*

6 En plus | *En métro à Paris*

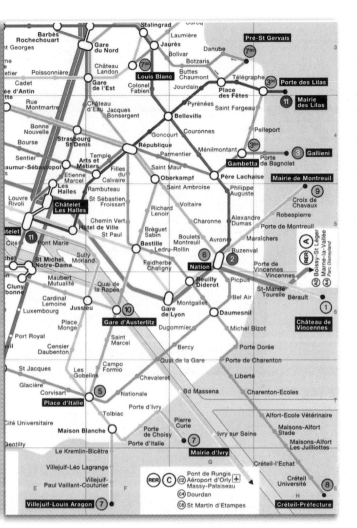

 1 Écoutez et répondez.

a Lisa achète quoi?

b Elle est où?

c Où va-t-elle?

 2a Lisez le texte à droite et écrivez cinq choses sur le métro parisien en anglais.

 2b Donnez les instructions pour aller:

a de Place d'Italie à Mairie d'Ivry

b de Gare de Lyon à Père Lachaise

c de Belleville à Gambetta.

À Paris, 5 millions de voyageurs prennent le métro chaque jour. Les rames du métro voyagent sous la ville – même sous la Seine et sous certains monuments comme l'Arc de Triomphe. Il y a 16 lignes et 297 stations de métro.

Pour vous orienter
- trouvez votre station sur le plan du métro
- repérez votre destination
- suivez la ligne jusqu'au terminus
- il y a parfois une correspondance (changement de ligne).

Par exemple: vous êtes à Belleville et vous voulez aller à Place d'Italie. Prenez la ligne 11, Mairie des Lilas-Châtelet, direction Châtelet. Changez à République. Là, prenez la ligne 5, direction Place d'Italie et allez jusqu'au terminus.

Pierre cherche un travail avant d'aller à l'université.

Beaucoup de jeunes vont faire les vendanges (ramasser le raisin) en septembre–octobre en France.

LIRE 1 Pierre a lu l'annonce à droite et il a des questions. Lisez ses notes et reliez chacune à une Expression-clé.

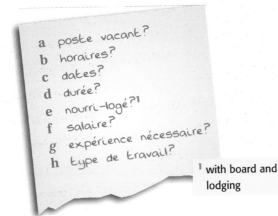

a poste vacant?
b horaires?
c dates?
d durée?
e nourri-logé?¹
f salaire?
g expérience nécessaire?
h type de travail?

¹ with board and lodging

Domaine du Vieux Colombier

Vendanges en Beaujolais
Cherchons vendangeur sérieux et motivé
Travail physique mais ambiance familiale sympa.
Villié-Morgon
Tél: M. Vessier 06 89 45 64 38

Expressions-clés

1 Est-ce que le poste est encore libre?
2 C'est pour quand?
3 C'est pour combien de temps?
4 Quels sont les horaires?
5 Est-ce qu'il faut avoir de l'expérience?
6 Qu'est-ce qu'il faut faire exactement?
7 Est-ce qu'on est nourri et logé?
8 C'est payé combien?

ÉCOUTER ÉCRIRE 2 Écoutez la conversation de Pierre. Notez les réponses de M. Vessier.

PARLER 3 Lisez les annonces ci–dessous. À deux, imaginez les conversations. A pose les questions des Expressions-clés (ou d'autres), B invente des réponses. Changez de rôles.

Exemple:

A: *Bonjour. Le poste de baby-sitter est encore libre?*

B: *Oui, oui, il est libre….*

Recherche baby-sitter
pour s'occuper de mes deux
enfants (5 et 3 ans) cet été – Paris
Tél: **Claude Duhamel** 06 89 45 64 38

Recherche vendeur/vendeuse
pour la saison d'été dans
magasin de souvenirs
Bord de mer – Biarritz
Tél: **Dominique Bikenti** 05 59 78 65 12

7 En plus | *Passer un entretien*

1 Comment vous appelez-vous?

2 Quel âge avez-vous?

3 Où habitez-vous?

4 Quelles études faites-vous?

5 Quelles sont vos matières préférées?

6 Quels examens préparez-vous?

7 Quels examens avez-vous déjà passés?

8 Quelles langues étrangères parlez-vous?

9 Quels sont vos centres d'intérêt?

10 Quelles sont vos qualités personnelles?

11 Qu'est-ce que vous avez comme expérience?

12 Pourquoi voulez-vous travailler ici?

Léa passe un entretien d'embauche à l'hôtel l'Océan – voir p.115.

LIRE 1 Lisez les questions. Regardez les pages 44 et 109 et prédisez les réponses de Léa.

ÉCOUTER ÉCRIRE 2a Écoutez l'entretien de Léa avec Mme Biot. Quelles questions Mme Biot pose-t-elle?

ÉCOUTER ÉCRIRE 2b Notez la réponse de Léa à la dernière question.

ÉCOUTER 2c Notez les trois questions de Léa et les réponses de Mme Biot.

ÉCOUTER 3 Hugo est un autre candidat pour le poste. À votre avis, qui passe le meilleur entretien, Léa ou Hugo? Pourquoi?

PARLER 4 À deux, imaginez un entretien. Vous postulez pour la position à l'hôtel l'Océan, votre partenaire est Sylvie Biot et vous pose des questions. Ensuite, changez de rôles.

Printemps-Été / Spring-Summer

JARDIN DES PLANTES

57, rue Cuvier

Petit zoo, promenades

1a Écoutez et lisez la conversation à droite. Retrouvez les mots qui manquent.

> la gare
>
> Parc Astérix
>
> Musée Grévin
>
> huit heures et demie

VISITEZ LES GRANDS MAGASINS PARISIENS:

Galeries Lafayette, Printemps, Samaritaine

1b Recopiez et complétez la conversation.

1c Avec un(e) partenaire, lisez la conversation à haute voix.

Simon: Tu es libre demain? Tu veux aller au **1** ?

Magali: Euh, je n'aime pas beaucoup les musées. J'aimerais mieux aller dans un parc d'attractions. On va au **2** ?

Simon: Oui, d'accord. Je veux bien.

Magali: Où est-ce qu'on se retrouve?

Simon: À la **3** .

Magali: D'accord.

Simon: À quelle heure est-ce qu'on se retrouve?

Magali: À **4** .

Simon: D'accord. À demain!

Magali: À demain!

2a À vous de choisir une attraction! Invitez votre partenaire. Organisez votre rendez-vous (lieu/heure).

Exemple:

A: Tu es libre demain? Tu veux aller au Parc Astérix?

B: Oui, je veux bien./Non, j'aimerais mieux…

2b Écrivez votre conversation.

8 En plus | *En canoë ou en kayak*

LA DESCENTE DE LA DORDOGNE
avec les canoës

SOLEIL PLAGE
Base de départ: Caudon de Vitrac

Parcours proposés:

	Prix par kayak (une personne)	Prix par canoë (deux personnes)	Prix par canoë (trois personnes)
SOLEIL PLAGE ⇨ CASTELNAUD *13 km de parcours*	17€	23€	27€
SOLEIL PLAGE ⇨ LES MILANDES *17 km d'un parcours superbe*	21€	27€	34€
Location à l'heure sur place	7€	8€	9€

Dans nos prix sont incluses la location du matériel (gilets de sauvetage, pagaies, containers) et les remontées en autobus.

Règles élémentaires:
- il faut savoir nager
- il ne faut pas embarquer d'enfants qui ne savent pas nager
- il faut porter un gilet de sauvetage en bon état et fermé
- il faut utiliser un bateau équipé de réserves de flottabilité et d'anneaux de bosse
- il faut s'informer localement des difficultés de navigation

LIRE 1 Dans le texte, trouvez le français pour les expressions suivantes:
  a a life jacket   **b** return by bus   **c** 13-kilometre route   **d** air bags

LIRE 2 Lisez l'annonce. Répondez aux questions en anglais pour un copain qui ne parle pas français.
  a Can two people share a canoe?
  b How much does it cost for a single canoe for an hour?
  c What's the longest canoe trip?
  d If we go to *Les Milandes* in a canoe, how do we get back? Will that cost extra?
  e Do you pay extra for a life-jacket?
  f Do you have to be able to swim?

PARLER 3 A achète des billets pour faire du canoë (situations a–d). B vend les billets.
Ensuite, A vend les billets et B les achète (situations e–h). Relisez la Conversation-clé, page 127, pour vous aider.
  a un canoë pour trois personnes pour une heure
  b trois kayaks pour une personne pour le parcours Soleil Plage – Castelnaud
  c quatre kayaks pour deux heures
  d un canoë pour deux personnes pour le parcours Soleil Plage – Les Milandes
  e un canoë pour deux personnes pour deux heures
  f un kayak pour une personne pour le parcours Soleil Plage – Castelnaud
  g quatre kayaks pour une heure
  h un canoë pour trois personnes pour le parcours Soleil Plage – Les Milandes

9 Encore | *Au supermarché*

1a Lisez le panneau à droite et écoutez (1–6). On parle des heures d'ouverture. Vrai ou faux?

1b Jeu de mémoire. A pose les questions suivantes, B répond de mémoire. Ensuite, changez de rôles.
  a Ça ouvre à quelle heure le + *jour*?
  b Ça ferme à quelle heure le + *jour*?
  c Ça ouvre le + *jour*?

1c Les magasins près de chez vous ouvrent/ferment à quelle heure? Écrivez un paragraphe.
Exemple: *La boulangerie ouvre à neuf heures et ferme à cinq heures et demie.*

2a Lisez la brochure. Écoutez (1–5). Reliez les annonces aux photos a–e.

2b Mettez les étiquettes en anglais sur le bon produit.
  1 0,60€ discount at the till
  2 small size free
  3 75ml shaving foam free
  4 + 1 extra slice
  5 20% extra free

HORAIRES D'OUVERTURE

LUNDI :	de 14 h 30 à 19 h 15
du MARDI au JEUDI	de 9 h à 12 h 15 / de 14 h 30 à 19 h 15
VENDREDI :	de 9 h à 12 h 15 / de 14 h 30 à 19 h 30
SAMEDI :	de 9 h à 13 h / de 14 h à 19 h

OUVERT le DIMANCHE MATIN de 9 h à 12 h 15

a Assortiment de bonbons — 20% GRATUIT — Zoé

2€,95
ASSORTIMENT DE BONBONS ZOÉ
950 g
DONT 20% GRATUIT

b OFFRE SPECIALE — BiC Bilame

4€,75
RASOIRS BIC BILAME
le paquet de 15
+ 1 BOMBE DE MOUSSE À RASER START DE 75 ML GRATUITE

c Monique RANOU — Jambon Gourmand

2€,50
JAMBON GOURMAND MONIQUE RANOU
jambon supérieur découenné, dégraissé
le paquet de 4 tranches + 1 TRANCHE GRATUITE soit 180 g

d Schweppes INDIAN TONIC 10 x 20 cl — 0,60

5€,10
SCHWEPPES INDIAN TONIC
le pack de 10 bouteilles de 20 cl
(soit le litre 2,55€)
+ 0,60 F DE RÉDUCTION IMMÉDIATE EN CAISSE

e Congélation APTA

4€,00
le lot
SACS CONGÉLATION APTA
grand modèle + moyen modèle
+ PETIT MODÈLE GRATUIT

9 En plus | *Spécial shopping*

au marché

dans les hypermarchés

dans les magasins/boutiques

au marché aux puces[1]

dans les grands magasins

par catalogue

[1] flea market

1 Des jeunes disent où ils achètent leurs vêtements. Écoutez et trouvez la bonne photo pour chacun. Puis réécoutez et faites une liste des raisons qu'ils donnent.

Exemple: *1 – b, ce n'est pas cher*

2 Et vous, où achetez-vous vos vêtements? Expliquez pourquoi.

3 Lisez ce texte et les commentaires des jeunes. Vous êtes d'accord? Pas d'accord? Qu'en pensez-vous?

Lèche-vitrines du futur?

Où achètera-t-on ses vêtements dans 20 ou 30 ans? Sans doute à distance. De plus en plus de gens achètent déjà à distance (par catalogue ou sur Internet). Bientôt les boutiques du centre-ville n'existeront plus. Grâce à la réalité virtuelle, tu auras un jour – sur ton ordinateur ou ton portable – un mannequin virtuel qui te ressemble. Tu pourras "essayer" un vêtement sur le mannequin pour voir s'il te va bien. Peut-être même pourra-t-on donner nos mesures et les vêtements seront alors faits sur mesure et livrés à domicile 24 heures plus tard!

Je préfère essayer les vêtements avant de les acheter. Moi, je continuerai à aller dans les magasins.
Grégor

Sur catalogue Internet, on ne voit pas bien les couleurs ni les formes et puis, on perdra le contact humain qui existe dans les magasins.
Estelle

Il faut vivre avec son temps et je pense qu'acheter des vêtements à distance est une solution d'avenir. Tout sera moins cher et il y aura plus de choix.
Hugo

Moi, je pense que ce sera super pratique de faire ses achats à distance!
Alicia

Bye-bye

France, 1995   1h45

Comédie/drame social
Réalisation: Karim Dridi
avec Sami Bouajila, Nozha Khouadra,
Philippe Ambrosini, Frédéric Andrau.

Ça se passe à Marseille dans les années 90.
C'est l'histoire de deux frères d'origine tunisienne, Ismaël, 25 ans et Mouloud, 12 ans. Ils quittent Paris après un problème de famille et vont chez leur oncle à Marseille. Ismaël trouve du travail à Marseille. Mouloud rencontre des délinquants, des trafiquants de drogue …
Bye-bye parle de racisme, de délinquance, de drogue mais toujours avec humour et optimisme. On ne s'ennuie jamais, on rit, on pleure, on réfléchit.

L'histoire est passionnante et les personnages d'Ismaël et de Mouloud sont très sympathiques. Les acteurs sont vraiment excellents. C'est un film drôle et triste à la fois, à voir absolument!

1a Lisez la critique. Cherchez au maximum cinq mots dans le dictionnaire.

1b Répondez aux questions a–g.
  a C'est quel genre de film?
  b Qui est le réalisateur?
  c Qui sont les acteurs?
  d Ça se passe où?
  e C'est l'histoire de qui?
  f Ça parle de quoi?
  g C'est comment?

2 Lisez et écoutez la critique de *Bye-bye*. Le journaliste fait quatre erreurs à la radio. Notez-les.

3 Choisissez un film et écrivez/enregistrez une critique. Aidez-vous des Expressions-clés (soulignées dans le texte) et du modèle enregistré.

Expressions-clés

Les détails du film
Le film s'appelle …
C'est un film avec …

L'histoire
Ça se passe à …, en/dans les années …
C'est l'histoire de…
Ça parle de …

Votre opinion
L'histoire est …
Les personnages sont …
Les acteurs sont …
C'est un film …

10 En plus | *Enquête: jeux vidéo*

« À votre avis, qu'est-ce qui constitue un bon jeu vidéo? »
Des jeunes de 12 à 18 ans répondent.

Moi, je veux qu'un jeu vidéo soit drôle, inventif et distrayant[1] mais pas forcément[2] violent. Je voudrais qu'il y ait plus de jeux de simulation basés sur des comédies, par exemple.

Lucas

Quand j'achète des jeux, je recherche des jeux de stratégie, je veux qu'ils me fassent réfléchir!

Marco

Pour moi, c'est important qu'on puisse jouer à plusieurs, parce que c'est plus amusant que de jouer tout seul.

Théo

Il faut qu'avec un jeu vidéo je puisse m'évader[3], que j'oublie ma vie de tous les jours et que je devienne un héros à qui il arrive toutes sortes d'aventures! Il faut donc que le scénario et le graphisme soient excellents.

Adam

Pour moi, dans un bon jeu, il ne faut pas qu'il y ait de violence parce que j'ai horreur de ça. Dans mon jeu préféré, les Sims, on ne détruit rien. Au contraire, on construit!

Laure

Pour moi, ce n'est pas important qu'un jeu ait un bon scénario ou pas, parce que moi, ce que j'aime le plus, c'est le combat, c'est tirer sur le plus possible d'ennemis!

Samuel

Je cherche toujours des jeux avec un scénario intéressant mais pas trop compliqué. Je n'aime pas quand il faut que j'aille sur Internet chercher des solutions pour accéder au niveau supérieur. Ça m'énerve!

Lucie

[1] entertaining
[2] not necessarily
[3] to escape

1 Lisez et notez vos opinions sur les commentaires de chaque jeune 0–3 (3: tout à fait d'accord, 2: assez d'accord, 1: pas vraiment d'accord, 0: pas du tout d'accord).

2 Traduisez en anglais les quatre opinions avec lesquelles vous êtes le plus d'accord.

3a Relisez les textes et notez les infinitifs des verbes au subjonctif (en jaune) (voir pages 166–7).
Exemple: *un bon jeu vidéo **soit** drôle – être*

3b Pourquoi le subjonctif? Expliquez en anglais.
Exemple: the subjunctive is needed after *il faut que*

?15 questions

pour mieux comprendre qui tu es

1. Quelles sont tes deux principales qualités?

2. Quels sont tes deux principaux défauts?

3. Quels adjectifs choisis-tu pour décrire ton apparence physique? (3)

4. Un frère/une sœur, c'est un avantage ou un inconvénient?

5. As-tu des qualités communes avec ton père ou ta mère? Si oui, lesquelles?

6. As-tu des défauts communs avec ton père ou ta mère? Si oui, lesquels?

7. Qui te comprend le mieux: tes parents ou tes grands-parents?

8. Pour toi, quelle est l'opinion qui compte le plus: celle de tes amis, de tes parents ou de tes profs?

9. La musique que tu préfères, c'est le hard rock, le rap, le disco ou le classique?

10. Tu téléphones ou envoies des SMS: très souvent, assez souvent, rarement, jamais?

11. Pratiques-tu un sport en dehors du collège? Si oui, lequel?

12. Que penses-tu du sport au collège? On en fait trop, c'est bien ou on n'en fait pas assez?

13. Qu'est-ce que tu lis le plus souvent: un livre, un journal ou un magazine? Pourquoi?

14. Plus tard, tu préférerais avoir beaucoup d'enfants, être très riche ou faire un travail intéressant?

15. Est-ce que tu trouves les jeux-tests amusants ou stupides?

LIRE 1 Lisez l'article et trouvez comment on dit…

   a your two main good points/bad points

   b an advantage or a disadvantage

   c the best

   d you send texts

   e outside school

   f we don't do enough

ÉCRIRE PARLER 2 Répondez aux 15 questions. Ensuite, comparez avec un(e) partenaire.

ÉCRIRE 3 À vous d'ajouter cinq questions à la liste!

1 Lecture B

Les musiciens du métro

On les voit tous les jours dans les stations de métro à Paris et même dans les trains. Ces musiciens viennent chanter et jouer de leurs instruments. Leur public, c'est les voyageurs qui passent. Mais n'importe qui[1] n'a pas le droit de jouer dans le métro. Pour y jouer de façon officielle, les musiciens doivent passer un casting. Romain, 21 ans, est musicien
5 dans le métro depuis neuf mois. Il nous explique tout.

> [1] not just anyone

Romain, vous jouez de quel instrument?
Je joue de la guitare depuis dix ans. Je joue aussi du violon, mais la guitare, c'est mon instrument préféré.

Qu'est-ce qui vous a donné l'idée de jouer dans le métro?
10 C'est ma cousine. Elle étudie la musique au Conservatoire et, pendant son temps libre, elle joue de la flûte dans le métro. Elle aime bien ça et elle m'a dit que c'est une façon de gagner un peu d'argent de poche.

Et pour jouer dans le métro, il faut passer un casting? Vous avez fait ça, vous?
Oui. Il y a des auditions deux fois par an – aux mois de mars/avril et encore en
15 septembre/octobre. J'ai écrit une lettre et j'ai eu une audition au mois d'avril. J'ai joué trois chansons de mon choix devant un jury. Le jury est composé d'employés de la RATP, je crois. Ils ne sont pas tous musiciens mais ils se mettent à la place des voyageurs.

Et ça s'est bien passé?
20 Oui, oui. Ils étaient sympa et ils ont dit "Ça va, c'est une musique agréable qui passerait bien dans le métro".

Vous allez jouer tous les jours?
Non. Normalement, je joue deux ou trois fois par semaine, surtout le week-end et le soir. On peut gagner pas mal d'argent, mais on ne peut pas gagner sa vie à jouer dans le métro.

Alors, pourquoi vous avez choisi ce genre de travail? Quels sont les avantages?
25 Je suis auteur-compositeur et j'aime bien voir si le public aime mes chansons. Mon rêve, c'est d'être entendu par un producteur d'une maison de disques et de démarrer une carrière professionnelle. Certains artistes ont commencé comme ça, non? Alors, pourquoi pas moi!

Et les inconvénients?
Souvent, il fait froid… et si les gens ne m'écoutent pas, ce n'est pas très amusant.

1 **Lisez l'article et répondez en anglais.**

a How long has Romain been busking in the Paris underground?

b What instruments does he play?

c What does he say about his cousin?

d When was his audition and what did he have to do?

e How often does he play?

f Does he make much money?

g What does he like about it?

h What are the disadvantages?

2 **Imaginez que vous voulez jouer dans le métro. Écrivez votre lettre de motivation. Expliquez: votre nom, âge, de quel(s) instrument(s) vous jouez, depuis quand, pourquoi vous voulez jouer dans le métro, quand vous voulez y jouer, votre personnalité. (Inventez si vous voulez!)**

2 Lecture A

Maisons de France

En France, les maisons ont une architecture et un style différents dans chaque région.

En Bretagne, par exemple, la
5 maison typique a un toit en ardoise grise, des murs peints en blanc, des fenêtres et des portes entourées de pierre taillée et des volets souvent peints en bleus. On les utilise
10 comme protection contre le vent et la pluie.

Normandie
Bretagne
Alsace
les Alpes
Provence

En Normandie, la maison traditionnelle est une *chaumière*, une maison dont[1] le toit est fait avec du chaume. En général, c'est une maison à colombages, avec du bois dans les murs. Les murs sont faits en petites briques rouges.

15 En Alsace, la maison typique a aussi des colombages mais elle est assez haute, elle a plusieurs étages et a aussi souvent plusieurs balcons en bois sculpté. Ce n'est pas rare de voir des nids de cigognes sur les cheminées!

Dans le sud de la France, en Provence, les maisons sont assez basses, avec des fenêtres assez petites. On les appelle des *mas*. Elles ont traditionnellement
20 de jolies tuiles rouges sur le toit et des murs en pierre jaune ou rose pâle. Les volets sont souvent fermés pour garder la maison fraîche pendant la journée.

Dans les Alpes, la maison traditionnelle est le *chalet*. Son grand toit pointu le protège de la neige. Il est tout en bois, avec un grand balcon en bois et des volets en bois. Le rez-de-chaussée est souvent utilisé pour entreposer le bois
25 qui est brûlé dans la cheminée.

[1] of which, where
219

1a Lisez le texte. Trouvez la photo (1–5) de la bonne maison pour chaque région.

1b Trouvez dans le texte:
six couleurs; six parties de maison

1c Trouvez ces mots en français. Ils sont masculins ou féminins?
a slate	**b** tiles	**c** thatch			
d stone	**e** brick	**f** wood			

2 Résumez l'article en anglais.

3 Décrivez la maison traditionnelle de votre région.

2 Lecture B

Une maison raconte

Tout commence vers 7h00. Les Chevalier sautent du lit, claquent les volets (aïe!) et ouvrent toutes les fenêtres des chambres (brrrr!!). Ils vont tous dans la salle de bains en même temps et Caroline attaque la douche.

5 Oh non! Elle met de l'eau partout sur mon beau carrelage[1]! Charlie et son père se disputent pour aller aux toilettes. Eh! Chacun son tour, patience!

Vers 7h45, la corrida[2] se déplace vers la cuisine pour préparer le petit déjeuner. Comme il n'y a 10 pas de table dans la cuisine, ils mangent dans la salle à manger. Ah là là! Les tartines[3] tombent, côté beurre bien sûr, sur ma belle moquette. Il y a des miettes[4] de pain partout...

Vers 8h00, ils claquent les portes encore une 15 fois (ouille!) et ouf, tout le monde part. Ah! Quel calme! Je suis bien, je me repose. L'après-midi, je fais même la sieste... mais ça ne dure pas!

17h30 et les voilà qui rentrent! Fini le calme, je dois encore souffrir! Charlie est dans sa chambre, il écoute de la musique très fort sur sa chaîne (ça fait tout vibrer[5]!). Caroline joue de la guitare électrique au salon (quelle 20 horreur!). M. Chevalier installe une étagère dans le couloir (bang bang bang!). Sophie crie dans le bureau parce qu'elle ne comprend pas ses maths. Mme Chevalier passe l'aspirateur sur la moquette (ah, merci!).

Un peu plus tard, dans la cuisine, on prépare le dîner. Quel bruit! Quelle chaleur! Tout marche: le four, le four à micro-ondes, le mixer, le robot-chef, le lave-vaisselle, le lave-linge...

Après le repas et la vaisselle, la famille va au salon regarder un peu la télé. Une dernière course pour la 25 salle de bains et vers 22h30, tout le monde est au lit. La journée des Chevalier est finie et moi, je peux commencer à m'amuser: je fais claquer les volets, bouger les rideaux, grincer[6] les portes, craquer le plancher[7]....Ah ah ah!

[1] tiled floor
[2] bullfight
[3] bread and butter
[4] crumbs
[5] vibrate
[6] creak
[7] wooden floor

 1 Réfléchissez avant de lire:
- **a** Qui va dire "je" dans le texte?
- **b** C'est quel genre de texte: sérieux? comique?
- **c** Quel genre de vocabulaire allez-vous trouver?

2 Lisez et écoutez. Trouvez les mots du texte pour chaque catégorie:
- les noms de pièces
- les équipements d'une maison
- les moments de la journée
- les activités de tous les jours

3 Écoutez et répondez aux questions de l'interview de la maison.

4 À deux: imaginez l'interview de votre maison ou appartement!

Le collège: pas si mal

En général, les jeunes Français sont positifs par rapport à leur collège. Pour les deux tiers, c'est un lieu où on apprend, et pour la moitié, un lieu où on se fait des amis. Si 15% pensent que ce n'est pas un lieu où on s'amuse, ils ne sont que 9% seulement à dire que c'est un lieu où on perd son temps! Alors, qu'est-ce qu'ils aiment et qu'est-ce qu'ils n'aiment pas au collège?

Ils aiment:

92 % apprécient le rôle du prof principal.[1]

90 % sont en général intéressés par les cours.

83 % pensent que l'autorité est une qualité pour un prof.

73 % se considèrent comme de bons élèves.

69 % pensent que l'ambiance du collège dépend d'eux.

3 % sont déjà tombés amoureux d'un(e) prof!

[1] form

Ils n'aiment pas:

71 % disent qu'ils s'ennuient de temps en temps en cours.

60 % ne comprennent pas les punitions.

38 % estiment que les profs ne les respectent pas.

34% trouvent qu'il y a trop de violence entre élèves.

26% pensent que les emplois du temps sont mal faits.

25 % ont déjà laissé leur portable allumé en classe.

Chiffres basés sur une enquête du Credoc + Okapi

1 Lisez le texte en entier. Il y a des mots que vous ne connaissez pas? Faites trois listes:

a les mots similaires à l'anglais

b les mots que je comprends par le contexte

c les mots que je dois chercher dans le dictionnaire

2 Vrai (v), faux (f) ou on ne sait pas(?)?

a Most French pupils generally appreciate their teachers.

b Very few believe their teachers should be strict.

c Two-thirds think that they themselves make the atmosphere in their school.

d A great majority would prefer smaller class sizes.

e Less than half say they're bored during some lessons.

f Pupils always understand why they are punished.

3 À deux, préparez des questions pour faire le sondage dans votre classe. Comparez les résultats!

Exemple: *a Le collège, c'est un lieu où on apprend? [...] Tu apprécies le rôle du prof principal? ...*

3 Lecture B

"Je m'appelle Rémi, j'ai 15 ans et je suis en prison."

**Rémi est dans le quartier des mineurs d'une prison dans le nord de la France.
Il parle de sa vie quotidienne.**

Ça fait six mois que je suis en prison. J'ai fait des bêtises... je suis condamné pour vol avec violence. Dans le quartier des mineurs (appelé section C), on est 15 adolescents de
5 13 à 18 ans.

Je dors dans une cellule individuelle. Le matin, je me réveille à sept heures. Pas question de rester au lit! Les surveillants distribuent le petit déjeuner: du pain et du chocolat ou du café. Trois fois par semaine, on prend une douche (douches collectives!). Les autres jours, je me lave dans ma cellule mais je n'aime pas ça parce que l'eau est froide. Après,
10 je dois nettoyer la cellule. Ensuite, c'est la promenade... on se promène dans une grande cour. J'aime ça. On peut aussi jouer au foot. Après la promenade, on rentre en cellule et on reste enfermés jusqu'à midi.

À midi, je mange seul dans ma cellule. Les repas ne sont pas bons: ils ressemblent à ceux de la cantine quand j'étais au collège! Trois après-midi par semaine, j'ai cours. Il y a
15 des profs qui viennent dans la prison. De temps en temps, j'ai un entretien avec la psychiatre ou il y a un film ou une autre activité, mais c'est rare. Nous passons la plus grande partie du temps dans nos cellules.

On s'ennuie en prison. La dépression est un grand problème pour les jeunes ici. Moi, je dors beaucoup et je pense à ma mère et à mon chien. Ma mère vient me voir trois fois
20 par semaine. Les visites (dans une petite cabine vitrée) durent une demi-heure. Ce n'est jamais assez long. Le soir, je regarde la télé ou j'écoute la radio. On se couche à 23h30. Dans trois mois, je pourrai sortir. Je compte les jours!

1 **Lisez le texte en entier. Rémi a quelle attitude?**
   a Être en prison, ça lui est égal.
   b Il n'attend qu'une chose: sortir!
   c Il pense que la prison, c'est une bonne chose pour lui.

2 **Relisez et notez les mots français pour:**
a to do something stupid; **b** theft ; **c** a cell; **d** warders; **e** an interview; **f** a glass booth

3 **Relisez le texte et notez:**
   • trois choses que vous saviez déjà sur la vie en prison
   • trois choses qui vous ont surpris(e)
   • les trois choses les plus horribles selon vous sur la vie en prison

4 **À deux: imaginez l'interview de la mère de Rémi. A pose des questions, B répond
avec les informations du texte. Changez de rôles.**
Exemple:
A: Rémi est où en prison?
B: Il est en prison dans le nord de la France. ...

4 Lecture A

Mon séjour en Tunisie

par Léa Thomas

Il y a trois ans, je suis allée en Tunisie. J'ai passé de très bonnes vacances. C'est un pays très intéressant. Et c'est là que j'ai rencontré Karim…

Nous sommes partis avec mes parents le 15 juillet. Nous
5 sommes restés deux semaines. Nous avons pris l'avion pour Tunis. C'était rapide: le vol a duré environ deux heures.

Nous sommes allés à l'hôtel Oasis à Tunis. L'hôtel était assez vieux mais confortable. Mes parents avaient une jolie chambre avec douche et WC. Il y avait un petit balcon avec une vue sur la
10 vieille ville. Moi, j'avais une petite chambre à côté. Le seul problème, c'est que ma chambre n'avait pas de vue!

Nous avons fait beaucoup d'excursions. Nous avons visité Tunis, la médina (la vieille ville) avec ses petites rues pittoresques, les souks (marchés arabes), et les mosquées. C'était super mais il
15 y avait beaucoup de monde partout. Nous avons aussi visité le musée du Bardo. Il y avait des collections de mosaïques romaines. Comme ça ne m'intéresse pas, je me suis ennuyée. En plus, il faisait vraiment très chaud ce jour-là, c'était pénible.

Par contre, j'ai adoré l'excursion en car à Sidi Bou Saïd, un
20 petit village bleu et blanc très pittoresque à l'est de Tunis, et la visite du site historique de Carthage. C'était passionnant. J'ai aussi aimé prendre le train pour aller à Sousse au bord de la mer. Sousse est une assez grande ville avec une belle médina fortifiée et un port très actif.

25 Dans le train du retour, j'ai rencontré Karim, un Tunisien de mon âge, avec qui j'ai beaucoup discuté. Il était vraiment sympa. Il habitait à Tunis et il nous a invités à manger chez lui le soir. Sa mère nous a gentiment fait un repas tunisien, avec de la chorba, du couscous et du thé à la menthe. C'était excellent! Karim et ses
30 frères parlaient bien le français mais sa mère parlait seulement arabe. J'ai appris quelques mots. Maintenant, je sais dire merci et au revoir en arabe: chokrane et besslama!

J'ai beaucoup aimé mon séjour en Tunisie et j'aimerais vraiment y retourner. J'ai trouvé les Tunisiens très sympa. Ce que
35 j'ai préféré, c'est aller chez Karim! Si je pouvais, je retournerais le plus vite possible. J'espère bien revoir Karim bientôt!

LIRE PARLER 1 À deux, lisez le récit de Léa. Combien de mots cherchez-vous dans le dictionnaire pour bien comprendre (le moins possible)?

LIRE 2 Trouvez et notez toutes les expressions positives et toutes les expressions négatives du texte.

ÉCRIRE 3 Résumez le texte en français en exactement 30 mots.

4 Lecture B

Le réflexe vert

Comment protéger l'environnement?
Ce ne sont pas les conseils qui manquent!
En voici une petite sélection.

Ne jetez plus, recyclez!

- en distribuant vos vieux jouets ou livres
- en utilisant le côté blanc des feuilles de papier déjà utilisées
- en fabriquant votre propre papier à partir de vieux journaux
- en jetant les déchets dans des conteneurs spéciaux (pour le verre, l'aluminium, etc.)
- en apportant les déchets à la déchetterie
- en utilisant des produits rechargeables (piles etc.)

Évitez au maximum de polluer!

- en ne jetant rien sur les trottoirs, les plages, etc.
- en achetant des produits recyclables, biodégradables ou réutilisables
- en refusant les emballages inutiles (sacs en plastique, etc.)
- en ne prenant pas la voiture mais le vélo si possible
- en préparant un compost pour éviter d'utiliser les engrais chimiques
- en n'achetant pas d'aérosols avec des gaz CFC
- en respectant les espaces naturels protégés
- en marchant sur les chemins balisés
- en ne cueillant pas les plantes dans la nature

Économisez l'énergie et l'eau!

- en éteignant les lumières dans les pièces vides
- en mettant un pull au lieu de monter le chauffage
- en fermant le robinet quand vous vous brossez les dents
- en prenant une douche plutôt qu'un bain
- en réparant les fuites d'eau le plus rapidement possible
- en recueillant l'eau de pluie dans une citerne
- en arrosant le jardin avec un arrosoir et pas un jet
- en arrosant tôt le matin ou le soir pour éviter l'évaporation
- en tirant les rideaux pour économiser la chaleur
- en ne laissant pas les appareils électriques en veille

LIRE 1 Trouvez les mots français dans le texte.
a dumping; b pavements; c packaging; d chemical fertilizers; e designated footpaths; f by switching off; g leaks; h watering can; i on standby

LIRE PARLER 2 Lisez les conseils "verts". Lesquels suivez-vous déjà? Discutez avec un(e) partenaire.

ÉCRIRE 3 Écrivez un article de 80–100 mots en français pour expliquer comment vous pouvez protéger l'environnement à votre niveau.

5 Lecture A

Jeu-test: l'alcool, le tabac et la drogue

On entend toutes sortes de choses sur l'alcool, le tabac et la drogue.
Parfois, c'est loin d'être la vérité. Que savez-vous? Ces infos
apparaissent sur le site web canadien www.parlonsdrogue.org et
concernent les jeunes Québécois.
Qu'en penses-tu?

1   Presque tout le monde fume la cigarette à l'école.
    a vrai
    b faux

2   Quelle proportion de jeunes fument de façon régulière?
    a 1 sur 2
    b 1 sur 5
    c 1 sur 10

3   Tout le monde prend de l'alcool.
    a vrai
    b faux

4   Quelle proportion de jeunes boivent
de l'alcool régulièrement?
    a 1 sur 2
    b 1 sur 5
    c 1 sur 10

8   Le "pot" contient plus de goudron[2]
que le tabac des cigarettes.
    a vrai
    b faux

5   Boire du café ou danser nous aide à éliminer
l'alcool dans le sang.[1]
    a vrai
    b faux

6   La majorité des jeunes prennent de la drogue.
    a vrai
    b faux

7   Quel pourcentage de jeunes consomment de la
drogue régulièrement?
    a 5%
    b 20%
    c 50%

[1] blood
[2] tar

Réponses

1   Faux. Selon l'enquête, 67,8% des jeunes de 10
à 19 ans ne fument pas.
2   1 sur 5.
3   Faux. L'enquête indique que 37,9% des jeunes
de 10 à 19 ans ne consomment pas d'alcool.
4   1 sur 10.
5   Faux. Ça n'a pas d'effet. Seul le temps peut
neutraliser l'alcool dans le sang.
6   Faux. Selon l'enquête, 83,1% des jeunes de 10
à 19 ans ne prennent pas de drogue.
7   5%.
8   Vrai. Il y a au moins 50% plus de goudron
dans le "pot" que dans le tabac des cigarettes.

LIRE 1   Faites le test. Ensuite, lisez les réponses.

LIRE 2   Choisissez quatre infos et expliquez-les en anglais (100 mots environ).

5 Lecture B

Il était une fois

Savez-vous ce que mangeait l'homme (ou la femme) néolithique? Ou Jules César? Ou l'Empereur Napoléon? Remontez dans le passé pour découvrir les menus de vos ancêtres.

Il y a deux millions d'années

On mangeait des fruits sauvages, des noix et des champignons. On mangeait aussi des poissons de mer et de rivière et… des souris et des rats! Tout était mangé cru. La viande était difficile à mastiquer. On buvait de l'eau, du lait ou du jus de fruits.

Chez les Romains

Quand les soldats de Jules César ont envahi la Gaule (aujourd'hui on appelle ce pays "la France"), ils ont apporté le vin. Le vin est devenu une boisson populaire. Les Romains aimaient la viande et ils mangeaient beaucoup de porc. Pour les Romains, les repas étaient très importants. Ils adoraient les grands banquets. Ils mangeaient beaucoup… beaucoup trop! Pendant un long repas, ils quittaient la table et allaient vomir… et puis ils continuaient le repas.

À la Renaissance (15e–16e siècles)

Les riches mangeaient des spécialités venues de l'étranger: la tomate, le haricot, les pâtes et la dinde. Par contre, le menu typique des gens pauvres était très simple. Le repas principal était une soupe de légumes, accompagnée de pain noir.

Pendant la Révolution française

La boisson de la Révolution, c'était le café. Dom Perignon (un moine français) a inventé une autre boisson: le champagne. Les explorateurs ont rapporté du cacao et du chocolat d'Amérique du Sud. C'était délicieux! Mais les pauvres avaient faim. Ils mangeaient des pommes de terre et du pain.

LIRE 1 Lisez et notez toutes les choses à manger ou à boire.

LIRE 2 Trouvez comment on dit:
- **a** two million years ago
- **b** wild fruit, nuts and mushrooms
- **c** difficult to chew
- **d** much too much
- **e** specialities which came from abroad
- **f** the poor were hungry

3 À quelle époque préféreriez-vous manger? Expliquez pourquoi en anglais.

Exemple: I'd prefer to eat in Roman times because I like eating big meals, but I wouldn't like…

ÉCRIRE 4 Écrivez un paragraphe: Au 21e siècle.

On mange… On boit… Un repas typique, c'est… Les spécialités sont…

Les transports du futur

En l'an 2200, la voiture sera propre, économique et intelligente. Elle ne consommera pas beaucoup d'énergie parce qu'elle sera à énergie solaire, alors elle ne polluera plus l'atmosphère. Toutes les voitures seront automatiques: elles seront équipées d'un ordinateur. Il y aura beaucoup de parkings souterrains et le stationnement ne sera pas un problème. Les jeunes pourront passer leur permis de conduire à huit ans. Le vélo existera encore, mais seulement pour les vrais sportifs qui aiment l'exercice.

5

Dans les grandes villes, il y aura surtout un réseau de transports en commun. Ces transports collectifs, comme le métro et les bus aériens, seront gratuits et fréquents. En plus, il y aura des taxis automatiques sans chauffeur.

Pour les distances plus longues, on prendra un avion-fusée (Paris – New York en moins d'une heure). Et pour rejoindre en quelques jours les cités spatiales installées un peu partout dans le système solaire, on prendra une navette-spatiale ultra-rapide.

10

Science-fiction ou réalité?
Qu'en pensez-vous?

 1 Selon l'article, quels sont les transports du futur:
   a en ville (5)
   b d'une ville à une autre (2)?

 2 Avec votre partenaire, discutez de la question à la fin de l'article.
   Exemple: *À mon avis, les voitures intelligentes sont possibles parce que… Je pense que les avions-fusées sont de la science-fiction mais…*

 3 Choisissez les deux meilleurs moyens de transport en 2200, pour votre ville ou pour les distances plus longues. Expliquez vos choix.

économique   pratique
confortable   rapide
facile   écologique
collectif   INDIVIDUEL

6 Lecture B

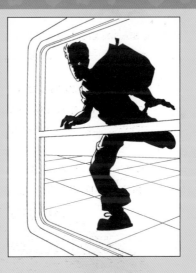

LE SECRET DE MARTIN, de CATHERINE BÉCHAUX

Voici un extrait du roman _Le secret de Martin_. C'est l'histoire d'un adolescent qui essaie de percer le secret autour de la mort de son père. Ici, l'auteur raconte le voyage de Martin qui quitte Paris en cachette pour tenter de retrouver les parents de son père à Nantes.

Maintenant, Martin est seul à la maison. Posément, il prend son sac, ferme la porte derrière lui et d'un pas vif, se dirige vers l'arrêt du bus. Il a largement calculé son temps. Le train pour Nantes ne part que dans deux heures. À l'arrêt du 186, il y a quelqu'un. Il reconnaît de loin cette
5 silhouette. C'est Marine.
– Je voulais te souhaiter bonne chance. Et puis je t'ai apporté un polar pour le voyage, un Agatha Christie, pas du Ronsard!

Elle ajoute en le regardant avec ses yeux toujours aussi rieurs:
– Tu te rends compte, je suis complice d'un fugueur. Si mes parents
10 apprennent ça, aïe, aïe, aïe... Allez salut, je vais être en retard pour le match de volley.

Et la voilà partie en courant.
Dans le bus, Martin tient le roman policier serré dans sa main. Ça aussi, c'est comme un signe. RER, métro, deux changements... Enfin voilà la gare Montparnasse. On dirait un
15 énorme paquebot en verre et en béton gris ancré dans la ville. D'un escalier roulant à l'autre, Martin se hisse vers le grand hall, presque désert à cette heure de la matinée. Par chance, il n'y a personne à la billetterie.

– Un billet pour Nantes, s'il vous plaît, par le TGV de 10 h 35.
À l'annonce du prix, Martin sursaute. C'est plus cher que ce qu'il avait calculé. Il n'a pas prévu le
20 supplément. Si ça continue comme ça, il n'aura pas assez d'argent pour rentrer. Un peu contrarié, il poinçonne son billet et remonte le quai. Il reste dix minutes avant le départ du train. Largement de quoi trouver sa place. [...] Sifflement. Le TGV démarre. Ouf! Martin respire.

1 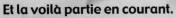 Lisez l'extrait. Martin prend quels moyens de transport?

2 Comment dit-on...?
   a heads towards the bus stop
   b an accomplice to a runaway
   c made of glass and grey concrete
   d from one escalator to the other
   e he stamps his ticket
   f plenty of time to find his seat

3 Répondez aux questions en anglais.
   a How can you tell Martin is running away?
   b How do we know he's thinking of coming back?
   c What indication is there that he has planned his trip?
   d What did he not foresee?
   e Are there any clues in the text as to how he is feeling?

C'est ça, le progrès!

Autrefois, la mode était simple. On chassait les animaux pour leur peau. On fabriquait soi-même des vêtements qui protégeaient du froid.

Aujourd'hui, si vous aimez la mode, vous avez le choix! Il y a une variété énorme de styles, de textiles, de couleurs.

Un jour, la mode n'aura plus d'importance. Tout le monde portera un costume en plastique inusable. Ce costume protégera des microbes et des maladies.

Au Moyen Âge, on se déplaçait à pied. Pour aller plus vite, si l'on était assez riche, on allait à cheval.

Les moyens de transport d'aujourd'hui vont plus vite que les chevaux d'autrefois, sauf dans les embouteillages des grandes villes!

À l'avenir, nous nous déplacerons plus souvent et plus loin. Chaque individu possédera un véhicule capable de voler. On pourra faire le tour du monde en moins d'un jour.

Au 19ème siècle, l'école n'était pas pour tout le monde. Les professeurs étaient sévères. Les élèves écrivaient avec une craie sur une ardoise.

Aujourd'hui en France, l'école est obligatoire pour tous jusqu'à l'âge de 16 ans. Il y a un emploi du temps varié et des ressources technologiques modernes.

Au 22ème siècle, les élèves n'auront plus besoin d'aller à l'école: ils suivront leurs cours chez eux et se mettront en contact avec leurs professeurs par ordinateur.

LIRE 1a **Lisez le texte. Résumez chaque partie en anglais.**

LIRE 1b **Relisez et trouvez:**

  a les verbes à l'imparfait **b** les verbes au présent **c** les verbes au futur

ÉCRIRE 2 **Choisissez un sujet et écrivez un paragraphe avec la séquence:**
Autrefois… Aujourd'hui… Un jour…

- le travail des enfants
- les communications
- les loisirs
- les maisons
- la médecine

Exemple: *Autrefois, les enfants travaillaient dans les usines quand ils avaient six ans. …*

7 Lecture B

Écoutez et lisez la chanson. Trouvez l'équivalent de:

a Il n'y avait pas de travail.

b J'habite ici parce que mon père est venu ici.

c Il rêvait de faire des études.

d C'est lui que je devrai remercier.

e Les Berbères étaient très optimistes.

f Elle ne se souvient plus très bien de là où elle habitait avant.

Répondez aux questions en français.

a D'où vient le père du chanteur?

b Pourquoi a-t-il quitté son pays natal?

c Qu'est-ce qu'il voulait faire comme métier?

d À votre avis, pourquoi travaille-t-il à l'usine?

e Pourquoi le chanteur veut-il retourner dans le village de ses parents?

f Selon vous, pourquoi le passé peut-il aider à connaître l'avenir?

Beaucoup de Français ont des origines nord-africaines.

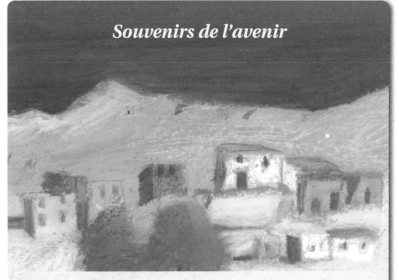

Souvenirs de l'avenir

Loin, loin dans mon passé, mon avenir est inscrit[1]
C'est là que je saurai[2] ce que sera ma vie.
Loin, loin dans mon passé, mon avenir est inscrit.

Inscrit dans ce village, au milieu du désert,
Ce petit bout de terre[3] où habitait mon père –
Il n'y avait rien à voir, il n'y avait rien à faire,
Alors comme beaucoup d'autres, un jour il est parti –
Au bout de[4] son voyage, je me retrouve ici …

Refrain

Inscrit dans ses yeux noirs, pleins de rêves oubliés[5],
Son ambition à lui, c'était d'étudier.
Il voulait faire médecine à l'université,
Il travaille à l'usine, il travaille jour et nuit –
Si je deviens médecin, ce sera grâce à lui …

Refrain

Inscrit dans les chansons que me chantait ma mère,
Quand elle chantait le ciel, le soleil, le désert,
Il faisait toujours beau dans le cœur des Berbères[6].
Son village n'est plus qu'un lointain[7] souvenir –
Moi j'y retournerai chercher mon avenir …

Refrain

[1] engraved
[2] that's where I'll know
[3] little plot of land
[4] at the end of
[5] forgotten dreams
[6] the Berber people's heart
[7] distant

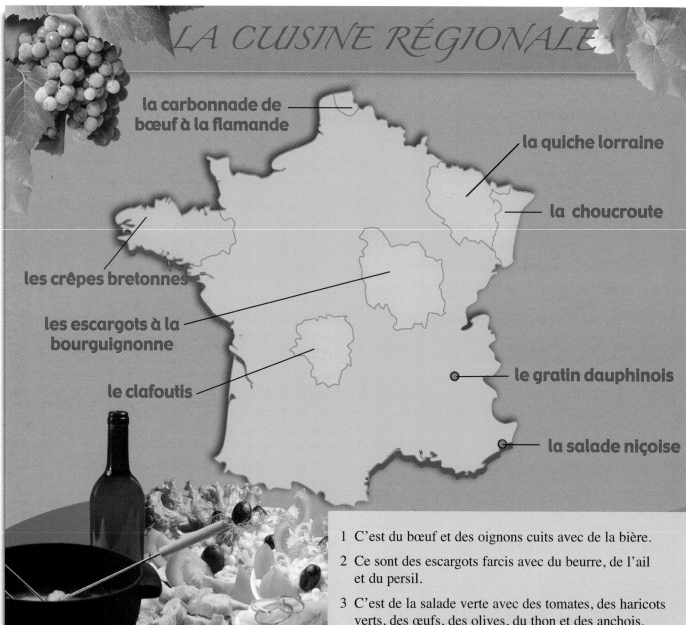

LA CUISINE RÉGIONALE

la carbonnade de bœuf à la flamande

la quiche lorraine

la choucroute

les crêpes bretonnes

les escargots à la bourguignonne

le clafoutis

le gratin dauphinois

la salade niçoise

1 C'est du bœuf et des oignons cuits avec de la bière.

2 Ce sont des escargots farcis avec du beurre, de l'ail et du persil.

3 C'est de la salade verte avec des tomates, des haricots verts, des œufs, des olives, du thon et des anchois.

4 C'est une tarte garnie d'un mélange de crème, d'œufs et de lardons (ou morceaux de jambon).

5 C'est du chou haché et fermenté dans la saumure. C'est généralement servi avec des saucisses.

6 Ce sont des fines galettes plates et rondes, faites avec de la farine, des œufs et du lait ou de l'eau. C'est souvent servi avec du sucre, du citron ou de la confiture.

7 C'est un dessert fait avec une pâte à flan et des cerises (ou autres fruits).

8 C'est fait avec des rondelles de pomme de terre, cuites au four avec du lait et du beurre, et souvent du gruyère râpé.

LIRE ÉCRIRE 1 Lisez et notez tous les fruits et légumes mentionnés.

LIRE 2a Lisez et reliez les définitions aux plats.
Exemple: *le clafoutis* – 7

ÉCOUTER 2b Écoutez pour vérifier.

LIRE 3 Choisissez les deux plats que vous aimeriez essayer. Expliquez-les en anglais.

8 Lecture B

Le journal intime de Léo

LUNDI, 25 AVRIL

Mon copain Olivier va passer quelques* jours chez nous. Ses parents vont en Belgique parce que sa grand-mère est malade. Il est arrivé ce soir. Ça va être super. J'ai acheté une tarte aux poires à la pâtisserie. Dommage! Olivier n'aime pas les poires.

MARDI, 26 AVRIL

Olivier a apporté un petit cadeau pour chaque* membre de la famille. Malheureusement, le verre à bière qu'il avait acheté pour moi s'est cassé en route. Ce matin, il a emprunté mon jean et il a cassé la fermeture éclair. Je n'étais pas content. Chaque* fois qu'il touche à quelque chose*, c'est la cata!

MERCREDI, 27 AVRIL

Cet après-midi, nous sommes allés au cinéma. On passe plusieurs* bons films en ce moment mais Olivier a insisté pour voir le film de guerre au Gaumont. Le film était très décevant: c'était trop long et l'histoire était nulle.

JEUDI, 28 AVRIL

À midi, on est allés au café. J'ai payé pour Olivier. Il a un job dans une station-service le week-end et c'est bien payé mais il dépense tout son argent en CD et il est toujours fauché. Il commence à m'énerver.

VENDREDI, 29 AVRIL

Hier soir, on est allés au Club des Jeunes. On a joué au ping-pong. Olivier a gagné tous les matchs. Il a invité Agnès au cinéma demain soir. Agnès! Elle n'est pas du tout sympa. Olivier sort vraiment avec n'importe qui*! J'ai téléphoné à Nabila. Elle est beaucoup plus sympa qu'Agnès!

SAMEDI, 30 AVRIL

Olivier est parti!!! Ouf!!!

> quelques – a few, some
> chaque – each, every
> quelque chose – something
> plusieurs – several
> n'importe qui – anyone

220

1 Quel résumé est le plus exact?
a Léo déteste Olivier et n'est pas content de sa visite.
b La visite d'Olivier se passe sans problèmes.
c Au cours de la visite, Olivier commence à énerver son copain.

2 Écrivez dix questions sur le journal. Échangez avec un(e) partenaire et répondez.
Exemple: *Pourquoi est-ce qu'Olivier doit aller chez Léo?*

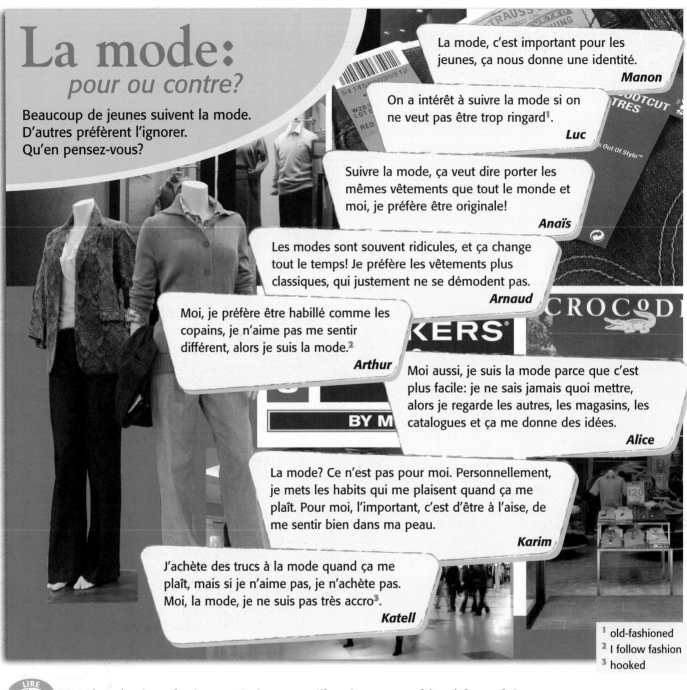

La mode:
pour ou contre?

Beaucoup de jeunes suivent la mode.
D'autres préfèrent l'ignorer.
Qu'en pensez-vous?

> La mode, c'est important pour les jeunes, ça nous donne une identité.
> **Manon**

> On a intérêt à suivre la mode si on ne veut pas être trop ringard[1].
> **Luc**

> Suivre la mode, ça veut dire porter les mêmes vêtements que tout le monde et moi, je préfère être originale!
> **Anaïs**

> Les modes sont souvent ridicules, et ça change tout le temps! Je préfère les vêtements plus classiques, qui justement ne se démodent pas.
> **Arnaud**

> Moi, je préfère être habillé comme les copains, je n'aime pas me sentir différent, alors je suis la mode.[2]
> **Arthur**

> Moi aussi, je suis la mode parce que c'est plus facile: je ne sais jamais quoi mettre, alors je regarde les autres, les magasins, les catalogues et ça me donne des idées.
> **Alice**

> La mode? Ce n'est pas pour moi. Personnellement, je mets les habits qui me plaisent quand ça me plaît. Pour moi, l'important, c'est d'être à l'aise, de me sentir bien dans ma peau.
> **Karim**

> J'achète des trucs à la mode quand ça me plaît, mais si je n'aime pas, je n'achète pas. Moi, la mode, je ne suis pas très accro[3].
> **Katell**

[1] old-fashioned
[2] I follow fashion
[3] hooked

1a Lisez les réactions des jeunes. Qui pense qu'il est important d'être à la mode?

1b Trouvez comment on dit:
- **a** it gives us an identity
- **b** wearing the same clothes as everyone else
- **c** I never know what to wear
- **d** the most important thing is to be comfortable

1c À vous de donner votre opinion. Écrivez +/- 50 mots.

J'aime avoir des vêtements…
Je préfère acheter…
Je ne veux pas être…
Pour moi, l'important c'est de…
Suivre la mode, c'est…

9 Lecture B

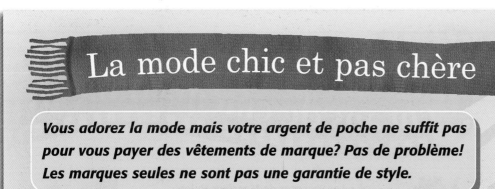

La mode chic et pas chère

Vous adorez la mode mais votre argent de poche ne suffit pas pour vous payer des vêtements de marque? Pas de problème! Les marques seules ne sont pas une garantie de style.

1 Beaucoup de boutiques bon marché vendent des vêtements pas chers qui s'inspirent des collections des meilleures marques[1]. Le look est le même mais les prix sont beaucoup plus abordables[2]. Si vous le pouvez, attendez les soldes, celles d'été ou celles qui ont lieu juste après Noël. Il vous faut absolument des marques? Alors, allez dans les magasins d'usine qui vendent des vêtements de marque à prix réduits.

2 Faites votre shopping en plein air... au marché. Vous y trouverez de bonnes affaires. Pour ceux ou celles qui aiment être différents, cherchez des vêtements originaux au marché aux puces[3] ou dans les boutiques d'occasion[4].

3 Échangez des vêtements avec vos copains/copines. C'est marrant et ça ne coûte rien! Proposez un échange d'une semaine: "Je te prête mon pull vert et toi, tu me passes ton sweat, celui que tu mets pour les cours de gym." Tout le monde gagne! Il y a aussi des sites web comme eBay qui vous permettent de vendre les vêtements que vous ne mettez plus – ceux qui sont trop petits, ceux que vous n'aimez plus ou ceux que vous n'avez jamais aimés.

4 Et n'oubliez pas de faire travailler les vêtements que vous possédez déjà. Lavez-les ou faites-les nettoyer à sec[5]. Faites réparer vos chaussures. Cette chemise est sympa mais vous n'aimez pas la couleur? Pourquoi ne pas la teindre[6]? Il y a de jolies couleurs qui donneront une seconde vie à vos vieux tee-shirts ou à vos chemises. Personnalisez vos vêtements. Dans de nombreux magasins, vous pouvez faire imprimer un slogan, un dessin ou même une photo sur un tee-shirt blanc.

[1] name, brand
[2] affordable
[3] flea market
[4] second-hand
[5] dry clean
[6] dye

LIRE 1 **Reliez les paragraphes et les titres anglais.**
- a Why not swap?
- b Use what you've got
- c Choose the right shops
- d Markets and flea markets

LIRE 2 **Trouvez des exemples de "faire + infinitif" dans le paragraphe 4. Notez les phrases avec l'équivalent en anglais.**
Exemple: *Et n'oubliez pas de faire travailler les vêtements que vous possédez déjà.* – And don't forget to make the clothes you already own work for you.

Zoom grammaire *faire* + infinitive

To say "to get something done", use a part of *faire* and an infinitive.
*Je **vais faire réparer** mes chaussures.*
I'm going to get my shoes **mended.**
*Il **a fait nettoyer** son manteau.*
He **had** his coat **cleaned.**

Cent ans de cinéma français

L'Arrivée d'un train à la Ciotat
(Auguste et Louis Lumière, 1895)
À Paris, en 1895, une nouvelle invention
est présentée par les frères Lumière: le
cinématographe. Les spectateurs ont très
peur du train qu'ils voient arriver sur eux!

Napoléon (Abel Gance, 1927)
C'est un grand classique du cinéma muet.
L'histoire de l'empereur de France est
accompagnée par de la musique jouée
par un orchestre installé dans le cinéma.

Quai des Brumes (Marcel Carné, 1938)
L'histoire sombre et pessimiste de deux
jeunes amoureux est interprétée par deux
des plus grands acteurs du cinéma
français, Jean Gabin et Michèle Morgan.

Les Enfants du Paradis
(Marcel Carné, 1945)
Le scénario de ce film a été écrit par le
poète Jacques Prévert. Il est considéré par
beaucoup comme le chef-d'œuvre du
cinéma réaliste poétique français.

Les vacances de Monsieur Hulot
(Jacques Tati, 1953)
Ce personnage burlesque, avec pipe et
chapeau, a été inventé et interprété par
Jacques Tati. Avec M. Hulot, les situations les
plus simples deviennent très compliquées!

Les 400 coups
(François Truffaut, 1959)
Ses thèmes favoris, l'enfance et l'éducation,
sont présentés par Truffaut dans son
premier film, devenu un film culte.

Jean de Florette et **Manon des Sources**
(Claude Berri, 1986)
Ces deux films ont eu un succès
international et ont fait connaître au monde
entier l'histoire émouvante d'une famille
provençale, écrite par Marcel Pagnol.

La Haine
(Mathieu Kassovitz, 1995)
Ce film sombre a été tourné en noir et
blanc par un jeune réalisateur et a été
récompensé par le César du meilleur
film en 96. Il raconte la violence et le
racisme dans les banlieues.

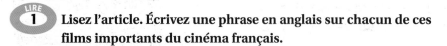

1 LIRE Lisez l'article. Écrivez une phrase en anglais sur chacun de ces
films importants du cinéma français.

2a LIRE Relisez et trouvez tous les exemples de verbes au passif.
(Voir Zoom grammaire, page 166).
Exemple: *une nouvelle invention **est présentée** par deux Français…*

2b ÉCRIRE Choisissez six films. Réécrivez les descriptions sans les passifs.
Exemple: *les frères Lumière présentent une nouvelle invention…*

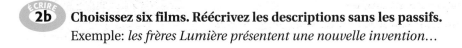

10 Lecture B

Graine de star [1]

Les Choristes est un film français qui a eu un succès international. Il raconte comment un musicien sans travail, employé comme surveillant[2] dans une institution pour garçons difficiles, va
5 transformer la vie des enfants par sa gentillesse et par la musique. Un de ces garçons est Pierre Morhange, un adolescent sauvage qui deviendra un grand chef d'orchestre.

Le rôle de Morhange est joué par un
10 inconnu[3]: Jean-Baptiste Maunier. Avant d'être découvert[4] par Christophe Barratier, le réalisateur des Choristes, Jean-Baptiste avait fait du chant choral et des photos pour une agence de mannequins mais il n'avait jamais fait de cinéma.
15 Chez les Maunier, le chant est une tradition familiale: son père avait lui aussi fait partie d'une chorale quand il était jeune.

Jean-Baptiste était membre de la chorale des Petits Chanteurs de Saint-Marc depuis juste un
20 an quand Barratier, qui était venu les écouter chanter, a compris, dès qu'il a vu et entendu Jean-Baptiste, qu'il avait trouvé Morhange! Il a tout de suite proposé le rôle au jeune garçon, qui n'avait jamais auparavant[5] pensé à faire du cinéma. Il a accepté, par curiosité!
25
Après avoir eu[6] un énorme succès dans le rôle de Morhange, Jean-Baptiste a reçu de nombreuses propositions dans le chant et le cinéma, dont un téléfilm et le rôle principal dans un film, Le Grand Meaulnes. Il veut faire des cours
30 de théâtre et continuer une carrière d'acteur. Jean-Baptiste Maunier, une vraie graine de star!

[1] A star in the making
[2] supervisor
[3] newcomer
[4] before he was discovered*
[5] before
[6] having had*
* Perfect infinitives: see grammar page 223

1 Lisez l'article. Mettez ces phrases dans l'ordre pour le résumer.
a Jean-Baptiste Maunier had never done any acting before Les Choristes and is now on the way to becoming a star!
b The most unruly of these boys, Pierre Morhange, will go on to become a great conductor.
c Pierre Morhange is played by a newcomer, Jean-Baptiste Maunier, whom the film director spotted when listening to a choir.
d The story is about how an out-of-work musician changes the lives of troublesome boys in an institution through kindness and music.
e The French film Les Choristes was a huge international success.

2 Expliquez en anglais comment Jean-Baptiste a commencé au cinéma, pourquoi il a été choisi et ses projets d'avenir.

3 Relisez et notez tous les verbes au plus-que-parfait (pluperfect). Expliquez l'utilisation de ce temps dans chaque cas en anglais.
Exemple: Jean-Baptiste avait fait du chant choral… – did that before he was discovered by J.C Barratier

Grammaire

Introduction

All languages have grammatical patterns (sometimes called "rules"). Knowing the patterns of French grammar helps you understand how French works. It means you are in control of the language and can use it to say exactly what you want to say, rather than just learning set phrases.

Here is a summary of the main points of grammar covered in *Équipe Dynamique*.

Glossary of terms

adjective	*un adjectif*	describes a noun (*Ton frère est **sympa**. C'est un appartement **moderne**.*)
adverb	*un adverbe*	describes a verb, adjective or other adverb (*Parlez plus **lentement**, s'il vous plaît. Elle est **vraiment** sympa.*)
determiner	*un déterminant*	goes before a noun to introduce it (***le** chien, **un** chat, **du** jambon, **mon** frère*)
noun	*un nom*	a person, animal, place or thing (***Sylvie** achète un **jean** au **supermarché**.*)
plural	*le pluriel*	more than one of something (***Les filles** jouent au football.*)
preposition	*une préposition*	describes position: where something is (*Mon sac est **sur** mon lit. J'habite **à** Paris.*)
pronoun	*un pronom*	a short word used instead of a noun or name (***Il** mange un biscuit. **Elles** jouent au football.*)
singular	*le singulier*	one of something (***Le chien** mange **un biscuit**.*)
verb	*un verbe*	a "doing", "being" or "having" word (*Je **parle** anglais. Il **est** grand. On **va** à la piscine.*)

1 Nouns and determiners
les noms et les déterminants

Nouns are words that name people, animals, places or things. They often have a small word, or determiner, in front of them (in English: "a", "the", "this", "my", "his" etc.).

1.1 Masculine and feminine

All French nouns are either masculine or feminine. The determiner (the word which introduces the noun) can help you work out whether the noun is masculine (m.) or feminine (f.).

Here are the most common determiners:

	singular	
	masculine words	feminine words
a/an	**un** billet	**une** gare
the	**le** tableau **l'**hôtel*	**la** classe **l'**armoire*

* Use *l'* in front of words that start with a vowel or a silent *h*.

1.2 Singular and plural

In front of plural nouns, the determiners change:

un/une → des   le/la → les
des billets, des gares   les hôtels, les classes

Most French nouns add -s to make them plural, just as in English:

le copain → les copains

Some nouns do not follow this regular pattern:

- nouns already ending in -s, -x or -z usually stay the same:
  le bras → les bras
  le prix → les prix
  le nez → les nez

- nouns ending in -eau or -eu add -x:
  un château → des châteaux
  un jeu → des jeux

- nouns ending in -al usually change to -aux:
  un animal → des animaux

- a few nouns change completely:
  un œil → des yeux

1.3 de + noun (partitive)

de + le → du   de + la → de la
de + l' → de l'   de + les → des

Use du, de la, de l' or des + noun to say "some" or "any" (the partitive article).

On a mangé **du** pain avec **de la** confiture.	We ate **some** bread with (some) jam.
Tu veux **des** petits pois?	Do you want **any** peas?

(See 5.3 and 9.3 for other uses of de.)

1.4 ce, cet, cette, ces + noun (demonstrative adjectives)

Ce, cet, cette, ces are the determiners that mean "this", "that", "these", "those".

	singular	plural
masculine	ce/cet* (this, that)	ces (these, those)
feminine	cette (this, that)	ces (these, those)

* Cet is used before masculine singular words that begin with a vowel or a silent h (cet étage, cet hôtel).

Tu aimes **ce** sweat bleu?	Do you like **this** blue sweatshirt?
Je ne connais pas **cette** rue.	I don't know **that** street.
J'ai réservé dans **cet** hôtel.	I've made a reservation at **that/this** hotel.
Je prends **ces** chaussures.	I'll take **these** shoes.

- To distinguish more clearly between "this" and "that" or "these" and "those", add -ci or -là after the noun:

  J'aime **cette** chemise-**ci** mais je n'aime pas **cette** chemise-**là**.
  I like **this** shirt but I don't like **that** shirt.

(See 7.11 for demonstrative pronouns: celui-ci/là, celle-ci/là, etc.)

1.5 mon, ma, mes (possessive adjectives)

Possessive adjectives indicate who something belongs to ("**my** bag", "**your** CD", "**his** brother").

	singular		plural
	masculine	feminine*	masculine/feminine
my	mon	ma	mes
your	ton	ta	tes
his/her	son	sa	ses
our	notre	notre	nos
your	votre	votre	vos
their	leur	leur	leurs

* before a feminine noun that begins with a vowel, use mon, ton, son (ton amie, mon imagination, son opinion).

In French, the adjective changes according to whether the noun which follows is masculine, feminine, singular or plural.

Sa sœur déteste **ton** frère.	His sister hates **your** brother.
Il a mangé **mes** sandwichs.	He ate **my** sandwiches.
Vous avez **votre** voiture?	Do you have **your** car?
Je n'aime pas **mon** armoire blanche.	I don't like **my** white wardrobe.

(See 7.9 for possessive pronouns: le mien, la mienne, etc.)
(See 5.3 for de + noun.)

1.6 Other determiners (indefinite adjectives)

autre(s) other
  J'ai vu Sophie l'autre jour.
chaque each
  Chaque maison a un jardin.
même(s) same
  J'ai le même CD.
n'importe quel(le)(s) any
  Tu trouveras ça dans n'importe quelle pharmacie.
plusieurs several
  Il est resté plusieurs jours à Paris.
quelque(s) some, a few
  Elle est partie avec quelques copains.
tout, toute, tous, toutes all
  Il a mangé tous les gâteaux.

2 Adjectives *les adjectifs*

Adjectives are words that describe nouns.

2.1 Form of adjectives

In French, adjectives have different endings depending on whether the words they describe are masculine or feminine, singular or plural.

	singular	plural
masculine	add nothing	add -s*
	Mon frère est petit.	*Mes frères sont petits.*
feminine	add -e	add -es
	Ma sœur est petite.	*Mes sœurs sont petites.*

* no change in pronunciation

Some adjectives do not follow this regular pattern:

- adjectives that already end in *-e* don't add another in the feminine (but they do add *-s* in the plural):
  un frère timide → *une sœur timide*
  des enfants timides

- adjectives that already end in *-s* don't add another in the masculine plural (but they do add *-es* in the feminine plural):
  un pantalon gris
  les cheveux gris → *les chaussettes grises*

- adjectives ending in *-eur* or *-eux* usually change to *-euse* in the feminine:
  un père travailleur → *une mère travailleuse*
  un père courageux → *une mère courageuse*

- adjectives ending in *-el*, *-il*, *-en* double the final consonant in the feminine:
  un frère gentil → *une sœur gentille*

- adjectives ending in *-if* usually change to *-ive* in the feminine:
  un garçon sportif → *une fille sportive*

- a few adjectives stay the same whether they are masculine or feminine, singular or plural:
  sympa, super, marron, cool
  un cousin sympa, une cousine sympa,
  des cousins sympa

- some adjectives have their own pattern:

m. singular	f. singular	m. plural	f. plural
*beau**	*belle*	*beaux*	*belles*
bon	*bonne*	*bons*	*bonnes*
*fou**	*folle*	*fous*	*folles*
gros	*grosse*	*gros*	*grosses*
long	*longue*	*longs*	*longues*
*nouveau**	*nouvelle*	*nouveaux*	*nouvelles*
*vieux**	*vieille*	*vieux*	*vieilles*

* become *bel, fol, nouvel, vieil* before a masculine noun that starts with a vowel: *le nouvel an*

2.2 Position of adjectives

In French, most **adjectives** go after the <u>noun</u>:

les <u>yeux</u> **bleus**, des <u>cheveux</u> **longs**, un <u>copain</u> **sympa**

Some **adjectives** go before the <u>noun</u>:
grand petit jeune vieux bon mauvais
nouveau beau gros joli vrai

un **nouveau** <u>jean</u>, la **jeune** <u>fille</u>, de **bonnes** <u>idées</u>

3 Adverbs *les adverbes*

Adverbs are words which describe a verb, an adjective or another adverb. In English, most adverbs end in "-ly".

3.1 Form of adverbs

To form French adverbs, you usually add *-ment* to the feminine form of the adjective:
heureux → *heureuse* → *heureusement* (happily)
complet → *complète* → *complètement* (completely)

Some common exceptions:

très (very), *assez* (rather), *trop* (too), *vite* (quickly), *beaucoup* (a lot), *bien* (well), *mal* (badly).

*Il est **complètement** fou.*	He's **completely** crazy.
*Vous chantez **bien**.*	You sing **well**.
*Elle parle **très lentement**.*	She speaks **very slowly**.

- Other adverbs (indefinite adverbs):

  n'importe où (anywhere), *n'importe quand* (any time), *n'importe comment* (anyhow), *même* (even), *tout* (all/quite/completely).

(See 9 for question words: *comment, quand,* etc.)

- Quantifiers
  - with adjectives and adverbs:

assez rather

Il est assez timide.   He's rather shy.

très very

Je suis très fatigué.   I'm very tired.

trop too

Elle parle trop vite.   She speaks too fast.

  - with verbs:

beaucoup a lot

Elle aime beaucoup le chocolat.   She likes chocolate a lot.

pas beaucoup not much

Il n'aime pas beaucoup lire.   He doesn't much like reading.

bien quite, really

J'aime bien courir.   I really like running.

un peu a bit

Nous regardons un peu la télé le soir.   We watch TV a bit at night.

  - with nouns:

see Expressions utiles, page 231, for expressions of quantity.

3.2 Position of adverbs

Adverbs usually follow verbs:

*Je vais **souvent** au cinema.*   I **often** go to the cinema.

*Il aime **beaucoup** le football!*   He likes football **a lot!**

In a compound tense, they come between the auxiliary and the past participle:

*J'ai **poliment** demandé la permission.*   I asked permission **politely.**

*Il est **brusquement** parti!*   He left **suddenly!**

But many adverbs of time and place follow the past participle:

*Je l'ai vu **hier.***   I saw him **yesterday.**

*Tu es parti **loin**?*   Did you go **far?**

Adverbs usually come before adjectives and other adverbs:

vraiment *beau*, **trop** *vite*, **très** *souvent*

4 Comparing *la comparaison*

4.1 The comparative

To compare, use *plus*, *moins* or *aussi*:

plus + adjective/adverb + *que*   more … than

moins + adjective/adverb + *que*   less … than

aussi + adjective/adverb + *que*   as … as

- with an adjective:

*Le livre est **plus intéressant que** le film.*

The book is **more interesting than** the film.

*L'appartement est **moins cher que** la maison.*

The flat is **less expensive** than the house.

*Elle est **aussi grande que** moi.*

She's **as tall as** me.

  - *Bon* (good) and *mauvais* (bad) are exceptions:

bon → *meilleur*

*Le film est **meilleur que** le livre.*

The film is **better than** the book.

mauvais → *pire*

*Le livre est **pire que** le film.*

The book is **worse than** the film.

- with an adverb:

*Il parle **plus lentement que** le prof.*

He speaks **more slowly than** the teacher.

*Il nage **moins vite que** Marc.*

He swims **less fast than** Marc.

*Elle joue **aussi bien que** Sophie.*

She plays **as well as** Sophie.

  - One exception: *bien* → *mieux*:

*Il joue bien mais je joue **mieux que** lui.*

He plays well but I play **better than** him.

4.2 The superlative

To say *the most* or *the least*, use *le, la* or *les* before *plus* or *moins* + adjective/adverb.

- with an adjective:

*L'histoire **la plus intéressante**.*   The **most interesting** story.

*Le film **le moins violent**.*   The **least violent** film.

*Les effets **les plus géniaux**.*   The **most spectacular** effects.

(NB The adjective must agree with the noun.)

  - Exceptions:

*Le **meilleur** film de l'année.*

The **best** film of the year.

*La **pire** comédie des années 90.*

The **worst** comedy of the nineties.

- with an adverb:

*Il court **le plus vite**.*   He runs **the fastest**.

*C'est Nabila qui chante **le moins bien**.*   It's Nabila who sings **the least well**.

  - One exception: *le mieux* (the best):

*Qui fait **le mieux** la cuisine?*   Who cooks **the best?**

5 Prepositions *les prépositions*

5.1 Prepositions of position

Some prepositions tell you the position of something.

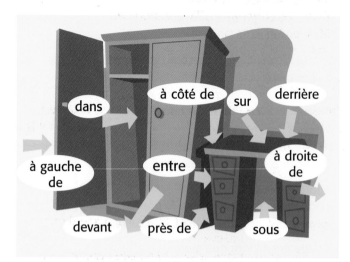

dans   à côté de   sur   derrière   à gauche de   entre   à droite de   devant   près de   sous

5.2 *à* (at, to, in, on)

With masculine or plural places, *à* combines with the *le* or *les* in front of the noun to form a new word:

à + le → au   *à + les → aux*

*Il est **au** cinéma.*	He's **at the** cinema.
*Elle va **aux** Halles.*	She is going **to Les** Halles.

singular		plural
masculine	feminine	masculine or feminine
au*	*à la*	*aux*

* *à l'* before a vowel or a silent *h*: *à l'opéra, à l'hôpital*

● Places

*On se retrouve **à la** piscine.*	We're meeting **at** the pool.
*Il est allé **à** Strasbourg.*	He went **to** Strasbourg.
*J'habite **à la** campagne.*	I live **in** the countryside.

● Time
Use *à* to mean "at" a certain time.

*Il arrive **à** quatre heures.*   He's coming **at** four o'clock.

● Other uses

à 10 kilomètres	10 kilometres **away**
à 10 minutes	10 minutes **away**
à pied/à vélo	**on** foot/**by** bike
à Noël	**at** Christmas

5.3 *de* (from, of)

*Je viens **de** Paris.*	I come **from** Paris.
*Il téléphone **d'**une cabine.*	He's calling **from** a phone booth.
***de** 8h à 17h*	**from** 8 am to 5 pm
*le livre **de** ma mère*	my mother**'s** book
*la guitare **de** Léa*	Léa**'s** guitar
*les vacances **de** Noël*	the Christmas holidays

In the masculine or plural, *de* combines with *le* or *les* in front of the noun to form a new word:

de + le → du   *de + les → des*

*C'est le pull **du** prof.*	It's the teacher**'s** sweater.
*les photos **des** vacances*	the holiday photos

singular		plural
masculine	feminine	masculine or feminine
du	*de la*	*des*

5.4 *en* (in, to)

● Places

Most countries are feminine. To say "in" or "to" these countries, use the word *en*:

*Vous allez **en** France?*	Are you going **to** France?
*J'habite **en** Écosse.*	I live **in** Scotland.

For masculine countries, use *au* instead (or *aux* if the country is plural) (see 5.2):

*Cardiff est **au** pays de Galles.*	Cardiff is **in** Wales.
*Je vais **aux** Antilles.*	I'm going **to the** West Indies.

but: *en ville* = in/to town

● Time

en juin	**in** June
en été	**in** summer
en 2010	**in** 2010
en une heure	**in** an hour

(See 7.5 for *en* as a pronoun and 8.16 for *en* + present participle.)

● Means of transport

en bateau	**by** boat
but: *à pied/à velo*	on foot/by bike

● Other uses

en anglais	**in** English
en coton	**in/made of** cotton
en bleu	**in** blue
en vacances	**on** holiday
en désordre	**in** a mess
en forme/bonne santé	**in** good shape/health

5.5 Other common prepositions

après
après l'école	**after** school

avant
avant demain	**before** tomorrow

avec
avec Sophie	**with** Sophie

chez
chez moi	**at/to** my place
chez le docteur	**at/to** the doctor's

depuis
depuis trois ans	**for** three years
depuis 1987	**since** 1987

par
*100 euros **par** mois*	100 euros **a** month
***par** ici/là*	this/that **way**

pendant
***pendant** les vacances*	**during** the holidays
***pendant** deux ans*	**for** two years

pour
***pour** toi*	**for** you
***pour** un an*	**for** a year

sans
***sans** toi*	**without** you
***sans** regret*	**without** any regret

vers
***vers** 8 heures*	**at about** 8 o'clock
***vers** Paris*	**near** Paris

6 Connectives *les mots de liaison*

Connectives are linking words. Some common ones are:

alors	then/so	*par contre*	on the
car	for/because		other hand
cependant	however	*par exemple*	for example
comme	as	*parce que*	because
dès que	as soon as	*pendant que*	while
depuis que	since	*pourtant*	yet
donc	therefore/so	*puis*	then/next
ensuite	then/next	*puisque*	since
et	and	*quand*	when
mais	but	*(même) si*	(even) if
ou (bien)	or		

*Il mange des œufs **mais** il n'aime pas ça.*
He eats eggs **but** he doesn't like them.
***Comme** il fait beau, ils vont se promener.*
As the weather's nice, they're going for a walk.
*Lisez le texte **puis** répondez aux questions.*
Read the text **then** answer the questions.

7 Pronouns *les pronoms*

A pronoun is a small word which is used instead of a noun or name. It helps to avoid repetition.
> *Ma copine s'appelle **Anne**.*
> ***Anne** a quinze ans. = **Elle** a quinze ans.*
> My friend's name is **Anne**.
> **Anne** is fifteen. = **She** is fifteen.

7.1 Subject pronouns

The subject of a verb tells you who or what is doing the action of the verb. It is usually a noun, but sometimes it is a pronoun. The French subject pronouns are:

I	=	*je*	
		j'	in front of a vowel or silent *h*: *j'aime/j'habite*
you	=	*tu*	when talking to a child, a friend or a relative
		vous	when talking to an adult you are not related to, or more than one person
he	=	*il*	for a boy or man
she	=	*elle*	for a girl or woman
it	=	*il*	if the thing it refers to is masculine
		elle	if the thing it refers to is feminine
we	=	*nous*	Use *nous* for more "official" texts.
		on	Use *on* when speaking or writing to friends.
they	=	*ils*	for a masculine plural or for a mixed group (masculine + feminine)
		elles	for a feminine plural
		on	when it means people in general

● *On*
On can mean "you", "we", "they" or "one". It is always followed by the same form of the verb as *il/elle* (though in the *passé composé* the past participle after a part of *être* is often plural).

***On peut** travailler à 15 ans.*	**You can** have a job when you're 15.
*Au Québec, **on parle** français.*	In Quebec, **they speak** French.
***On est arrivés** hier.*	**We** arrived yesterday.

On est arrivé is also correct.

7.2 Direct object pronouns

A direct object pronoun replaces a noun that is the object of the verb (it has the action done to it).

The French direct object pronouns are:

me*	me	nous	us
te*	you	vous	you
le*	him, it (masculine)	les	them
la*	her, it (feminine)		

* m', t' and l' before words that start with a vowel or silent h.

- In the perfect tense, object pronouns come before the part of avoir or être, and the past participle agrees with the object pronoun:

Une valise? Où l'avez-vous perdue?
A suitcase? Where did you lose **it**?
Tes amis? Je ne les ai pas vus.
Your friends? I haven't seen **them**.

7.3 Indirect object pronouns

An indirect object pronoun replaces a noun (usually a person) that is linked to the verb by a preposition, usually à:

Tu parles à Léo? Je parle à Léo souvent.
= Je lui parle souvent.
Do you speak **to Léo**? I speak **to Léo** often.
= I speak **to him** often.

The French indirect object pronouns are:

me/m'	to me	nous	to us
te/t'	to you	vous	to you
lui	to him, it (masculine)	leur	to them
lui	to her, it (feminine)		

dire à
Quand je vois Luc, je lui dis bonjour.
When I see Luc, I say hello **to him**.

donner à
Je te donnerai mon album d'Astérix.
I'll give my Asterix album **to you**.

parler à
Ta prof de maths est sympa. Je lui parle souvent.
Your maths teacher is nice. I often talk **to her**.

7.4 y (there)

The pronoun y is used instead of à (or en) + a place.

Elle va à la boucherie. Elle y va.
She goes **to the butcher's**. She goes **there**.
On joue au parc. On y joue.
People play **in the park**. People play **there**.

7.5 en (some, any)

The pronoun en replaces du/de la/des + a noun.

Tu as du thé? Oui, j'en ai.
Do you have **any tea**? Yes, I have **some**.
Je voudrais des pommes. Désolé, il n'y en a plus.
I'd like **some apples**. Sorry, there aren't **any** left.

(See 5.4 for en as preposition and 8.16 for en + present participle.)

7.6 Position of pronouns

- Object pronouns and y and en normally come immediately before the verb:

Je les aime bien.	I like **them**.
Je lui dis tout.	I tell **him/her** everything.
J'y vais à pied.	I go **there** on foot.
J'en voudrais un peu.	I'd like **some**.

- In the perfect and pluperfect tenses, the pronoun goes before the avoir or être part of the verb (sometimes called the auxiliary):

Je ne l'ai pas écouté.	I didn't listen **to him**.
Je leur ai donné mon adresse.	I gave my address **to them**.
Il y est déjà allé.	He's already been **there**.
J'en ai acheté trois.	I've bought three **(of them)**.

When there are two verbs together (a verb + an infinitive), the pronoun comes before the infinitive:

Je vais en prendre un.	I'll take one **of them**.
Je ne peux pas y aller.	I can't go **there**.
Je voudrais lui donner ça.	I'd like to give this **to him/her**.

When there are several object pronouns in the same sentence, they follow this order:

1	2	3	4	5
me				
te	le			
se*	la	lui	y	en
nous	les	leur		
vous				

* see 8.14, Reflexive verbs

Je te le donne.	I give **it** to **you**.
Je lui en ai parlé.	I've talked to **him/her** about **it**.

7.7 Emphatic pronouns

The French emphatic pronouns are:

moi	me, I	*nous*	us, we
toi	you	*vous*	you
lui	him, he	*eux*	them, they (masculine)
elle	her, she	*elles*	them, they (feminine)

Use an emphatic pronoun:

- to emphasize a subject pronoun:
  Moi, je *vais au club. Et **toi,***   I'm going to the club.
  ***tu** vas où?*   What about **you**?

  In front of *on*, use *nous* to emphasize "we":
  Vous aimez le sport?   Do you like sport?
  ***Nous, on** adore ça.*   **We** love it.

- after prepositions like *devant*, *avec* and *chez*:
  *Il est devant **moi.***   He's in front of **me**.
  *Tu joues au tennis avec **moi**?* Will you play tennis
                      with **me**?
  *Je vais **chez lui.***   I'm going **to his place**.

- in comparisons (see 4.1)
  *Elle court plus vite que **moi**.* She runs faster than **me**.

- after *c'est* and *ce sont*:
  ***C'est lui** qui fait la cuisine.*   **He's the one** who does
                           the cooking.
  *Ce sont **elles**.*   It's **them**.

- as a one-word answer to a question:
  *Qui joue du piano? **Moi!***   Who plays the piano? **Me!**

(See 8.14 for emphatic pronouns with imperatives.)

7.8 Relative pronouns

Relative pronouns link two parts of a sentence, to avoid repetition. They are:

qui	who, which, that
que	who, whom, which, that
quoi	what
où	where, when

- Use *qui* when the noun to be replaced is **the subject** of the <u>verb</u>:
  *J'ai **un frère**. **Mon frère** <u>s'appelle</u> Ahmed.*
  *J'ai un frère **qui** <u>s'appelle</u> Ahmed.*
  I have a brother **who**'s called Ahmed.

  *Il va à l'école **qui** <u>est</u> à 12 km.*
  He goes to the school which is 12 km away.

- Use *que* when the noun to be replaced is **the object** of the <u>verb</u>:
  *J'ai **un frère**. J'<u>aime</u> beaucoup **mon frère**.*

  *J'ai un frère **que** j'<u>aime</u> beaucoup.*
  I have a brother (**whom**) I love very much.

- Use *quoi* to mean "what":
  *Je ne sais pas **quoi** dire.*   I don't know **what** to say.

- Use *où* to mean "where"/"when":
  *C'est là **où** j'habite.*   That's **where** I live.
  *C'est le jour **où** je suis arrivé.*   It was the day (**when**)
                                 I arrived.

- *ce qui*   what (subject of the verb)
  *Je ne comprends pas **ce qui** se passe.*
  I don't understand **what** is happening.

  ce que   what (object)
  *Je ne comprends pas **ce que** tu veux dire.*
  I don't understand **what** you mean.

- *dont*   whose, about whom/which, of which/whom
  *Mes voisins, **dont** la maison a brûlé, habitent maintenant*
      dans un appartement.
  My neighbours, **whose** house burnt down, now live in
      a flat.

  *C'est le prof **dont** je t'ai parlé.*
  He's the teacher I told you about (**about whom**
      I told you).

  *Il y a huit nouveaux élèves dans la classe, **dont** six ne*
      parlent pas français.
  There are eight new pupils in the class, six **of whom**
      don't speak any French.

- *lequel, laquelle, lesquels, lesquelles*
  which (after a preposition: *dans, sur, avec*, etc.)

  *La maison dans **laquelle** elle habite est minuscule.*
  The house she lives in (in **which** she lives) is tiny.

  *Voici le mur sur **lequel** j'ai laissé mon sac.*
  Here is the wall on **which** I left my bag.

Note: when *lequel* follows the prepositions *à* or *de*, the *le-* and *les-* forms combine with them:

   à   *auquel, auxquelles, auxquelles* (but *à laquelle*)
   de *duquel, desquels, desquelles* (but *de laquelle*)

(*penser à…*)
*Les gens **auxquels** tu penses sont partis.*
The people you're thinking about (**about whom** you're
   thinking) have left.

(*être fier de*)
*De tous vos tableaux, **desquels** êtes-vous le plus fier?*
Which of all your paintings are you most proud **of**?

7.9 Possessive pronouns

Possessive pronouns are "mine", "yours", "his"/"hers", "ours", "theirs".

In French, the pronoun changes according to who owns the object and also according to whether the object is masculine, feminine, singular or plural.

*J'aime bien ton vélo. **Le mien** est nul.*
I like your bike. **Mine** is rubbish.
*Je ne m'entends pas avec ma sœur mais je m'entends bien avec **la tienne**.*
I don't get on with my sister but I get on well with **yours**.

	singular		plural	
	masculine	feminine*	masculine	feminine
mine	le mien	la mienne	les miens	les miennes
yours	le tien	la tienne	les tiens	les tiennes
	le vôtre	la vôtre	les vôtres	les vôtres
his/hers	le sien	la sienne	les siens	les siennes
ours	le nôtre	la nôtre	les nôtres	les nôtres
theirs	le leur	la leur	les leurs	les leurs

7.10 Interrogative pronouns

See 10, Asking questions, for question words.

7.11 Demonstrative pronouns

The demonstrative pronoun *celui* (the one) agrees with the noun it replaces:

	singular	plural
masculine	celui	ceux
feminine	celle	celles

*Regarde <u>la robe</u>, **celle** qui est en vitrine.*
Look at <u>the dress</u>, **the one** in the window.
*J'aime bien <u>mon pull</u> mais je préfère **celui de Paul**.*
I like <u>my pullover</u> but I prefer **Paul's**.

After *celui*, you can add *-ci* or *-là* for greater emphasis or to contrast two items:

*Je voudrais des sandales. **Celles-ci** ou **celles-là**?*
I'd like some sandals. **These** or **those**?

- *Ce/C'* is mostly used with the verb *être*.

Ce sont mes amis.   **They** are my friends.
C'est bon.   **It**'s nice.

- *Cela* (meaning "that"/"it") is often shortened to *ça*.

*Le ski? J'adore **ça**!*   Skiing? I love **it**.
Ça/Cela ne me va pas.   **That/It** doesn't suit me.

7.12 Indefinite pronouns

Commonly used indefinite pronouns are: *quelque chose* (something), *quelqu'un* (someone), *tout/tous* (all), *autre(s)* (other), *chacun* (each).

*Tu veux faire **quelque chose**?*   Do you want to do **something**?
*J'ai parlé à **quelqu'un**.*   I spoke to **somebody**.
*C'est **tout**?*   Is that **all**?
*Mes copains sont **tous** venus.*   **All** my friends came.
*J'ai mangé ma pomme. J'en voudrais une **autre**.*   I've eaten my apple. I'd like **another one**.
*Donne un livre à **chacun**.*   Give **each person** a book.

- Other indefinite pronouns are: *quelques-uns* (some, a few), *plusieurs* (several), *certains* (some), *n'importe qui* (anyone), *n'importe quoi* (anything), *pas grand-chose* (not a lot).

*Tu as des CD de X? Oui, j'en ai **quelques-uns**.*
Do you have any X CDs? Yes, I have a **few**.
*Il y en a **plusieurs** dans ma chambre.*
There are **several** in my bedroom.
***N'importe qui** peut faire ça.*   **Anyone** can do that.
*Il ne faut pas faire **n'importe quoi**.*
You can't just do **anything**.
*Je ne sais **pas grand-chose** en biologie.*
I do**n't** know **a lot** of biology.

7.13 Reflexive pronouns

See 8.15, Reflexive verbs.

8 Verbs *les verbes*

Verbs describe an action or a state.
*Je **regarde** la télé.* I am watching TV.
*Je **suis** heureux.* I am happy.

8.1 The infinitive

In a dictionary, verbs are listed in the infinitive form. Infinitives in French end with *-er, -re, -ir* or *-oir/-oire*. For example: *écouter, prendre, choisir, pouvoir, boire*.
See 8.17 for the use of the infinitive.

8.2 The present tense

A verb in the present tense describes an action which is taking place now or which takes place regularly:
*Je **vais** au cinéma.* (now) **I am going** to the cinema.
*Je **vais** au cinéma le lundi.* Every Monday **I go** to the cinema.
Verb endings change according to who is doing the action:
*Je regard**e** la télé. **Nous** regard**ons** la télé.*

(See also 8.10, *depuis*, and 8.13, Talking about the future.)

Most French verbs follow the same pattern. They have regular endings.

- **Regular endings in the present tense**

  - For verbs that end in *-er*, like *aimer*:

j'	aime	nous	aim**ons**
tu	aim**es**	vous	aim**ez**
il/elle/on	aime	ils/elles	aim**ent**

Other regular *-er* verbs: *adorer, détester, écouter, habiter, jouer, regarder*.

  - For verbs that end in *-ir*, like *choisir*:

je	chois**is**	nous	chois**issons**
tu	chois**is**	vous	chois**issez**
il/elle/on	chois**it**	ils/elles	chois**issent**

Other regular *-ir* verbs: *finir, remplir*.

  - For verbs that end in *-re*, like *vendre*:

je	vend**s**	nous	vend**ons**
tu	vend**s**	vous	vend**ez**
il/elle/on	vend	ils/elles	vend**ent**

Other regular *-re* verbs: *attendre, descendre, répondre*.

- **Verbs with spelling changes in the present tense**

Some verbs are almost regular, but have small spelling variations.

  - Verbs ending in *-ger*, like *manger, nager* and *ranger*, are regular in all but the *nous* form, which adds an extra *-e* to keep the sound of the *g* soft:
    *nous mang**e**ons, nag**e**ons, rang**e**ons*

  - Verbs ending in *-cer*, like *commencer* or *lancer*, are regular in all but the *nous* form, which changes *c* to *ç* to keep the sound soft:
    *nous commen**ç**ons, nous lan**ç**ons*

  - Verbs ending in *-eler*, like *appeler*, double the *l* before a silent *-e* (i.e. in all forms except *nous* and *vous*):
    *j'appe**ll**e, nous appe**l**ons*

  - Verbs ending in *-e* + consonant + *er*, like *acheter, lever* and *promener*, change the *e* of the stem to *è* before a final *e* (i.e. in all forms except *nous* and *vous*):
    *j'ach**è**te, nous achetons; je me l**è**ve, nous nous levons; je prom**è**ne, nous promenons*

  - Verbs ending in *é* + consonant + *er*, like *espérer* and *préférer*, change the final *e* of the stem to *è* (i.e. in all forms except *nous* and *vous*):
    *j'esp**è**re, nous espérons; je préf**è**re, nous préférons*

  - Verbs ending in *-ayer, -oyer, -uyer*, like *payer, envoyer, s'ennuyer*, change the *y* to *i* (except for the *nous* and *vous* forms):
    *je pa**i**e, tu envo**i**es, nous payons, vous envoyez*

- **Irregular verbs in the present tense**

Some verbs do not follow these regular patterns. Look at pages 228–9 for some of the most useful ones.

8.3 The perfect tense

A verb in the perfect tense describes an action which happened in the past. There is more than one way to translate the perfect tense (*passé composé*) in English:

J'ai mangé une pomme.
I ate an apple/**I have eaten** an apple.

For the perfect tense, you need two parts: the present tense of *avoir* or *être* + the past participle of the main verb. See 8.4, 8.5 and 8.6.

present tense of *avoir* or *être*	+	past participle of main verb

↓

perfect tense

8.4 The past participle

To form the past participle, take the infinitive of the verb and change the ending:

- infinitives ending *-er*: take off the *-er* and add *-é*

  *mang~~er~~ → mang**é**   parl~~er~~ → parl**é***

- infinitives ending *-ir*: take off the *-ir* and add *-i*

  *chois~~ir~~ → chois**i**   sort~~ir~~ → sort**i***

- infinitives ending *-re*: take off the *-re* and add *-u*

  *vend~~re~~ → vend**u**   descend~~re~~ → descend**u***

There are exceptions to this rule and you will need to learn them by heart. Some common irregular past participles are:

*avoir → **eu**, être → **été**
devoir → **dû**, pouvoir → **pu**, vouloir → **voulu**
boire → **bu**, lire → **lu**, venir → **venu**, voir → **vu**
écrire → **écrit**, faire → **fait**
mettre → **mis**, prendre → **pris***

See the tables on pages 228–9 for a fuller list.

8.5 avoir + past participle

Most verbs take avoir.

j'	ai	chanté	nous	avons	chanté
tu	as	chanté	vous	avez	chanté
il	a	chanté	ils	ont	chanté
elle	a	chanté	elles	ont	chanté
on	a	chanté			

8.6 être + past participle

Some verbs take être rather than avoir in the perfect tense . They are mostly verbs that indicate movement between two places. Try learning them in pairs:

arriver/partir	to arrive/to leave
entrer/sortir	to go in/to go out
rentrer/retourner	to go home/to go back to
aller/venir	to go/to come
monter/descendre	to go up/to go down
tomber/rester	to fall/to stay

Naître (to be born), mourir (to die) and all reflexive verbs also take être (see page 223).

- The ending of the past participle changes when it comes after être in the perfect tense. It agrees with whoever, or whatever, is doing the action (masculine/feminine, singular/plural).

Je suis allé en France. (Il est allé en France.)

Je suis allée en France. (Elle est allée en France.)

Vous êtes allés en France?
Oui, nous sommes allés en France.
On est allés en France. (Ils sont allés en France.)

Vous êtes allées en France?
Oui, nous sommes allées en France.
On est allées en France. (Elles sont allées en France.)

(See 9.7 for negatives in the perfect tense.)
(See 8.14 for reflexive verbs in the perfect tense.)

8.7 The imperfect tense

The imperfect tense is used:

- to say what someone was like or how things were in the past:

J'étais content(e).	I was happy.
C'était génial!	It was great!
Les gens étaient sympa.	The people were nice.
Il y avait du vent.	It was windy.

- to say what was happening in the past:

Léo faisait ses devoirs quand je suis arrivé.
Léo was doing his homework when I arrived.

- to describe an action which used to happen or happened often in the past:

Je commençais à huit heures le matin.
I used to start at eight o'clock in the morning.
Il travaillait dans un bureau.
He used to work in an office.

To form the imperfect tense, take the nous form of the verb in the present tense (except être – see below) and remove the -ons.

aller → nous allons → all-
faire → nous faisons → fais-

Then add the correct ending according to who is doing the action:

faire

je	faisais	nous	faisions
tu	faisais	vous	faisiez
il/elle/on	faisait	ils/elles	faisaient

The imperfect tense of être uses the same endings, on the stem ét-.

être

j'	étais	nous	étions
tu	étais	vous	étiez
il/elle/on	était	ils/elles	étaient

Quand j'étais petite, je lisais des bandes dessinées.
When I was little, I used to read comics.

8.8 Perfect or imperfect?

It can be quite difficult deciding whether to use the perfect or imperfect tense to talk about the past!

Use the perfect if you are talking about one particular event in the past:

Je suis allée à Paris en avion.
I went to Paris by plane.
J'ai vu le film en version originale.
I saw the film in the original version.

Use the imperfect if you are describing how something was or giving your opinion in the past, or if you are talking about what used to happen or what happened regularly in the past:

La fête était super!	The party was great!
Elle se levait à sept heures tous les jours.	She used to get up at seven o'clock every day.

8.9 *venir de* + infinitive

To say that you "have just done" something, use the present tense of *venir* + *de* + an infinitive (literally "you are coming from doing it"):

Je **viens de** prendre une douche.	I **have just** had a shower.
Elle **vient d'**acheter une veste.	She **has just** bought a jacket.
Nous **venons de** laisser un message.	We **have just** left a message.

8.10 *depuis* + present tense

Depuis can usually be translated as "since" or "for". Use it to talk about what has been and still is going on. In English, the verb stresses the past, but in French the verb stresses the present:

present tense of the verb + *depuis* + date/length of time

J'habite au Canada depuis 2000.
I have lived in Canada since 2000 (and I still do).

Ma sœur est infirmière depuis deux ans.
My sister has been a nurse for two years (and still is).

8.11 The pluperfect tense

The pluperfect tense is used to say that something had (already) happened. It is a compound tense, rather like the perfect tense. It is made up of *avoir* or *être* in the imperfect tense, and a past participle.

with *avoir*

j'avais	chanté
tu avais	chanté
il/elle/on avait	chanté
nous avions	chanté
vous aviez	chanté
ils/elles avaient	chanté

with *être*

j'étais	venu(e)
tu étais	venu(e)
il/elle/on était	venu(e)(s)
nous étions	venu(e)s
vous étiez	venu(e)(s)
ils/elles étaient	venu(e)s

*Quand je suis arrive au café, les autres **étaient partis**.*
When I arrived at the café, the others **had gone**.
*Le prof a dit qu'il **avait écrit** une lettre à mes parents.*
The teacher said that he **had written** a letter to my parents.

8.12 The perfect infinitive

A perfect infinitive is used after *après* to say "after doing" or "having done something". It is *avoir* or *être* in the infinitive, and a past participle.

*Après **avoir lu** le journal, j'ai fait mes devoirs.*
Having read the newspaper, I did my homework.
*Après **être allé** au supermarché, Paul est rentré chez lui.*
After going to the supermarket, Paul went home.

8.13 Talking about the future

- the present tense

Use the present tense (see 8.2) to talk about events which are certain to happen very soon.

*Je **pars** ce soir.*	**I'm leaving** tonight.

- *aller* + infinitive

Use the present tense of the verb *aller* (see page 228) followed by an <u>infinitive</u> to talk about something that is going to happen in the near future:

*Je **vais** <u>regarder</u> le film ce soir.*
I'm going <u>to watch</u> the film tonight.
*Il **va** <u>travailler</u> ce week-end.*
He's going <u>to work</u> this weekend.

- the conditional

To talk about future plans which are not certain (wishes, ambitions or dreams), use the conditional:

*Je **voudrais** <u>rentrer</u> dans l'armée de l'air.*
I would like <u>to join</u> the air force.
*Tu **aimerais** <u>habiter</u> en France?*
Would you like <u>to live</u> in France?

To form the conditional, take the stem (the infinitive, but drop the -e from -re verbs) and add the following endings, which are the same as for the imperfect (see p. 222):

je regarder**ais**	nous regarder**ions**
tu regarder**ais**	vous regarder**iez**
il/elle/on regarder**ait**	ils/elles regarder**aient**

- the future tense

The future tense describes what will happen in the future. To form the future tense, add these endings to the infinitive (if the infinitive ends in -e, take off the -e first):

j'	aimer**ai**	nous	aimer**ons**
tu	aimer**as**	vous	aimer**ez**
il/elle/on	aimer**a**	ils/elles	aimer**ont**

*J'**habiterai** une grande maison.*	I **shall live** in a big house.
*Les ingénieurs **construiront** des villes sous la mer.*	Engineers **will build** towns under the sea.

- Some verbs form their future and conditional with an irregular stem instead of an infinitive. Here are some common examples:

avoir → j'aurai	pouvoir → je pourrai
aller → j'irai	savoir → je saurai
devoir → je devrai	venir → je viendrai
être → je serai	voir → je verrai
faire → je ferai	vouloir → je voudrai
pleuvoir → il pleuvra	

8.14 Reflexive verbs

Reflexive verbs need a pronoun between the subject and the verb.

subject	pronoun	verb	
Je	**me**	lève.	(I get myself up) I get up.
Je	**m'**	habille.	(I dress myself) I get dressed.

Other common reflexive verbs: *se laver, se brosser les dents, s'amuser, s'ennuyer, se coucher, se reposer.*

● Reflexive pronouns

The pronoun changes according to the subject it goes with:

je + **me/m'**	nous + **nous**
tu + **te/t'**	vous + **vous**
il/elle/on + **se/s'**	ils/elles + **se/s'**

For example:

je **m'**amuse	nous **nous** amusons
tu **t'**amuses	vous **vous** amusez
il/elle/on **s'**amuse	ils/elles **s'**amusent

● Perfect tense of reflexive verbs

Reflexive verbs always make their perfect tense with *être* (so the past participle must agree with the subject of the verb). The pronoun stays with the subject before the verb:

je **me** suis levé(e)	nous **nous** sommes levé(e)s
tu **t'**es levé(e)	vous **vous** êtes levé(e)(s)
il **s'**est levé	ils **se** sont levés
elle **s'**est levée	elles **se** sont levées
on **s'**est levé(s/es)	

(See 9.6 for the negative form of reflexive verbs and 8.15 for the imperative.)

● Reflexive verbs in the infinitive

When the reflexive verb is in the infinitive, replace *se* with the right pronoun for the subject of the verb:

*Je dois **me coucher**.*	I must **go to bed.**
*Nous voulons **nous amuser**.*	We want to **enjoy ourselves.**
*Tu ne veux pas **te reposer**?*	Don't you want to **have a rest?**

8.15 The imperative

Use this form of the verb to give an order, directions, an instruction or advice.

When giving an instruction/order to:

– someone you say *tu* to:
use the *tu* form of the verb without *tu* (and no final *-s* for *-er* verbs).

– someone you say *vous* to:
use the *vous* form of the verb without *vous*.

tu		vous
Tourne (à gauche)	Turn (left)	*Tournez (à gauche)*
Traverse (le pont)	Cross (the bridge)	*Traversez (le pont)*
Prends (cette rue)	Take (this road)	*Prenez (cette rue)*
Va (tout droit)	Go (straight on)	*Allez (tout droit)*

To tell someone not to do something, put *ne ... pas* round the command:

| *Ne regarde pas!* | Don't look! |
| *Ne touchez pas!* | Don't touch! |

(See 9 for details of other negatives.)

With reflexive verbs (8.14), take care with the reflexive pronoun:

– in a positive imperative, *te* changes to *toi*, and the pronoun goes after the verb:

| *Couche-toi.* | Go to bed. |
| *Asseyez-vous.* | Sit down. |

– in a negative imperative, the pronoun does not change and remains immediately before the verb:

| *Ne te couche pas.* | Don't go to bed. |
| *Ne vous asseyez pas.* | Don't sit down. |

8.16 *en* + present participle

Use this expression to say "while doing something" or "by doing something":

*J'ai eu un accident **en traversant** la rue.*
I had an accident **while crossing** the road.
*Il m'aidait **en faisant** la vaisselle.*
He used to help me **by doing** the washing up.

● To form the present participle

Take the *nous* form of the present tense, remove *-ons* and add the ending *-ant*:

nous regardons → regard → regardant
Exceptions: être → étant; avoir → ayant; savoir → sachant.

8.17 Using the infinitive

Sometimes there are two verbs next to each other in a sentence. In French, the form of the first verb depends on who is doing the action, and the second verb is in the infinitive.

J'aime aller au cinéma.	**I like going** to the cinema.
*Luc **préfère prendre** le train.*	Luc **prefers to take** the train.
*Julie **déteste aller** à l'école à pied.*	Julie **hates walking** to school.
*Tu **sais nager**?*	**Can** you **swim?**

Infinitives are used:
- immediately after these verbs:

  adorer, aimer, aller, désirer, détester, devoir, entendre, espérer, faire, laisser, oser, pouvoir, préférer, savoir, sembler, voir, vouloir, il faut/fallait/faudra

  *Je voudrais **voir** ce film.*   I'd like **to see** this film.
  *Il faut **partir** tout de suite?*   Do we/you have to **leave** at once?

- after these verbs, with the preposition *à*:

  aider, apprendre, arriver, s'attendre, commencer, continuer, s'entraîner, faire attention, inviter, se mettre, penser, réussir

  *Il commence **à pleuvoir**.*   It's starting **to rain**.

- after these verbs, with the preposition *de*:

  s'arrêter, cesser, conseiller, décider, demander, dire, empêcher, essayer, éviter, finir, ordonner, oublier, permettre, persuader, prier, promettre, proposer, recommander, refuser, regretter, suggérer

  *N'oublie pas **de téléphoner**.*   Don't forget **to phone**.

Infinitives are also used:

- after the prepositions *pour, sans, avant de*:

  *C'est quelle direction **pour aller** au camping?*
  Which way is it for the campsite?
  *Elle a répondu **sans hésiter**.*
  She answered **without hesitating**.
  ***Avant de se coucher**, ils lisent.*
  Before going to bed, they read.

- in notices or instructions:
  *Ne pas **servir** chaud.*   Not to **be served** hot.

- as nouns:
  ***Sortir**, ça fait du bien.*   **Going out** does you good.

8.18 *jouer à/jouer de*

To talk about playing games or sports, use *jouer à*:

*J'aime jouer **au** football.*   I like playing football.

To talk about playing musical instruments, use *jouer de*:
*Je joue **du** piano/**de la** guitare.*
I play the piano/the guitar.

8.19 The passive

When the subject of the sentence has the action of the verb done to it instead of doing it, this is called the "passive" voice. Use *être* and a past participle, which agrees with the subject.

*Après un accident, les blessés **sont transportés** à l'hôpital.*
After an accident, the injured **are taken** to hospital.

In French, it is often neater to avoid the passive by using *on*:
***On transporte** les blessés à l'hôpital.*

The passive can be used in several tenses by changing the auxiliary *être* to the appropriate tense.

future: *Les élèves **seront aidés** par une assistante.*
Pupils **will be helped** by an assistant.

perfect: *Les élèves **ont été aidés** par une assistante.*
Pupils **have been helped** by an assistant.

imperfect: *Les élèves **étaient aidés** par une assistante.*
Pupils **were helped** by an assistant.

pluperfect: *Les élèves **avaient été aidés** par une assistante.*
Pupils **had been helped** by an assistant.

8.20 The subjunctive

The subjunctive is used to express opinions, wishes, possibilities, doubts; it is more noticeable in French than in English. You need to be able to recognize it when reading.

For many regular verbs, it looks similar to the present tense (especially the plural forms):

*Je ne veux pas qu'il **tombe**.*   I don't want him to fall.
*Il est important qu'elle **vienne**.*   It's important for her to come.

For common irregular verbs, the forms are quite different. For example:

avoir: *Il est possible qu'elle **ait** déjà ses résultats.*
It's possible that she's already got her results.

être: *Je ne crois pas qu'il **soit** prêt.*
I don't think he's ready.

aller: *Il faut que **j'aille** voir le proviseur.*
I have to go and see the headteacher.

faire: *Je voudrais que tu **fasses** ça.*
I'd like you **to do** that.

pouvoir: *Ils font des économies pour que leur fille **puisse** aller à l'université.*
They are saving up so that their daughter **can** go to university.

savoir: *Pour ce travail, il faut qu'il **sache** parler anglais.*
For this job he needs **to know how** to speak English.

9 Negatives *la négation*

9.1 *ne...pas*

The negative form is used where English has "not". In French, you need two words: *ne* and *pas*, which go either side of the verb.

NB: Use *n'* in front of a vowel or silent *h*.

*Je **ne** suis **pas** français.*	I'm **not** French.
*Ils **n'**habitent **pas** à Lyon.*	They **don't** live in Lyons.

(See 8.15 for negative commands.)

9.2 Other common negatives

These negatives also go either side of the verb:

ne/n' ... jamais never
ne/n' ... plus no longer, no more, not any more
ne/n' ... rien nothing, not anything
ne/n' ... personne nobody, not anybody

*Il **ne** parle **jamais** en français.*	He **never** speaks in French.
*Nous **ne** fumons **plus**.*	We **don't** smoke **any more**.
*Elle **ne** mange **rien**.*	She **doesn't** eat **anything**.
*Je **ne** connais **personne** ici.*	I **don't** know **anybody** here.

Jamais, rien and *personne* can be used on their own without a verb:

*Tu as déjà travaillé? Non, **jamais**.*
Have you ever worked? No, **never**.
*Qu'est-ce que vous voulez? **Rien**.*
What do you want? **Nothing**.
*Qui est dans la salle de classe? **Personne**.*
Who is in the classroom? **Nobody**.

9.3 Negative + *de*

When you use a negative before a noun, replace *un/une/des* with *de* (*d'* in front of a vowel or silent *h*):

*Il n'y a **pas de** pizza/ de gâteau.*	There **isn't any** pizza/cake.
*Il n'y a **pas de** chips.*	There **aren't any** crisps.
*Il n'y a **plus de** timbres.*	There **aren't any more** stamps.
*Je n'ai **jamais d'**argent.*	I **never** have **any** money.

9.4 *ne ... aucun*

ne ... aucun	no, not a single
*Il **n'a aucun** ami.*	He has **no** friends./He hasn't got **a single** friend.
*Je **n'ai aucune*** idée.*	I have **no** idea.

* *Aucun* is an adjective and agrees with the noun that follows it.

9.5 *ne ... ni ... ni ...*

ne ... ni ... ni ... neither ... nor, not either ... or ...

In this expression, *ne* goes before the verb and *ni ... ni ...* go before the words they refer to:

*Il **n'a ni** mère **ni** père.*	He has **neither** mother **nor** father.
*Je **ne** connais **ni** Anne **ni** son frère.*	I **don't** know **either** Anne **or** her brother.

9.6 *ne ... que*

One way to say "only" is to put *ne ... que* (*qu'* in front of a vowel) around the verb.

*Je **n'**aime **qu'**un sport.*	I **only** like one sport.
*On **ne** travaillera **que** le samedi matin.*	We will **only** work on the Saturday morning.
*Il **n'**avait **qu'**un ami.*	He had **only** one friend.

9.7 Negative + reflexive verbs

To use reflexive verbs in the negative, put *ne* before the pronoun and *pas/plus/jamais*, etc. after the verb:

*Je m'amuse. Et toi? Moi, je **ne** m'amuse **pas**.*
I'm having fun. How about you? I'm **not** having fun.

9.8 Negative + perfect tense

In the perfect tense, *ne* or *n'* goes before the auxiliary (the part of *avoir* or *être*).

- *Pas, plus, jamais* and *rien* go before the past participle:
*Je **n'<u>ai</u> pas** fait la lessive.*	I **haven't** done the washing.
*On **n'<u>a</u> rien** mangé.*	We **haven't** eaten **anything**.

- *Personne* and *que* go after the past participle:
*Nous **n'**avons vu **personne**.*	We **didn't** see **anybody**.
*Je **n'**ai acheté **que** des chaussettes.*	I **only** bought some socks.

9.9 Negative + verb + infinitive

The two parts of the negative go either side of the first verb:

*Je **n'**aime **pas** aller au cinéma.*	I **don't** like going to the cinema.
*On **ne** peut **pas** lire ce roman.*	We **can't** read this novel.

10 Asking questions *les questions*

There are four ways to ask a question:

1 by making your voice go up at the end:
   Tu vas au cinéma? Are you going to the cinema?
   Il a parlé au prof? Has he spoken to the teacher?

2 by starting with *est-ce que*…
   ***Est-ce que** tu vas au cinéma?* Are you going to the cinéma?
   ***Est-ce qu'**il a parlé au prof?* Has he spoken to the teacher?

3 by turning the verb and subject round:
   Vas-tu au cinéma? Are you going to the cinema?
   A-t*-il parlé au prof? Has he spoken to the teacher?

* Sometimes *t* is added between two vowels to make pronunciation easier:

   *Va-**t**-il venir avec nous?* Is he going to come with us?
   *Que pense-**t**-elle?* What does she think?

4 using question words:
combien?	how much/how many?
comment?	how?
où?	where?
pourquoi?	why?
qu'est-ce qui…?	what? (subject)
qu'est-ce que…?	what? (object)
quand?	when?
quel/quelle + noun?	what?
qui?	who?
que?	what?

11 Verb tables

infinitive	present		perfect	imperfect	future
-er verbs *PARLER* (to speak)	*je parle* *tu parles* *il/elle/on parle*	*nous parlons* *vous parlez* *ils/elles parlent*	*j'ai parlé*	*je parlais*	*je parlerai*
-ir verbs *FINIR* (to finish)	*je finis* *tu finis* *il/elle/on finit*	*nous finissons* *vous finissez* *ils/elles finissent*	*j'ai fini*	*je finissais*	*je finirai*
-re verbs *VENDRE* (to sell)	*je vends* *tu vends* *il/elle/on vend*	*nous vendons* *vous vendez* *ils/elles vendent*	*j'ai vendu*	*je vendais*	*je vendrai*
reflexive verbs *SE COUCHER* (to go to bed)	*je me couche* *tu te couches* *il/elle/on se couche*	*nous nous couchons* *vous vous couchez* *ils/elles se couchent*	*je me suis couché(e)*	*je me couchais*	*je me coucherai*
irregular verbs *ALLER* (to go)	*je vais* *tu vas* *il/elle/on va*	*nous allons* *vous allez* *ils/elles vont*	*je suis allé(e)*	*j'allais*	*j'irai*
AVOIR (to have)	*j'ai* *tu as* *il a*	*nous avons* *vous avez* *ils ont*	*j'ai eu*	*j'avais*	*j'aurai*
BOIRE (to drink)	*je bois* *tu bois* *il/elle/on boit*	*nous buvons* *vous buvez* *ils/elles boivent*	*j'ai bu*	*je buvais*	*je boirai*
DEVOIR (to have to)	*je dois* *tu dois* *il/elle/on doit*	*nous devons* *vous devez* *ils/elles doivent*	*j'ai dû*	*je devais*	*je devrai*
DIRE (to say)	*je dis* *tu dis* *il/elle/on dit*	*nous disons* *vous dites* *ils/elles disent*	*j'ai dit*	*je disais*	*je dirai*
DORMIR (to sleep)	*je dors* *tu dors* *il/elle/on dort*	*nous dormons* *vous dormez* *ils/elles dorment*	*j'ai dormi*	*je dormais*	*je dormirai*
ÉCRIRE (to write)	*j'écris* *tu écris* *il/elle/on écrit*	*nous écrivons* *vous écrivez* *ils/elles écrivent*	*j'ai écrit*	*j'écrivais*	*j'écrirai*
ÊTRE (to be)	*je suis* *tu es* *il/elle/on est*	*nous sommes* *vous êtes* *ils/elles sont*	*j'ai été*	*j'étais*	*je serai*
FAIRE (to do/make)	*je fais* *tu fais* *il/elle/on fait*	*nous faisons* *vous faites* *ils/elles font*	*j'ai fait*	*je faisais*	*je ferai*

infinitive	present		perfect	imperfect	future
LIRE (to read)	*je lis* *tu lis* *il/elle/on lit*	*nous lisons* *vous lisez* *ils/elles lisent*	*j'ai lu*	*je lisais*	*je lirai*
METTRE (to put/put on)	*je mets* *tu mets* *il/elle/on met*	*nous mettons* *vous mettez* *ils/elles mettent*	*j'ai mis*	*je mettais*	*je mettrai*
POUVOIR (to be able to)	*je peux* *tu peux* *il/elle/on peut*	*nous pouvons* *vous pouvez* *ils/elles peuvent*	*j'ai pu*	*je pouvais*	*je pourrai*
PRENDRE (to take)	*je prends* *tu prends* *il/elle/on prend*	*nous prenons* *vous prenez* *ils/elles prennent*	*j'ai pris*	*je prenais*	*je prendrai*
SAVOIR (to know)	*je sais* *tu sais* *il/elle/on sait*	*nous savons* *vous savez* *ils/elles savent*	*j'ai su*	*je savais*	*je saurai*
SORTIR (to go out)	*je sors* *tu sors* *il/elle/on sort*	*nous sortons* *vous sortez* *ils/elles sortent*	*je suis sorti(e)*	*je sortais*	*je sortirai*
VENIR (to come)	*je viens* *tu viens* *il/elle/on vient*	*nous venons* *vous venez* *ils/elles viennent*	*je suis venu(e)*	*je venais*	*je viendrai*
VOIR (to see)	*je vois* *tu vois* *il/elle/on voit*	*nous voyons* *vous voyez* *ils/elles voient*	*j'ai vu*	*je voyais*	*je verrai*
VOULOIR (to want)	*je veux* *tu veux* *il/elle/on veut*	*nous voulons* *vous voulez* *ils/elles veulent*	*j'ai voulu*	*je voulais*	*je voudrai*

Useful phrases | *Expressions utiles*

Days of the week *les jours de la semaine*

Monday	*lundi*
Tuesday	*mardi*
Wednesday	*mercredi*
Thursday	*jeudi*
Friday	*vendredi*
Saturday	*samedi*
Sunday	*dimanche*

Note: French days don't start with a capital letter.

- on Monday – *lundi*
  On Monday I went to Paris.
  Lundi, je suis allé(e) à Paris.

- every Monday/on Mondays – *le lundi*
  On Mondays I play basketball.
  Le lundi, je joue au basket.

Dates *les dates*

Use *le* before the number in dates:

Patrick was born on 9th January.
Patrick est né le neuf janvier.

in 1995 *en 1995 (mille neuf cent quatre-vingt quinze)*
in 2000 *en l'an 2000 (deux mille)*
in 2020 *en 2020 (deux mille vingt)*

Months *les mois*

January	*janvier*
February	*février*
March	*mars*
April	*avril*
May	*mai*
June	*juin*
July	*juillet*
August	*août*
September	*septembre*
October	*octobre*
November	*novembre*
December	*décembre*

Note: French months don't start with a capital letter.

- in + month – *en*
  We left in April.   *On est partis en avril.*
  Her birthday is in July.   *Son anniversaire est en juillet.*

Seasons *les saisons*

le printemps l'été l'automne l'hiver
in spring	*au printemps*
in summer	*en été*
in autumn	*en automne*
in winter	*en hiver*

The time *l'heure*

What time is it?	*Il est quelle heure?*
It is one o'clock.	*Il est une heure.*
What time is it at?	*C'est à quelle heure?*
It is at one o'clock.	*C'est à une heure.*

- on the hour
  It's one/two/three o'clock.   *Il est une heure/deux heures/trois heures.*
  It's midday.   *Il est midi.*
  It's midnight.   *Il est minuit.*

- quarters and half hours
  It's half past four.   *Il est quatre heures et demie.*
  It's quarter past six.   *Il est six heures et quart.*
  It's quarter to eight.   *Il est huit heures moins le quart.*

- minutes past/to
  It's ten past one.   *Il est une heure dix.*
  It's five to eleven.   *Il est onze heures moins cinq.*

- 24-hour clock
  It's 7pm (19.00).   *Il est dix-neuf heures.*
  It's 1.15pm (13.15).   *Il est treize heures quinze.*
  It's 10.30pm (22.30).   *Il est vingt-deux heures trente.*
  It's 3.45pm (15.45).   *Il est quinze heures quarante-cinq.*

- Never mix the two systems:
  It's 1.15.   *Il est une heure et quart.*
  Il est treize heures quinze.

Expressions of quantity *les quantités*

100 grammes of	*100 grammes de*
(half) a pound of	*une (demi-)livre de*
(half) a kilo of	*un (demi-)kilo de*
(half) a litre of	*un (demi-)litre de*
(half) a dozen	*une (demi-)douzaine de*
a piece of	*un morceau de*
a slice of	*une tranche de*
a jar/pot of	*un pot de*
a tin/a box of	*une boîte de*
a packet of	*un paquet de*
a bottle of	*une bouteille de*
too much (salt)	*trop de (sel)*
a lot of (sugar)	*beaucoup de (sucre)*
enough (milk)	*assez de (lait)*
a bit of (bread)	*un peu de (pain)*
few (cherries)	*peu de (cerises)*
no (meat)	*pas de (viande)*
most (pupils)	*la plupart des (élèves)*

Countries *les pays*

		nationalité	
	pays	masculine	féminine
Algeria	*l'Algérie*	*algérien*	*algérienne*
Australia	*l'Australie*	*australien*	*australienne*
Belgium	*la Belgique*	*belge*	*belge*
Canada	*le Canada*	*canadien*	*canadienne*
China	*la Chine*	*chinois*	*chinoise*
England	*l'Angleterre*	*anglais*	*anglaise*
France	*la France*	*français*	*française*
Germany	*l'Allemagne*	*allemand*	*allemande*
Great Britain	*la Grande-Bretagne*	*britannique*	*britannique*
India	*l'Inde*	*indien*	*indienne*
Ireland	*l'Irlande*	*irlandais*	*irlandaise*
Italy	*l'Italie*	*italien*	*italienne*
Japan	*le Japon*	*japonais*	*japonaise*
Netherlands	*les Pays-Bas*	*néerlandais*	*néerlandaise*
Scotland	*l'Écosse*	*écossais*	*écossaise*
Senegal	*le Sénégal*	*sénégalais*	*sénégalaise*
Spain	*l'Espagne*	*espagnol*	*espagnole*
Sweden	*la Suède*	*suédois*	*suédoise*
Switzerland	*la Suisse*	*suisse*	*suisse*
Tunisia	*la Tunisie*	*tunisien*	*tunisienne*
the United States	*les États-Unis*	*américain*	*américaine*
Wales	*le pays de Galles*	*gallois*	*galloise*
the West Indies	*les Antilles*	*antillais*	*antillaise*

Numbers *les chiffres*

0	*zéro*	19	*dix-neuf*	74	*soixante-quatorze*
1	*un*	20	*vingt*	75	*soixante-quinze*
2	*deux*	21	*vingt et un*	76	*soixante-seize*
3	*trois*	22	*vingt-deux*	77	*soixante-dix-sept*
4	*quatre*	23	*vingt-trois*	78	*soixante-dix-huit*
5	*cinq*	24	*vingt-quatre*	79	*soixante-dix-neuf*
6	*six*	25	*vingt-cinq*	80	*quatre vingts*
7	*sept*	26	*vingt-six*	81	*quatre-vingt-un*
8	*huit*	27	*vingt-sept*	82	*quatre-vingt-deux*
9	*neuf*	28	*vingt-huit*	90	*quatre-vingt-dix*
10	*dix*	29	*vingt-neuf*	91	*quatre-vingt-onze*
11	*onze*	30	*trente*	92	*quatre-vingt-douze*
12	*douze*	40	*quarante*	100	*cent*
13	*treize*	50	*cinquante*	101	*cent un*
14	*quatorze*	60	*soixante*	102	*cent deux*
15	*quinze*	70	*soixante-dix*	200	*deux cents*
16	*seize*	71	*soixante et onze*	201	*deux cent un*
17	*dix-sept*	72	*soixante-douze*	1 000	*mille*
18	*dix-huit*	73	*soixante-treize*		

Ordinal numbers

1st	*1er premier* or
	1re première
2nd	*2e deuxième*
3rd	*3e troisième*
4th	*4e quatrième*
5th	*5e cinquième*
6th	*6e sixième*
7th	*7e septième*
8th	*8e huitième*
9th	*9e neuvième*
10th	*10e dixième*

It's his second exam.
C'est son deuxième examen.

I live on the fifth floor.
J'habite au cinquième étage.

Glossaire | *français – anglais*

A

à at, in, to

il/elle/on a he/she/one has

abîmé *adj* damaged

d' abord first

abordé *adj* tackled

absolument absolutely

l' accès Internet *nm* Internet access

d' accord OK, agreed, in agreement

accro *adj* hooked

acheter *v* to buy

un acteur *nm* an actor (male)

actif/active *adj* active

une actrice (de théâtre) *nf* an actress (in the theatre)

une addition *nf* an addition; a bill

additionner *v* to add up

un/une ado *nm/f* a teenager, an adolescent

un/une adolescent(e) *nm/f* a teenager

adorer *v* to love

un/une adulte *nm/f* an adult

un aéroglisseur *nm* a hovercraft

les affaires *nf pl* things, belongings

affectueux/affectueuse *adj* affectionate

une affiche *nf* a poster

africain/africaine *adj* African

l' Afrique *nf* Africa

âgé/âgée *adj* old

âgé de 16 ans 16 years old

l' âge *nm* the age

une agence immobilière *nf* an estate agent's

un agent de police *nm* a policeman

s' agir de *v* to be about

agité/agitée *adj* rough (sea)

l' agneau *nm* lamb

agréable *adj* pleasant

agricole *adj* agricultural

un agriculteur *nm* a farmer

une agricultrice *nf* a farmer (female)

j' ai I have *from* **avoir**

aider *v* to help

une aile *nf* a wing

aimer *v* to like, to love

j' aimerais I'd like

j' aimerais mieux I'd rather

l' aîné *nm* the older

avoir l' air *v* to look, to seem

une AJ *nm see* **auberge de jeunesse**

ajouter *v* to add

l' alcool *nm* alcohol

algérien/algérienne *adj* Algerian

un aliment *nm* a foodstuff

l' Allemagne *nf* Germany

allemand/allemande *adj* German

aller *v* to go

un aller-retour *nm* a return ticket

un aller simple *nm* a single ticket

Allô. Hello. (on the phone)

s' allonger *v* to lie down

allumé/allumée *adj* switched on

alors so, then

alors que while

une amande *nf* an almond

l' ambiance *nf* the atmosphere

améliorer *v* to improve

l' aménagement *nm* the decoration and fittings

américain/américaine *adj* American

un ami *nm* a friend (male)

une amie *nf* a friend (female)

l' amitié *nf* friendship

l' amour *nm* love

amoureux/amoureuse (de) *adj* in love (with)

amusant/amusante *adj* fun

s' amuser *v* to have a good time, to enjoy yourself

un an *nm* a year

un ananas *nm* a pineapple

ancien/ancienne *adj* old, former

un ange *nm* an angel

l' anglais *nm* English

un animal (des animaux) *nm* an animal (animals)

un animateur *nm* a presenter (male)

une animatrice *nf* a presenter (female)

animé/animée *adj* bustling, lively

un anneau *nm* a ring

une année *nf* a year

les années 50 the '50s

un anniversaire *nm* a birthday, an anniversary

une annonce *nf* an advertisement

les Antilles *nf pl* the West Indies

apparaître *v* to appear

un appareil-photo numérique *nm* a digital camera

l' apparence (physique) *nf* the (physical) appearance

un appartement *nm* a flat

un appel *nm* a call

appeler *v* to call

s' appeler *v* to be called

apporter *v* to bring

apprécier *v* to appreciate

apprendre *v* to learn

un apprenti *nm* an apprentice, a trainee

s' approcher de *v* to approach

après after

un/une après-midi *nm/f* an afternoon

l' arabe *nm* Arabic

l' argent (de poche) *nm* the (pocket) money

l' armée *nf* the army

une armoire *nf* a wardrobe

un arrêt de bus *nm* a bus stop

arrêter *v* to stop

s' arrêter *v* to stop

des arrhes *nf pl* a deposit

arriver *v* to arrive

un ascenseur *nm* a lift

s' asseoir *v* to sit down

assez rather; enough

une assiette *nf* a plate

assis/assise *adj* sitting

un astronome *nm* an astronomer

un atelier *nm* a workshop

attendre *v* to wait

Attention! Be careful!

attirer *v* to attract

l' attrait *nm* the attraction

attraper *v* to catch

au at, in, to (the)

une auberge *nf* an inn

une auberge de jeunesse *nf* a youth hostel

(ne...) aucun/aucune not one

au-dessus de above

auditif/auditive *adj* aural

aujourd'hui today

il y aurait there would be

aussi also, too

autant de as many

l' automne *nm* the autumn

autoritaire *adj* authoritarian

une autoroute *nf* a motorway

autour around

autre other

l' Autriche *nf* Austria

autrui other people

aux at, to, in (the)

avaler *v* to swallow

avant before

un avantage *nm* an advantage

l' avant-bras *nm* the forearm

avant-hier the day before yesterday

avec with

l' avenir *nm* the future

une averse *nf* a shower

un avion *nm* a plane

un avis *nm* an opinion

à mon avis in my opinion

un avocat *nm* a lawyer (male)

une avocate *nf* a lawyer (female)

avoir *v* to have

B

le baby-sitting *nm* babysitting

les bagages *nm pl* luggage

se baigner *v* to bathe, to swim

une baignoire *nf* a bathtub

une baignoire à bulles *nf* a whirlpool bath, a jacuzzi

un bain *nm* a bath

baisser *v* to lower, to turn down

un balcon *nm* a balcony

un banc *nm* a bench

une bande dessinée *nf* a cartoon strip, a comic

la banlieue *nf* the suburbs

une banque *nf* a bank

barrer *v* to cross out

bas/basse *adj* low

le basket *nm* basketball

des baskets *nf pl* trainers

un bateau *nm* a boat

un bâtiment *nm* a building

battre *v* to beat

bavard/bavarde *adj* chatty

bavarder *v* to chat

une BD *nf see* **bande dessinée**

beau/belle *adj* beautiful

il fait beau it's fine weather

beaucoup a lot

un beau-père *nm* a step-father

un bébé *nm* a baby

beige *adj* beige

un beignet *nm* a doughnut, a fritter

belge *adj* Belgian

la Belgique *nf* Belgium

une belle-mère *nf* a step-mother

ben well, yeah

j'ai besoin de I need to, I have to

une bête *nf* a beast

le béton *nm* concrete

Beurk! Yuk!

le beurre *nm* butter

une bibliothèque *nf* a library

bien well, good

bien rangé/rangée *adj* tidy

bien sûr of course

bientôt soon

la bière *nf* beer

le bifteck *nm* steak

le bilan *nm* the outcome; the report

bilingue *adj* bilingual

un billet *nm* a banknote; a ticket

une bise *nf* a kiss

grosses bises love and kisses

blanc/blanche *adj* white

les blessés *nm pl* injured people

bleu/bleue *adj* blue

blond/blonde *adj* blond

un **blouson** *nm* a bomber jacket
le **bœuf** *nm* beef
les **bœufs** *nm pl* (beef) cattle
boire *v* to drink
une **boisson** *nf* a drink
une **boîte** *nf* a box, a tin; a nightclub
un **bol** *nm* a bowl
une **bombe** *nf* a bomb
bon/bonne *adj* good
un **bonbon** *nm* a sweet
Bonjour Hello
de **bonne heure** early
un **bonnet** *nm* a hat
au **bord de la mer** at the seaside
les **bottes** *nf pl* boots
une **bouche** *nf* a mouth
un **boucher** *nm* a butcher
une **boucherie** *nf* a butcher's shop
bouclé/bouclée *adj* curly
une **bougie** *nf* a candle
une **boulangerie** *nf* a baker's shop
les **boules** *nf pl* bowls
un **boulot** *nm* a job
un **petit boulot** a part-time job
au **bout de** at the end of
une **bouteille** *nf* a bottle
le **bowling** *nm* (the) bowling (alley)
un **bras** *nm* an arm
un **Brésilien** *nm* a Brazilian
brésilien/brésilienne *adj* Brazilian
la **Bretagne** *nf* Brittany
le **Brevet des Collèges** *nm* the school-leaving certificate at 16
britannique *adj* British
bronzer *v* to sunbathe, to tan
un **brouillard** *nm* a fog
un **bruit** *nm* a noise
brûler *v* to burn
brumeux/brumeuse *adj* misty
brun/brune *adj* brown(-haired)
bruyant/bruyante *adj* noisy
j'ai bu I drank/I have drunk *from* **boire**
une **bulle** *nf* a (speech) bubble
un **bureau** *nm* a desk; an office
un **bus** *nm* a bus

C

ça it, that
Ça va. I'm/It's fine. (etc.) It's OK.
Ça va? How are you/is she (etc.)? Is it OK?
une **cabine** *nf* a cubicle
cacher *v* to hide
un **cadeau (des cadeaux)** *nm* a present (presents)
un **cadre** *nm* a frame
un **café** *nm* a coffee; a café
un **café-crème** *nm* a white coffee
un **cahier** *nm* an exercise book
une **caisse** *nf* a cash register
un **caissier** *nm* a cashier (male)

une **caissière** *nf* a cashier (female)
un **calendrier** *nm* a calendar
calme *adj* calm, peaceful
un/une **camarade** *nm/f* a friend
un **camion** *nm* a lorry
la **campagne** *nf* the country
camper *v* to camp
un **camping** *nm* a campsite
une **candidature** *nf* an application
une **cantine** *nf* a canteen
une **capitale** *nf* a capital
car because, as
un **car** *nm* a coach
les **Caraïbes** *nm pl* the Caribbean
un **carnet de correspondance** *nm* a mark book
une **carotte** *nf* a carrot
carrément completely
une **carte** *nf* a map; a card
une **carte postale** *nf* a postcard
en **cas de** in case of
une **casquette** *nf* a cap
casser *v* to break
une **cave** *nf* a cellar
un **CD** *nm* a CD
ce/c' it, that
ce/cet/cette/ces this, these
ce que what
céder *v* **la place** to give way to
une **ceinture** *nf* a belt
cela it, that
célèbre *adj* famous
célibataire *adj* unmarried
celui(-ci/-là), celle, ceux, celles the one(s)
le **centre** *nm* the centre
un **centre commercial** *nm* a shopping centre
un **centre d'intérêt** *nm* an interest
un **centre sportif** *nm* a sports centre
le **centre-ville** *nm* the town centre
des **céréales** *nf pl* cereal
une **cerise** *nf* a cherry
certain/certaine *adj* certain
ces these *see* **ce**
cet/cette this *see* **ce**
ceux those
chacun/chacune each one, everyone
une **chaîne** *nf* a chain; a channel; a stereo
une **chaise** *nf* a chair
la **chaleur** *nf* heat
une **chambre** *nf* a bedroom
une **chambre d'amis** *nf* a guest bedroom
les **chambres d'hôte** *nf pl* bed and breakfast (in private houses)
un **champignon** *nm* a mushroom
un **championnat** *nm* a championship
avoir de la **chance** to be lucky
changer *v* to change
une **chanson** *nf* a song
chanter *v* to sing

un **chanteur** *nm* a singer (male)
une **chanteuse** *nf* a singer (female)
chaque each, every
la **charcuterie** *nf* cooked pork meats; the delicatessen
un **chat** *nm* a (male) cat
un **château** *nm* a castle
une **chatte** *nf* a female cat
chaud/chaude *adj* hot
il fait **chaud** it's hot (weather)
le **chauffage** *nm* the heating
un **chauffeur** *nm* a driver
une **chaussette** *nf* a sock
une **chaussure** *nf* a shoe
un **chef** *nm* a boss
un **chemin** *nm* a way, a path
une **chemise** *nf* a shirt
un **chemisier** *nm* a blouse
un **chèque de voyage** *nm* a traveller's cheque
cher/chère *adj* expensive, dear
chercher *v* to look for
un **cheval (des chevaux)** *nm* a horse (horses)
un **cheveu (des cheveux)** *nm* a hair (hair)
une **chèvre** *nf* a goat
chez (moi) at (my) home
un **chien** *nm* a dog
un **chiffre** *nm* a number
la **chimie** *nf* chemistry
un **chimpanzé** *nm* a chimpanzee
la **Chine** *nf* China
les **chips** *nm pl* crisps
le **chocolat** *nm* chocolate
une **chocolaterie** *nf* a chocolate shop
choisir *v* to choose
un **choix** *nm* a selection, a choice
une **chose** *nf* a thing
un **chou-fleur** *nm* a cauliflower
ci-dessous below
ci-dessus above
le **ciel** *nm* the sky
un **cinéma** *nm* a cinema
un **citron** *nm* a lemon
clair/claire *adj* clear
une **classe** *nf* a form, a class
classer *v* to sort
classique *v* classical
une **clé** *nf* a key
un **client** *nm* a customer (male)
une **cliente** *nf* a customer (female)
le **climat** *nm* the climate
une **cloche** *nf* a bell
un **cloître** *nm* a monastery
un **club de vacances** *nm* a holiday camp
un **coca** *nm* a cola
cocher *v* to tick
un **cochon** *nm* a pig
un **cochon d'Inde** *nm* a guinea pig
un **cœur** *nm* a heart
un **coin** *nm* a corner

un **colis** *nm* parcel
collectionner *v* to collect
un **collège** *nm* a secondary school
combien how much, how many
commander *v* to order
comme as, like
commencer *v* to start
comment how
un **commissariat de police** *nm* a police station
en **commun** in common
complet/complète *adj* full
compléter *v* to complete
compliqué/compliquée *adj* complicated
composter *v* to punch (ticket)
compréhensif/compréhensive *adj* understanding
comprendre *v* to understand
un **comprimé** *nm* a tablet
compter *v* to count
un **concours** *nm* a competition
conduire *v* to drive
la **confiance** *nf* confidence
se **confier** *v* to confide
la **confiture** *nf* jam
confortable *adj* comfortable
conjuguer *v* to conjugate
la **connaissance** *nf* acquaintance
connaître *v* to know
une **connexion à Internet** *nf* an Internet connection
consacré/consacrée *adj* dedicated
consciencieux/consciencieuse *adj* conscientious
un **conseil** *nm* a piece of advice
la **consigne** *nf* the left luggage office
une **console de jeux** *nf* a games console
la **consommation** *nf* consumption
construire *v* to build
contenir *v* to contain
content/contente *adj* happy
contre against
par **contre** on the other hand
un **contrôle** *nm* a test
convenir *v* to suit, be convenient
cool *adj* cool, relaxed
les **coordonnées** *nf pl* contact details
un **copain** *nm* a (boy)friend
une **copine** *nf* a (girl)friend
un **coq** *nm* a cockerel
un **corps** *nm* a body
un **correspondant** *nm* a penpal (male)
une **correspondante** *nf* a penpal (female)
corriger *v* to correct
un **côté** *nm* a side
mettre de côté *v* to put aside, to save
à **côté de** next to, beside

le coton *nm* cotton

un cou *nm* a neck

se coucher *v* to go to bed

une couleur *nf* a colour

un couloir *nm* a corridor

la Coupe d'Europe *nf* the European Cup

couper *v* to cut

courageux/courageuse *adj* brave

courant/courante *adj* customary

courir *v* to run

un courriel *nm* an e-mail

un cours *nm* a lesson

une course *nf* a race; a ride

les courses *nf pl* the shopping

court/courte *adj* short

un cousin *nm* a cousin (male)

une cousine *nf* a cousin (female)

un coussin *nm* a cushion

un couteau *nm* a knife

coûter *v* to cost

couvert/couverte *adj* overcast

mettre le couvert *v* to lay the table

se couvrir *v* to cloud over

la crème *nf* cream

une crémerie *nf* a dairy shop

une crêpe *nf* a pancake

une crêperie *nf* a pancake restaurant

crevé/crevée *adj* punctured

un croque-monsieur *nm* a toasted ham and cheese sandwich

une cuillère *nf* a spoon

le cuir *nm* leather

la cuisine *nf* the kitchen; cooking

un cuisinier *nm* a cook (male)

une cuisinière *nf* a cook (female)

une cuisse *nf* a thigh

un CV *nm* a CV

le cyclisme *nm* cycling

D

le daim *nm* the deer; suede

le Danemark *nm* Denmark

dangereux/dangereuse *adj* dangerous

dans in

une danse *nf* a dance

danser *v* to dance

un dé *nm* a die (dice)

de from, of

se débrouiller *v* to manage

le début *nm* the beginning

décevant/décevante *adj* disappointing

la déco *nf* decoration

le décor *nm* the décor; the film set

décrire *v* to describe

déçu/déçue *adj* disappointed

dedans inside

un défaut *nm* a fault

défense de not allowed

en dehors de outside

déjà already

déjeuner *v* to have lunch

le déjeuner *nm* lunch

délicieux/délicieuse *adj* delicious

demain tomorrow

demander *v* to ask

déménager *v* to move house

demi/demie half

un demi-frère *nm* a half-brother; a step-brother

une demi-heure *nf* half an hour

le demi-pension *nm* half board; dinner, bed and breakfast

une demi-sœur *nf* a half-sister; a step-sister

démodé/démodée *adj* old-fashioned

un/une dentiste *nm/nf* a dentist

une dent *nf* a tooth

dépenser *v* to spend

se déplacer *v* to travel

un dépliant *nm* a leaflet

déplu displeased *from* **déplaire**

depuis since, for (time)

depuis que since

déranger *v* to bother

dernier/dernière *adj* last

derrière behind

des of the, from the

dès from (time)

descendre *v* to go down

désolé/désolée *adj* sorry

en désordre messy

un dessert *nm* a dessert

le dessin *nm* the drawing; art

un dessin animé *nm* a cartoon

dessiner *v* to draw

dessous below

dessus above

détester *v* to hate

deuxième *adj* second

devant in front of

devenir *v* to become

deviner *v* to guess

devoir *v* to have to, must

les devoirs *nm pl* homework

je devrais I should *from* **devoir**

un dictionnaire *nm* a dictionary

différent/différente *adj* different

difficile *adj* difficult

dimanche *nm* Sunday

dîner *v* to have dinner

le dîner *nm* dinner

dire *v* to say

discuter *v* to discuss, to talk

une distraction *nf* an entertainment

distrait/distraite *adj* absent-minded

ça se dit it's said

divertissant/divertissante *adj* entertaining

divorcé/divorcée *adj* divorced

un documentaire *nm* a documentary

un doigt *nm* a finger

je/tu dois I/you must *from* **devoir**

il/elle/on doit he/she/we must *from* **devoir**

dommage *nm* a shame

un don *nm* a donation

donc therefore

donner *v* to give

donner envie *v* to make you want

dormir *v* to sleep

un dortoir *nm* a dormitory

le dos *nm* the back

un dossier *nm* a file

une douche *nf* a shower

se doucher *v* to have a shower

doux/douce *adj* mild, gentle

une douzaine *nf* a dozen

un drame historique *nm* a historical drama

un drap *nm* a sheet

la drogue *nf* drugs

j'ai le droit de I'm allowed to

droit/droite *adj* right; straight

à droite on the right

drôle *adj* funny

du of the, from the

dur/dure *adj* hard, difficult

une durée *nf* a duration

durer *v* to last

dynamique *adj* lively

E

l' eau *nf* water

un échange *nm* an exchange

échanger *v* to exchange

une écharpe *nf* a scarf

les échecs *nm pl* chess

une école (primaire) *nf* a (primary) school

une école maternelle *nf* a nursery school

les économies *nf pl* savings

écossais/écossaise *adj* Scottish

l' Écosse *nf* Scotland

écouter *v* to listen

un écran *nm* a screen

écrire *v* to write

l' éducation civique *nf* citizenship

en effet indeed

les effets spéciaux *nm pl* special effects

également equally

une église *nf* a church

égoïste *adj* selfish

égyptien/égyptienne *adj* Egyptian

un électricien *nm* an electrician (male)

une électricienne *nf* an electrician (female)

un/une élève *nm/f* a pupil

élevé/élevée *adj* raised, high

elle she, her

elles they, them (all female)

embêtant/embêtante *adj* annoying

une émission *nf* a programme

emmener *v* to take

l' emplacement *nm* pitch (for tent)

un emploi *nm* a job

un emploi du temps *nm* a (school) timetable

un employé *nm* an employee (male)

un employé de bureau *nm* an office worker (male)

une employée de bureau *nf* an office worker (female)

emprunter *v* to borrow

en in

en of them; about it

il n'y en a plus there isn't/aren't any more (of them)

encore again, more, still

s' endormir *v* to go to sleep

un endroit *nm* a place

énerver *v* to irritate

l' enfance *nf* childhood

un enfant *nm* a child

enfin finally

s' enfuir *v* to run away

enlever *v* to remove

s' ennuyer *v* to be bored

ennuyeux/ennuyeuse *adj* boring

énormement enormously, very much

une enquête *nf* an inquiry, a survey

enregistrer *v* to record

un enseignant *nm* a teacher (male)

enseigner *v* to teach

ensemble together

ensoleillé/ensoleillée *adj* sunny

ensuite afterwards, then

entendre *v* to hear

s' entendre bien avec to get on well with

entier/entière *adj* whole

entourer *v* to surround

l' entraide *nf* mutual help

s' entraîner *v* to train

entre between

l' entrée *nf* the first course; the way in

entrer *v* to go in, come in

un entretien *nm* an interview

énumerer *v* to list

envers towards

j'ai envie de I feel like

environ about

l' environnement *nm* the environment

envoyer *v* to send
une épaule *nf* a shoulder
épeler *v* to spell
une épicerie *nf* a grocer's shop
les épinards *nm pl* spinach
une époque *nf* a period in time
l' épouvante *nf* horror
l' EPS (éducation physique et sportive) *nf* PE
une équipe *nf* a team, a crew
équipé/équipée *adj* equipped
l' équitation *nf* horse riding
l' escalade *nf* rock climbing
un escalier *nm* a staircase
une escalope *nf* a thin slice of meat or fish
un escargot *nm* a snail
un espace vert *nm* a green space
l' Espagne *nf* Spain
espagnol/espagnole *adj* Spanish
espérer *v* to hope
essayer *v* to try
l' essence *nf* petrol
essentiel/essentielle *adj* essential
l' est *nm* the east
l' estomac *nm* the stomach
et and
un étage *nm* a storey, a floor
des étagères *nf pl* shelves
les États-Unis *nm pl* the United States
l' été *nm* summer
éteindre *v* to switch off
une étiquette *nf* a label
à l' étranger abroad
étranger/étrangère *adj* foreign
être *v* to be
les études *nf pl* studies
faire des études de *v* to study
un étudiant *nm* a student (male)
une étudiante *nf* a student (female)
étudier *v* to study
j'ai eu I had *from* **avoir**
l' Eurostar *nm* Eurostar (train)
eux them
évidemment of course
un examen *nm* an exam
une excursion *nf* an excursion, a trip
Excusez-moi. Excuse me.
par exemple for example
l' expérience *nf* experience
expérimenter *v* to try out
expliquer *v* to explain
une exposition *nf* an exhibition

F

en face de opposite
se fâcher *v* to be angry
facile *adj* easy
une façon *nf* a way
faible *adj* weak
j'ai faim I'm hungry
faire *v* to make, do

faire du ski *v* to go ski-ing
ça fait that makes
en fait in fact, actually
une famille *nf* a family
fatigant/fatigante *adj* tiring
il faudrait there would need to be
fausse *adj* *see* **faux**
il faut you have to, you ought to, you need
une faute *nf* a mistake
un fauteuil *nm* an armchair
faux/fausse *adj* false, wrong
favori/favorite *adj* favorite
féminin/féminine *adj* feminine
une femme *nf* a woman; a wife
une fenêtre *nf* a window
une ferme *nf* a farm
fermé/fermée *adj* shut, closed
fermer *v* to close
une fermeture éclair *nf* a zip fastener
une fête *nf* a party, a festival, a celebration
un feuilleté *nm* a puff pastry case
une fiche *nf* a form
une fiche d'inscription *nf* an application form
fier/fière *adj* proud
la fièvre *nf* a temperature, a fever
une fille *nf* a girl; a daughter
une fille unique *nf* an only child (girl)
un film (d'horreur) *nm* a (horror) film
un film policier *nm* a detective film
un fils *nm* a son
un fils cadet *nm* a younger son
un fils unique *nm* an only child (boy)
la fin *nf* the end
finir *v* to finish
une fleur *nf* a flower
le foin *nm* hay
une fois *nf* a time, once
la première fois the first time
deux fois twice
ils/elles font they make, they do *from* **faire**
le foot(ball) *nm* football
un footballeur *nm* a footballer
une forêt *nf* a forest
la formation *nf* training
en forme fit
fort/forte *adj* strong, good
fou/folle *adj* mad
un foulard *nm* a scarf
une fourchette *nf* a fork
un foyer *nm* a common room
les frais de transport *nm pl* travel expenses
frais/fraîche *adj* fresh, cool
un Français *nm* a Frenchman
le français *nm* French
français/française *adj* French
une Française *nf* a Frenchwoman
la France *nf* France

franchement really
un frein *nm* a brake
freiner *v* to brake
un frère *nm* a brother
frisé/frisée *adj* curly
les frites *nf pl* chips
il fait froid it's cold (weather)
froid/froide *adj* cold
le fromage *nm* cheese
un fruit *nm* a piece of fruit
fumer *v* to smoke
un fumeur *nm* a smoker

G

gagner *v* to win; to earn
un gant *nm* a glove
un garage *nm* a garage
un garçon *nm* a boy
une gare (SNCF) *nf* a (railway) station
une gare routière *nf* a bus station
un gâteau (des gâteaux) *nm* a cake (cakes)
gauche *adj* left
à gauche on the left
le gaz *nm* gas
géant/géante *adj* giant
il gèle it's frosty
la gelée *nf* frost
une gendarmerie *nf* a police station
en général in general
généreux/généreuse *adj* generous
génial/géniale *adj* great, fantastic
un genou *nm* a knee
les gens *nm pl* people
gentil/gentille *adj* nice
gentiment nicely, kindly
la géographie *nf* geography
un gigot *nm* a leg of lamb
une girafe *nf* a giraffe
une glace *nf* an ice-cream
la gloire *nf* glory
la gorge *nf* the throat
un gouvernement *nm* government
grand/grande *adj* big, tall
pas grand-chose not much
une grand-mère *nf* a grandmother
un grand-père *nm* a grandfather
la Grande-Bretagne *nf* Great Britain
les grands-parents *nm pl* grandparents
le gratin *nm* dish topped with toasted breadcrumbs and cheese
grave *adj* serious
un grenier *adj* an attic
une grille *nf* a grid, a table
la grippe *nf* influenza, flu
gris/grise *adj* grey
il fait gris it's cloudy
gros/grosse *adj* plump, fat, big
grossir *v* to get fat
la Guadeloupe *nf* Guadeloupe

une guerre *nf* a war
un guichet *nm* a ticket office
une guitare *nf* a guitar
un gymnase *nm* a gym

H

s' habiller *v* to get dressed
un habitant *nm* an inhabitant
habiter *v* to live
une habitude *nf* a habit
d' habitude usually
une halte fluviale *nf* a waterbus stop
un haricot vert *nm* a green bean
haut/haute *adj* high, tall
en hauteur at a high level
l' hébergement *nm* accommodation
un hélicoptère *nm* a helicopter
l' herbe *nf* grass
une heure *nf* an hour
à l' heure on time
heureusement happily, luckily
heurter *v* collide with
hier yesterday
hier soir last night
l' histoire *nf* the story; history
historique *adj* historic
l' hiver *nm* winter
un homme *nm* a man
un hôpital *nm* a hospital
un horaire *nm* a timetable
un hôtel de ville *nm* a town hall
un hôtel *nm* a hotel
une hôtesse de l'air *nf* an air hostess
un hourra *nm* a cheer
une huître *nf* an oyster
humide *adj* humid, wet

I

ici here
une idée *nf* an idea
idiot/idiote *adj* stupid
il he, it
il y a (deux) ans (two) years ago
il y en a there are some
une île *nf* an island
ils they
imprimer *v* to print
inclus/incluse *adj* inclusive
inconfortable *adj* uncomfortable
un inconvénient *nm* a disadvantage
l' Inde *nf* India
indépendant/indépendante *adj* independant
un indice *nm* a clue
industriel/industrielle *adj* industrial
une infirmière *nf* a nurse (female)
les info(rmation)s *nf pl* the news programme
l' informatique *nf* computing, IT
un ingénieur *nm* an engineer
s' inquiéter *v* to worry

insouciant/insouciante adj carefree

un instituteur nm a (primary school) teacher (male)

interdit/interdite adj forbidden

intéressant/intéressante adj interesting

s' intéresser à v to be interested in

inutile adj useless

un invité nm a guest (male)

une invitée nf a guest (female)

inviter v to invite

l' Irlande nf Ireland

l' Italie nf Italy

J

j'ai I have

(ne...) jamais never

une jambe nf a leg

le jambon nm ham

un jardin nm a garden

un jardin public nm a park

le jardinage nm gardening

jaune adj yellow

je I

un jean nm a pair of jeans

le jean nm denim

un jeton nm a games counter

un jeu (les jeux) nm (pl) a game (games)

un jeu de société nm a board game

un jeu vidéo nm a video game

jeudi nm Thursday

jeune adj young

un/une jeune nm/nf a young person

un job (d'été) nm a (summer) job

joindre v to attach

joli/jolie adj pretty

jouer v to play

un jour nm a day

un journal nm a newspaper; a diary

un/une journaliste nm/f a journalist

une journée nf a day

jumeau/jumelle adj twin

une jupe nf a skirt

juridique adj legal

un jus d'orange nm an orange juice

jusque until, as far as

L

la the; her, it

là there

là-bas over there

un lac nm a lake

laid/laide adj ugly

la laine nf wool

laisser v to leave

le lait nm milk

une lampe nf a lamp

lancer v to throw

une langue nf a language; a tongue

un lapin nm a rabbit

la Laponie nf Lapland

un lavabo nm a washbasin

un lave-linge nm a washing machine

laver v to wash

se laver v to have a wash

un lave-vaisselle nm a dishwasher (machine)

le the; him, it

le lundi etc. on Mondays etc.

une leçon nf a lesson

un lecteur DVD nm a DVD player

un lecteur MP3 nm an MP3 player

la lecture nf reading

une légende nf a caption; a map key

léger/légère adj light

un légume nm a vegetable

le lendemain the next day

lent/lente adj slow

lentement slowly

lequel which

les the; them

la lessive nf (clothes) washing

une lettre nf a letter

une lettre nf **de motivation** a letter of application

leur, leurs their

se lever v to get up

libre adj free

lier v to link

une ligne nf a line

une limonade nf a lemonade

lire v to read

un lit nm a bed

un livre nm a book

une livre nf a pound

loger v to provide accommodation for

loin far

lointain/lointaine adj distant

les loisirs nm pl leisure activities

Londres London

long/longue adj long

le long de along

longtemps a long time

louer v to hire

lourd/lourde adj heavy

lui him

lundi nm Monday

la lune nf the moon

les lunettes nf pl glasses

la lutte nf wrestling

un luxe nm a luxury

un lycée nm a sixth form college

M

ma my see **mon**

mâcher v to chew

madame madam, Mrs

un magasin nm a shop

faire les magasins to go round the shops

un magazine nm a magazine

magnifique adj magnificent

maigrir v to lose weight

une main nf a hand

maintenant now

mais but

le maïs nm maize, corn

une maison nf a house

à la maison at home

une maison des jeunes nf a youth club

une maîtresse nf a (primary school) teacher (female)

la majorité nf the majority

mal badly

il a mal à ... his ... hurts

le mal aux dents nm toothache

le mal de mer nm seasickness

malade adj ill

une maladie nf a disease

malgré in spite of

malheureusement unfortunately

manger v to eat

manquer v to be missing

un manteau nm coat

la marche à pied nf walking

un marché nm a market

marcher v to walk; to work (machine)

mardi nm Tuesday

marié/mariée adj married

marin/marine adj marine

une marmotte nf a marmot; a sleepyhead

le Maroc nm Morocco

marrant/marrante adj fun

j'en ai marre de I'm fed up with

un match nm a match

les maths nf pl maths

une matière nf a school subject

un matin nm a morning

mauvais/mauvaise adj bad

me me, to me, myself

un mécanicien nm a mechanic (male)

une mécanicienne nf a mechanic (female)

une médaille nf a medal

un médecin nm/f a doctor

un médicament nm a medicine

se méfier de v to be wary of

meilleur/meilleure adj better, best

un membre nm a member

même same, even

la mémoire nf the memory

le ménage nm the cleaning, the housework

mensonger/mensongère adj misleading

la menthe nf mint

la mer nf the sea

merci thank you

mercredi nm Wednesday

une mère nf a mother

mes my see **mon**

la météo nf the weather forecast

un métier nm a trade, a profession

le métro nm the underground

mettre v to put (on)

les meubles nm pl furniture

un micro-ondes nm a microwave oven

midi midday, lunchtime

mieux better, best

au milieu in the middle

mi-long/mi-longue adj medium-length

mince adj slim

minuit midnight

j'ai mis I have put (on), I put (on)

la misère nf extreme poverty

une mobylette nf a moped

moche adj ugly, awful

la mode nf fashion

moderne adj modern

moi me

à moi my, mine

moins less

moins bien que less good than

moins de less than

au moins at least

un mois nm a month

la moitié nf half

mon, ma, mes my

le monde nm the world

un moniteur de ski nm a ski instructor

la monnaie nf cash, change

monsieur sir, Mr

une montagne nf a mountain

monter v to go up, to climb

montrer v to show

se moquer de v to make fun of

la moquette nf fitted carpet

un morceau nm a piece

mordre v to bite

la mort nf death

il est mort he died from **mourir**

mort/morte adj dead

un mot nm a word

des mots croisés nm pl a crossword puzzle

un mot d'absence a sick note

un mot de liaison nm a connective

le moteur nm the engine

un motif nm a pattern

motivé/motivée adj motivated

une moto nf a motorbike

mourir v to die

la moutarde nf mustard

un mouton nm a sheep

un moyen de transport nm a means of transport

moyen/moyenne adj medium, middle-sized

un mur nm a wall

un musée nm a museum

un musicien nm a musician

la musique nf music

N

nager *v* to swim
la naissance *nf* birth
naître *v* to be born
la natation *nf* swimming
la nationalité *nf* the nationality
ne…aucun/aucune not one, not a single
ne…pas not
ne…jamais never
ne…personne nobody
ne…plus no longer, not any more
ne…que only
ne…rien nothing
né/née *adj* born
néfaste *adj* harmful
la négation *nf* the negative
la neige *nf* snow
neiger *v* to snow
neigeux/neigeuse *nf* snowy
un nerf *nm* a nerve
nettoyer *v* to clean
un neveu *nm* a nephew
le nez *nm* the nose
ni…ni neither … nor
une nièce *nf* a niece
un niveau *nm* a level
la nocturne *nf* late-night opening
Noël *nm* Christmas
un nœud *nm* a knot
noir/noire *adj* black
un nom *nm* a name, a noun
un nom de famille *nm* a surname
un nombre *nm* a number
non no
le nord *nm* the north
normal/normale *adj* right, natural, fair
normalement normally
norvégien/norvégienne *adj* Norwegian
nos our *see* **notre**
une note *nf* a mark; a note
noter *v* to note
notre, nos our
nourrir *v* to provide food
la nourriture *nf* food, diet
nous we, us, ourselves
nouveau/nouvelle *adj* new
une nuit *nf* a night
nul/nulle *adj* rubbish, awful
un numéro *nm* a number
numéroter *v* to number

O

obtenir *v* to obtain
occupé/occupée *adj* engaged (telephone)
s' occuper de *v* to look after
un œuf *nm* an egg
les œufs en neige *nm pl* beaten egg whites

un office de tourisme *nm* a tourist information office
offrir *v* to give
un oignon *nm* an onion
olympique *adj* Olympic
on we, people, one, they
un oncle *nm* an uncle
un orage *nm* a thunderstorm
orageux/orageuse *adj* stormy
une orange *nf* an orange
une orange pressée *nf* a freshly squeezed orange juice
un ordinateur *nm* a computer
une ordonnance *nf* a prescription
une oreille *nf* an ear
l' orthographe *nf* spelling
ou or
où where
oublier *v* to forget
l' ouest *nm* the west
oui yes
ouvert/ouverte *adj* open
l' ouverture *nf* openness; opening
ouvrir *v* to open

P

le pain *nm* bread
un palais *nm* a palace
un pamplemousse *nm* a grapefruit
pan! pow!
une pancarte *nf* a sign
en panne broken down
un panneau *nm* a sign
un pantalon *nm* a pair of trousers
le papier *nm* paper
le papier peint *nm* wallpaper
un paquet *nm* a packet
par by
par mois/semaine per month/week
par où which way
le parapente *nm* paragliding
un parc *nm* a park
un parc d'attractions *nm* a theme park
un parc de loisirs *nm* a theme park
parce qu'/que because
pareil/pareille *adj* similar
les parents *nm pl* parents
paresseux/paresseuse *adj* lazy
parfois sometimes
un parfum *nm* a perfume
parler *v* to talk
parmi among
à part apart from
de la part de on behalf of
partager *v* to share
un/une partenaire *nm/f* a partner
participer *v* to take part
une partie *nf* part
faire partie de to be a member of
partir *v* to leave
à partir de from

partout everywhere
(ne…) pas not
pas du tout not at all
un passager *nm* a passenger
le passé *nm* the past
un passeport *nm* a passport
passer *v* to pass; to spend (time); to show (on TV, at the cinema); to take (an exam)
se passer *v* to happen
un passe-temps *nm* a hobby
passionnant/passionnante *adj* fascinating
se passionner pour *v* to be keen on
une pastille *nf* a lozenge
les pâtes *nf pl* pasta
patient/patiente *adj* patient
le patinage *nm* ice skating
une patinoire *nf* an ice rink
une pâtisserie *nf* a cake shop
une pause *nf* a break
pauvre *adj* poor
payé/payée *adj* paid
un pays *nm* a country
le paysage *nm* the countryside, the landscape
les Pays-Bas *nm pl* the Netherlands
la peau *nf* skin
la pêche *nf* fishing
la peine: ce n'est pas la peine it's not worth it
pendant during
une pendule *nf* clock
pénible *adj* a pain, a drag
penser *v* to think
la pension complète *nf* full board
perdre *v* to lose
un père *nm* a father
la permanence *nf* private study
une perruche *nf* a budgie
un personnage *nm* a character
la personnalité *nf* the personality
une personne *nf* a person
(ne…) personne nobody
personnellement personally
peser *v* to weigh
un petit ami *nm* a boyfriend
le petit déjeuner *nm* breakfast
petit/petite *adj* small
les petits pois *nm pl* peas
peu not very, not much
un peu *nm* a little bit
avoir peur to be afraid
il/elle/on peut he/she/we can *from* **pouvoir**
peut-être perhaps
ils/elles peuvent they can *from* **pouvoir**
je/tu peux I/you can *from* **pouvoir**
une pharmacie *nf* a pharmacy, chemist's
la physique *nf* physics
un piano *nm* a piano
une pièce *nf* a room; a coin
une pièce d'identité *nf* an identification document

un pied *nm* a foot
à pied on foot
pincer *v* to pinch
le ping-pong *nm* table tennis
pire *adj* worse, worst
le pire *nm* the worst thing
une piscine *nf* a swimming pool
pittoresque *adj* picturesque
un placard *nm* a cupboard
la place *nf* space, room
une place *nf* a square; a theatre/ cinema/train seat
une place de parking *nf* a parking space
une plage *nf* a beach
se plaindre *v* to complain
une plainte *nf* a complaint
plaire *v* to please
plaisanter *v* to joke
ça lui plaît he/she likes it
s'il te/vous plaît please
un plan *nm* a map
la planche à voile *nf* windsurfing
un plateau *nm* a platter
plein/pleine *adj* full
plein de plenty of
pleurer *v* to cry
il pleut it's raining *from* **pleuvoir**
pleuvoir *v* to rain
le plomb *nm* lead
un plongeur *nm* a dishwasher (male)
une plongeuse *nf* a dishwasher (female)
plu pleased *from* **plaire**
plu rained *from* **pleuvoir**
la pluie *nf* rain
la plupart de *nf* most (of)
plus more, plus, most
ne… plus no longer, not any more
plus de more than
en plus in addition
plusieurs several
plutôt rather
pluvieux/pluvieuse *adj* rainy
un pneu *nm* a tyre
la pointure *nf* the shoe size
une poire *nf* a pear
un poisson *nm* a fish
une poissonnerie *nf* a fishmonger's
un poivron *nm* a red/green/ yellow pepper
poli/polie *adj* polite
poliment politely
polluer *v* to pollute
une pomme *nf* an apple
les pommes de terre *nf pl* potatoes
un pompier *nm* a firefighter
un pont *nm* a bridge
populaire *adj* popular
le porc *nm* pork
un portable *nm* a mobile phone
une porte *nf* a door
porter *v* to wear; to carry

poser *v* **une question** to ask a question

la poste *nf* the Post Office

un poste *nm* a position

poster *v* to post

postuler *v* to apply

un pot *nm* a pot, a jar

une poubelle *nf* a dustbin

une pouce *nf* a thumb

une poule *nf* a hen

un poulet *nm* a chicken

pour for, in order to

pourquoi why

je pourrais I would be able to *from* **pouvoir**

pourtant however

pouvoir *v* to be able to

pratique *adj* practical

préférable *adj* preferable

préféré/préférée *adj* favourite

préférer *v* to prefer

premier/première *adj* first

prendre *v* to take

un prénom *nm* a first name

préparer *v* to prepare

près de near

présenter *v* to introduce

presque almost

pressé/pressée *adj* in a hurry; squeezed

prêt/prête *adj* ready

prêter *v* to lend

faire preuve de to show

prévoyant/prévoyante *adj* farsighted

prier *v* to ask

je t'/vous en prie you're welcome

primaire *adj* primary

le printemps *nm* spring

j'ai pris I took/went by *from* **prendre**

un prix *nm* a price; a prize

un problème *nm* a problem

prochain/prochaine *adj* next

proche *adj* close, near

proclamer *v* to proclaim

un prof *nm* a teacher

un professeur *nm* a teacher

professionnel/professionnelle *adj* professional

un projet *nm* a plan

une promenade *nf* a walk, a ride

se promener *v* to go for a walk

propre *adj* clean; of one's own

un propriétaire *nm* an owner

une propriété *nf* a property

protéger *v* to protect

prouver *v* to prove, to show

une publicité *nf* an advert

puis then

puisque because

un pull *nm* a pullover

Q

qu'est-ce que/qui what

un quai *nm* a platform

quand when

un quartier *nm* an area

que that; what; which; than

un Québecois *nm* someone from Quebec

quel/quelle what, which

à quelle heure at what time

quelqu'un somebody

quelque chose something

quelquefois sometimes

quelques some

qui who

quitter *v* to leave

quoi what

quotidiennement daily

R

raconter *v* to tell, narrate

raide *adj* straight

le raisin *nm* grapes

avoir raison to be right

ramasser *v* to collect, gather

une randonnée *nf* a hike

ranger *v* to tidy

râpé/râpée *adj* grated

rapide *adj* quick

rapidement quickly, fast

rappeler *v* to call back

un rapport *nm* a report

par rapport à with regard to, towards

un rayon *nm* a department

un réalisateur *nm* a director (male)

réaliser *v* to carry out

récemment recently

récent/récente *adj* recent, new

une recette *nf* a recipe

recevoir *v* to receive

rechercher *v* to look for

des recherches *nf pl* research

un récit *nm* a story

recommander *v* to recommend

recopier *v* to copy

une récré(ation) *nf* break

j'ai reçu I received *from* **recevoir**

recycler *v* to recycle

redoubler *v* to repeat a year (at school)

réduire *v* to reduce

réel/réelle *adj* real

réfléchir *v* to reflect

regarder *v* to look at, to watch

un régime équilibré *nm* a balanced diet

une région *nf* an area, a region

le réglement *nm* the rules

regretter *v* to be sorry

régulièrement regularly

une reine *nf* a queen

relier *v* to link

---

se remarier *v* to remarry

rembourser *v* to refund

les remparts *nm pl* city walls

remplacer *v* to replace

rencontrer *nm* to meet

un rendez-vous *nm* a meeting

rendre *v* to give back

les renseignements *nm pl* information

se renseigner *v* to find out

la rentrée *nf* the start of the school year

rentrer *v* to go back (home)

renverser *v* to knock down

un repas *nm* a meal

le repassage *nm* the ironing

repérer *v* to spot

répéter *v* to repeat

répondre *v* to reply

une réponse *nf* an answer

un reportage *nm* a report

se reposer *v* to rest

un requin *nm* a shark

une réservation *nf* a booking, a reservation

respecter *v* to respect

respirer *v* to breathe

un restaurant *nm* a restaurant

rester *v* to stay; to be left

un résultat *nm* a result

en retard late

retenir *v* to retain

retourner *v* to return

à la retraite retired

retrouver *v* to meet

se retrouver *v* to meet up

réussir *v* to succeed

une réussite *nf* a success

un rêve *nm* a dream

réveiller *v* to wake (someone)

se réveiller *v* to wake up

revenir *v* to come back

rêver *v* to dream

au rez-de-chaussée on the ground floor

un rhume *nm* a cold

riche *adj* rich

ridé/ridée *adj* wrinkled

les rideaux *nm pl* curtains

ridicule *adj* ridiculous

(ne...) rien nothing

rigoler *v* to have fun

rigolo/rigolote *adj* funny

ringard/ringarde *adj* dated

rire *v* to laugh

risquer *v* to risk

le riz *nm* rice

une robe *nf* a dress

romantique *adj* romantic

rose *adj* pink

rouge *adj* red

rouler *v* to go (vehicles); to roll

une route *nf* a route, a main road

---

roux/rousse *adj* red-haired

une rue *nf* a road, a street

S

sa his, her *see* **son**

sain/saine *adj* healthy

saint/sainte *adj* holy

je/tu sais I/you know *from* **savoir**

une saison *nf* a season

une salade *nf* a salad

le salaire *nm* the pay

sale *adj* dirty

une salle *nf* a room

une salle à manger *nf* a dining room

une salle de bains *nf* a bathroom

un salon *nm* a lounge

Salut! Hello!

samedi *nm* Saturday

les sandales *nf pl* sandals

sans without

sans intérêt boring

la santé *nf* health

une saucisse *nf* a sausage

le saucisson *nm* (sliced) sausage

sauf except, apart from

le saumon *nm* salmon

le saut à élastique *nm* bungee jumping

sauter *v* to jump

savoir *v* to know

les sciences *nf pl* science

scolaire *adj* school

un scooter des mers *nm* a jetski

se himself, herself, themselves

une séance *nf* a show

sec/sèche *adj* dry

le secours help

un seigneur *nm* a lord

un séjour *nm* a stay; a living room

séjourner *v* to stay

le sel *nm* salt

selon according to

une semaine *nf* a week

sembler *v* to seem

un Sénégalais *nm* someone from Senegal

sentir *v* to smell

se sentir bien *v* to feel well

séparé/séparée *adj* separated

je serais I would be *from* **être**

ça serait it would be *from* **être**

une série *nf* a series

sérieusement seriously

un serpent *nm* a snake

un serveur *nm* a waiter

une serveuse *nf* a waitress

une serviette *nf* a towel

servir *v* to serve

se servir de *v* to use

ses his, her *see* **son**

seul/seule *adj* alone, only

seulement only

un short *nm* a pair of shorts
si if
servir *v* to serve
les siennes *nf pl* his, hers, theirs
situé/située à situated
le skate *nm* skateboarding
le ski *nm* ski-ing
un SMS *nm* a text message
une sœur *nf* a sister
la soif *nf* thirst
soigner *v* to take care of
un soir *nm* an evening
soit… soit… either… or…
le sol *nm* the floor, the ground
un soldat *nm* a soldier
le soleil *nm* the sun
sombre *adj* dark
j'ai sommeil I'm sleepy
un sommet *nm* a summit
son, sa, ses his, her
un sondage *nm* a survey
sonner *v* to ring
une sorcière *nf* a witch, a sorceress
une sortie *nf* an outing; an exit
sortir *v* to go out; to put/take out
sot/sotte *adj* silly
soudain suddenly
souffler *v* to blow
souffrir *v* to suffer
souhaiter *v* to wish (to)
un soulier *nm* a shoe
souligné/soulignée *adj* underlined
la soupe *nf* soup
sourd/sourde *adj* deaf
une souris *nf* a mouse
sous under
le sous-sol *nm* the basement
un sous-vêtement *nm* an undergarment
souvent often
un spectacle *nm* a show
sportif/sportive *adj* sporting, sporty
un stade *nm* a stadium
un stage en entreprise *nm* work experience
une station de sports d'hiver *nf* a winter sports resort
une station-service *nf* a filling station
strict/stricte *adj* strict
le succès *nm* the success
sucer *v* to suck
le sucre *nm* sugar
le sud *nm* the south
le sud-est *nm* the south-east
le sud-ouest *nm* the south-west
suivant/suivante *adj* following
suivre *v* to follow
super *adj* lovely
un supermarché *nm* a supermarket
sur on
sûr/sûre sure

le surf des neiges *nm* snowboarding
surligné/surlignée *adj* highlighted
surtout especially
surveiller *v* to keep an eye on
un sweat *nm* a sweatshirt
sympa(thique) *adj* kind, nice
un syndicat *nm* a trade union

T

ta your *see* **ton**
le tabac *nm* tobacco
une table *nf* a table
une table de chevet *nf* a bedside table
un tableau (des tableaux) *nm* a picture
une tache *nf* a stain
une tâche *nf* a task
la taille *nf* the (clothing) size
une tante *nf* an aunt
taper *v* to type
un tapis *nm* a carpet, a rug
tard *adj* late
une tarte *nf* a tart, a pie
une tasse *nf* a cup
un taux *nm* a rate, a level
le taux de change *nm* the exchange rate
un taxi *nm* a taxi
te you, yourself
un tee-shirt *nm* a T-shirt
la télé *nf* TV, telly
un téléphérique *nm* a cable car
téléphoner (à) *v* to phone
la télé-réalité *nf* reality TV
la télévision *nf* television
tellement so (much)
un témoignage *nm* a story, an account
le temps *nm* the weather; the time; the tense
de temps en temps from time to time
tenir *v* to hold
une tente *nf* a tent
se terminer *v* to finish
un terrain de jeux *nm* a playground
un terrain de sport *nm* a sportsground
la terre the ground, the earth
tes your *see* **ton**
la tête *nf* the head
têtu/têtue *adj* stubborn
un thé *nm* a tea
un théâtre *nm* a theatre
le thon *nm* tuna
un ticket de caisse *nm* a till receipt
la tienne *nf* yours
un tiers *nm* a third
un timbre *nm* a stamp
tirer *v* to draw, to pull

toi you
une toile *nf* a cloth
les toilettes *nf pl* the toilet
un toit *nm* a roof
une tomate *nf* a tomato
tomber *v* to fall
ton, ta, tes your
une tortue *nf* a tortoise
tôt early
toujours always; still
un tour à vélo *nm* a bike ride
une tour *nf* a tower
touristique *adj* touristy
tous all *see* **tout**
tous les deux both
tous les dimanches every Sunday
tous les jours every day
tout/toute/tous/toutes everything, all
tout de même all the same
tout de suite at once
tout le monde everyone
en tout in all
toute/toutes all *see* **tout**
de toute façon in any case
traditionnel/traditionnelle *adj* traditional
une traduction a translation
traduire *v* to translate
un train *nm* a train
un tramway *nm* a tram
une tranche *nf* a slice
transmettre *v* to pass on
les transports en commun *nm pl* public transport
le travail *nm* work
travailler *v* to work
travailleur/travailleuse *adj* hard-working
traverser *v* to cross
très very
un tribunal *nm* a court
triste *adj* sad
trop too, too much, too many
trop de monde too many people
un trottoir *nm* a pavement
trouver *v* to find
se trouver *v* to be (situated)
un truc *nm* a thing
tu you *see p. 217*
une tuile *nf* a tile
tunisien/tunisienne *adj* Tunisian
typique *adj* typical

U

un/une a, an, one
uni/unie *adj* plain
un usager *nm* an user
une usine *nf* a factory
utile *adj* useful
utiliser *v* to use

V

ça va bien it's fine
ça va comme ça it's OK as it is, I'm all right
il/elle/on va he/she goes, we go *from* **aller**
ça me va it suits me
les vacances *nf pl* the holidays
une vache *nf* a cow
je vais I go *from* **aller**
la vaisselle *nf* the washing-up
une valeur *nf* a value
une vallée *nf* a valley
un vélo *nm* a bike
faire du vélo *v* to go cycling
le velours *nm* corduroy, velvet
la vendange *nf* the grape harvest
un vendangeur *nm* a grape picker
un vendeur *nm* a sales assistant (male)
une vendeuse *nf* a sales assistant (female)
vendre *v* to sell
vendredi *nm* Friday
venir *v* to come
venir de faire *v* to have just done
un vent *nm* a wind
en vente for sale
le ventre *nm* the stomach
vérifier *v* to check
véritable *adj* real, genuine
la vérité *nf* truth
un verre *nm* a glass
vers towards, about (time)
vert/verte *adj* green
une veste *nf* a jacket
un vêtement *nm* an item of clothing
veuillez agréer please accept
il/elle/on veut he/she wants, we want *from* **vouloir**
veut dire means
je/tu veux I/you want *from* **vouloir**
la viande *nf* meat
vide *adj* empty
une vidéo *nf* a video
la vie *nf* life
vieille *see* **vieux**
ils viennent they come *from* **venir**
il/elle/on vient he/she comes, we come *from* **venir**
vieux/vieille *adj* old
un village *nm* a village
une ville *nf* a town
en ville in town, into town
le vin *nm* wine
je vis I live *from* **vivre**
une visite *nf* a visit
visiter *v* to visit (places)
vite quickly
une vitre *nf* a car window
vivre *v* to live
voici here is, here are
une voie *nf* a track

voilà there you are
la voile *nf* sailing
voir *v* to see
une voiture *nf* a car
une voix *nf* a voice
voler *v* to fly
vomir *v* to vomit
ils/elles vont they go *from* **aller**

votre, vos your
je voudrais I would like *from*
vouloir
vouloir *v* to want
vous you *see p. 217*
un voyage *nm* a journey
voyager *v* to travel
vrai/vraie *adj* true

vraiment *adj* really
on a vu we saw *from* **voir**
une vue *nf* a view

W

un week-end *nm* a weekend

Y

y there
il y a there is, there are
le yaourt *nm* yoghurt
les yeux *nm pl* **(un œil)** eyes
(an eye)